Pendo

Johano Strasser

Als *wir noch Götter waren im Mai*

Erinnerungen

Pendo München und Zürich

Meinen Kindern Maritta, Felix und Therese

Als wir noch Götter waren im Mai
Hatten wir einen Heidenspaß
Wenn wir zuweilen die Geschichte
Einfach rückwärts laufen ließen

INHALT

I

Ein ambivalentes Erbe

Zu meinen frühesten Erinnerungen gehört eine Szene, die sich im
Flur unseres Hauses in der niederländischen Provinzhauptstadt
Leeuwarden abspielte. Ich kann damals nicht viel älter als drei
Jahre gewesen sein. Es war später Nachmittag oder früher
Abend, mein Vater kam heim von der *Schreibstube*. So hieß das
Büro, in das ihn, der dem Paß nach Österreicher war, die deut-
schen Besatzer gesetzt hatten. Ich hörte ihn, rannte aus dem
Wohnzimmer in den Flur, um ihn zu begrüßen, da sah ich gerade
noch, wie er hastig den großen Bauernschrank schloß, der dort
stand. Ich hatte sofort das Gefühl, daß er etwas vor mir ver-
steckte, und als er im Wohnzimmer saß und den *Leeuwarder
Courant*, die örtliche Zeitung, las, schlich ich in den Flur, öffnete
die Schranktür und fand ein Gewehr.

Merkwürdigerweise hat mein Vater, als ich ihn Jahrzehnte
später – wir waren längst in Deutschland – darauf ansprach,
immer bestritten, ein Gewehr bei sich geführt zu haben. Die
Deutschen hätten ihn dienstverpflichtet, sagte er, aber zum
Glück nicht zum Kriegsdienst, sondern in der Standortverwaltung, und als Angestellter in der Standortverwaltung habe er
kein Gewehr tragen müssen. Entweder täuscht mich meine Erinnerung – ich habe als Kind tatsächlich lange Schwierigkeiten
gehabt, Traum und Wirklichkeit auseinanderzuhalten – oder
ihm war die Sache so peinlich, daß er sie auch Jahrzehnte danach
nicht wahrhaben wollte.

Meine Geburtsstadt Leeuwarden. Mitte der achtziger Jahre
bin ich zuletzt fast zwei Wochen dort gewesen, als ich für meinen
Roman *Der Klang der Fanfare* recherchierte. Ich war in der Cam-
minghastraat, wo ich in einem der einstöckigen Häuser aufge-

wachsen bin, sah die Anlagen des *Prinsentuin,* das alte Gemäuer des *Oldehove* und das Haus meines Großvaters am *Groentemarkt.* Genau gegenüber – eine Kupfertafel weist darauf hin – das Geburtshaus von Margaretha Geertruida Zelle, besser bekannt als Mata Hari, der Tänzerin, die in allen Hauptstädten Europas den Menschen den Kopf verdrehte, schließlich als deutsche Spionin verhaftet und am 15. Oktober 1917 in Vincennes bei Paris von einem zwölfköpfigen Erschießungskommando hingerichtet wurde. In einer solchen Stadt bin ich geboren, einer Stadt, in der die Menschen über ihre Verhältnisse träumen, in die Welt hinausgehen und Wunder wirken. Aber dann, wenn der Applaus verklungen ist, werden sie von der großen Welt ausgespien, weil sie, wo immer sie sind, Fremde bleiben, weil auch nach vielen Jahren in den Metropolen ihr neugieriger Provinzlerblick sie verrät.

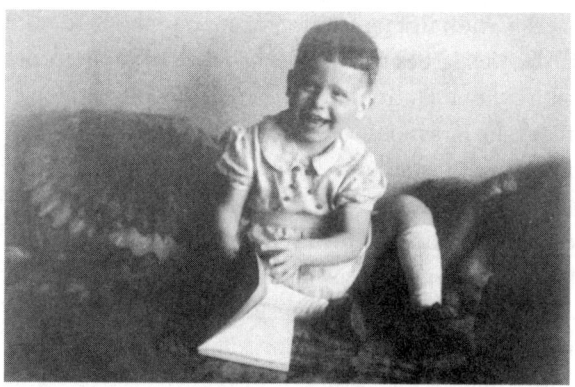

J. S. im Alter von zweieinhalb Jahren

Meine Eltern waren Esperantisten und Pazifisten. Sie glaubten daran, daß durch die Verbreitung der von Ludwik Zamenhof erfundenen Kunstsprache Esperanto alle ethnischen, religiösen, kulturellen Gräben überwunden werden und die Menschen auf der ganzen Welt friedlich miteinander leben könnten. Oder, wenn sie vielleicht auch nicht felsenfest daran glaubten, so hielten sie es doch für einen Versuch wert. Kennengelernt haben sich meine Eltern auf einem Esperanto-Kongreß in Paris Ende der zwanziger Jahre. Nach der Heirat lebten sie einige Jahre in Frankreich, in Avignon zunächst, später in Mulhouse im Elsaß. In Mulhouse kamen zwei meiner Brüder zur Welt. Dann zog die Familie nach Holland um, wo ich am ersten Mai 1939, ein weiterer Bruder drei Jahre später geboren wurde. Nach dem Krieg landeten wir alle in Norddeutschland, hier kam als letztes Geschwister im kalten Winter des Jahres 1947 schließlich noch ein Mädchen dazu. Den drei Söhnen, die vor dem Zweiten Weltkrieg geboren wurden, gaben meine Eltern Esperantonamen: Roberto Amato, Ludoviko Bennato und Johano Roberto. Aber als der Zweite Weltkrieg ausbrach, gingen nicht nur ihre pazifistischen Hoffnungen zu Bruch, auch ihr Glaube an die völkerversöhnende Kraft des Esperanto bekam Risse. Der im Krieg geborene vierte Sohn wurde nach der holländischen Königin Wilhelm genannt, die nach dem Krieg geborene Tochter nach der französischen Nationalfigur Marianne.

Warum, als die Ideale des Esperanto für meine Eltern ihren Glanz verloren, Wilhelm und Marianne? Setzten meine Eltern nun auf einmal auf die Kraft der Nationen, der niederländischen und der französischen? Und warum zogen sie dann, als der Krieg zu Ende ging, mit der ganzen Familie nach Deutschland, wo Menschen wie sie, die in der Tradition der Aufklärung und des Kosmopolitismus standen, von den nationalen Kräften doch nicht viel erwarten konnten? Ich habe sie merkwürdigerweise nie danach gefragt, damals nicht und auch später nicht. Und nun ist es zu spät, denn meine Eltern leben nicht mehr. Mein Vater ist mit siebenundachtzig, meine Mutter mit achtundneunzig Jahren in Kalifornien gestorben.

Was wir Erinnerung nennen, ist eine seltsame Mischung aus dem, was uns das Leben mitgegeben hat, und dem, was wir träumend, uns selbst und andere täuschend, hinzufügen. Manche entwickeln, wenn sie älter werden, von sich aus eine Neigung, das eigene Leben im Rückblick zu erfassen, sich die einzelnen Stationen, die Höhen und Tiefen, die charakteristischen Details zu vergegenwärtigen und daraus eine Geschichte zu formen: eine Biographie. Vielleicht bin ich noch nicht alt genug, vielleicht ist es auch die für meine holländisch-friesisch-norddeutsche Herkunft typische Scheu, sich allzu intensiv mit sich selbst zu befassen, die mich zögern läßt. Ich habe bisher mein Leben immer nur als Fundus benutzt, als Fundus für argumentativ verwendbare Erfahrungen und als Fundus für Geschichten, in die ich meine literarischen Figuren verwickelte. Auf die Idee, es als ein mehr oder weniger sinnreiches, zusammenhängendes Ganzes zu sehen und daraus eine Biographie zu formen, bin ich nie gekommen, und eine Autobiographie zu schreiben, noch dazu der üblichen Art, habe ich auch jetzt nicht im Sinn.

Aber sagen das nicht die meisten von sich, wenn sie daran gehen, ihr Leben aufzuschreiben? Als Schriftsteller gibt man, ob man es will oder nicht, in jedem Buch, in jedem Satz, in jeder Zeile ein Stück von einem selbst preis. Auch dann, wenn man mit dem Ich ein Versteckspiel treibt, sich mal diese, mal jene Maske aufsetzt. So gesehen, ist alles Schreiben autobiographisch. Auch kann ich mich nicht der Erkenntnis entziehen, daß viele meiner Ansichten und Einstellungen, politische, moralische, religiöse oder lebensphilosophische, ihre besondere Ausprägung und einen Großteil ihrer Überzeugungskraft aus dem beziehen, was mir im Leben widerfahren ist. Weil dies so ist, mag es vielleicht sinnvoll sein, dem Zusammenhang zwischen diesen Überzeugungen und dem, was ich mein Leben nenne, an einigen zentralen Punkten genauer nachzugehen, freilich ohne dabei dem unter Verfassern von Autobiographien verbreiteten Irrtum zu verfallen, daß alles, was mir zugestoßen ist, schon deswegen mitteilenswert ist, weil es *mir* zugestoßen ist.

Ich, der ich Philosophie studiert und in diesem Fach promoviert habe, unterschätze nicht den Einfluß von Theorien und Theoretikern auf meine moralischen, philosophischen, religiösen und politischen Grundüberzeugungen. Zu gut erinnere ich mich, welchen nachhaltigen Eindruck die Lektüre von Büchern auf mich hatte: ganz früh so unterschiedliche wie die *Forsyte Saga* von Galsworthy, die ich mit zwölf Jahren verschlang, und Eichendorffs *Aus dem Leben eines Taugenichts,* später dann die Schriften Immanuel Kants, die *Bekenntnisse* des Augustinus,

Montaignes *Essais*, Camus' *Der Mensch in der Revolte* und nicht zuletzt die Schriften von Marx und Engels. Aber, das ist mir im Laufe der Jahre immer klarer geworden, alle in diesen Büchern versammelten Ideen hätten mich wohl nicht so sehr ergriffen, wenn der Boden dafür nicht durch Herkunft, Erziehung und Lebenserfahrung bereitet worden wäre.

Als ich während des Philosophiestudiums zum ersten Mal Kants kleine Schrift *Zum ewigen Frieden* las, war ich längst im Kopf Kosmopolit und vom Gefühl her Europäer. Unsere Verwandten, Tanten, Onkel, Nichten und Neffen, lebten in Frankreich, in Italien, in Österreich und Holland, meine beiden älteren Brüder waren in die USA ausgewandert und lebten mittlerweile mit ihren Familien in Kalifornien. Als ich, bis dahin Inhaber eines österreichischen Passes, Mitte der sechziger Jahre Deutscher wurde, hatte das unter anderem einen ganz praktischen Grund: Ich wollte endlich auch einmal an den deutschen Leichtathletikmeisterschaften teilnehmen können. Hätte es diese Möglichkeit gegeben, ich hätte vielleicht lieber einen europäischen Paß erworben. Wie sehr ich schon damals Deutscher war, wurde mir erst im Laufe der Jahre richtig bewußt.

Als ich wenig später Friedrich Engels' *Die Lage der arbeitenden Klasse in England* in die Hände bekam, ließ mich das Thema der sozialen Gerechtigkeit und der politischen Emanzipation der Arbeitenden auch deswegen nicht mehr los, weil ich selbst als Kind und auch noch in den ersten Jahren des Studiums erfahren hatte, was es heißt, unter ökonomisch prekären Verhältnissen zu leben, weil ich, in den Semesterferien auf dem Bau und in einer Betonfabrik, später bei Ford in Köln und bei Magirus in Mainz arbeitend, einen ersten Eindruck davon bekam, daß arbeitende Menschen immer noch um ihre Rechte kämpfen mußten. Vielleicht spielte aber auch eine Rolle, daß ich am ersten Mai geboren wurde und meine Mutter mir lange weiszumachen suchte, der festliche Umzug der Gewerkschaften mit all den roten Fahnen werde ganz allein meinetwegen veranstaltet.

Wenn Personen des öffentlichen Lebens gefragt werden, wie sie zu ihren politischen Einstellungen gekommen sind, so geben sie dafür meist Gründe an, die mit den Problemen und politischen Kämpfen ihrer Zeit zusammenhängen, verweisen auf Politiker, die ihnen vorbildhaft, auf Parteiprogramme, die ihnen wegweisend erschienen. In vielen Fällen ist eine solche Erklärung auch durchaus einleuchtend. Auch bei mir spielten Politiker und Programme eine nicht unerhebliche Rolle. Und dennoch bin ich sicher, daß die Entscheidung für einen linken Humanismus bei mir viel früher gefallen ist, zu einem Zeitpunkt, da ich mich für Politiker und ihre Programme noch gar nicht interessierte, und lange bevor ich hätte sagen können, was einen Sozialisten von einem Konservativen oder Liberalen unterscheidet.

Es sind frühe Bilder und Erfahrungen, die meinen Weg vorbestimmten. Die schlichte Würde der einfachen Menschen, mit denen ich aufwuchs, die Abende am torfbeheizten Kachelofen, bei denen zuweilen die Mutter auf Holländisch, zuweilen eines der älteren Kinder auf Deutsch aus einem Buch vorlas, der ständige Kampf ums Überleben in der Nachkriegszeit, der auch uns Kinder zwang, neben der Schule beim Bauern auf dem Feld oder auf Schützenfesten mit dem Bauchladen voller Süßwaren und Zigaretten ein wenig Geld zu verdienen, der Swing und der Jazz, die Musik der Freiheit, die wir auf AFN und später in der Milchbar in Rotenburg hörten, einem ersten Treff subversiver Kräfte, die der gouvernantenhaften Enge der Adenauer-Zeit zu entkommen suchten.

Nein, es sind keine bedrückenden Erinnerungen, die mich mit meiner Kindheit verbinden. Meine Kindheit und Jugend erlebte ich im Ganzen als eine glückliche Zeit. Daß wir nach heutigen Maßstäben arm waren, mit sieben, zeitweilig sogar mit acht Personen in zwei Zimmern wohnten, daß wir Kinder früh schon mitarbeiten mußten, die jeweils Jüngeren die Kleider und Schuhe der Älteren auftrugen, all das erschien mir damals normal, jedenfalls nicht unerträglich. Die meisten Menschen, mit denen wir umgingen, waren nicht viel besser gestellt. Was vielleicht noch wichtiger war, wir waren eine große Familie, die, wenn es darauf ankam, zusammenhielt, um die sich ein Kranz von Freunden bildete. Und wir hatten eine Mutter, die wie eine Löwin kämpfen konnte, wenn einem ihrer Kinder Unrecht geschah.

Nicht alle hatten dieses Glück. Als ich elf oder zwölf Jahre alt war und die Mittelschule in der nordniedersächsischen Kleinstadt Zeven besuchte, hatte ich einen Klassenkameraden, der bei den Lehrern als dumm, faul und renitent galt. Er wohnte in einer Barackensiedlung, die im Volksmund »Klein Moskau« hieß, weil dort Flüchtlinge aus Ostpreußen und Schlesien untergebracht waren, Frauen mit vielen Kindern zumeist, deren Männer im Krieg umgekommen oder vermißt waren. Kurt war das älteste von sechs Geschwistern. Wenn er von der Schule nach Hause kam, machte er für sich und seine Geschwister das Essen, putzte die Wohnung, windelte das Baby, hackte Holz für den Ofen, kaufte ein und trug zwischendurch noch Zeitungen aus, um etwas zum Haushaltseinkommen beizutragen. Gegen sechs Uhr abends kehrte seine Mutter von der Arbeit in der Fabrik heim. Dann ging Kurt ihr beim Bereiten des Abendessens zur Hand, und manchmal mußte er ihr auch beistehen, wenn ihr Lebensgefährte, ein aggressiver Alkoholiker, wieder einmal betrunken und lärmend auf sie eindrang. Für Kurt selbst und die Schule blieb da keine Zeit übrig.

Ich bin, soviel ich weiß, nur ein einziges Mal bei Kurt zu Haus gewesen, um mein altes Dreirad, das er als Geburtstagsgeschenk für seinen kleinen Bruder herrichten wollte, gegen eine Dreigangnabe für mein Fahrrad einzutauschen. Ich war verblüfft, mit welcher Selbstverständlichkeit er seinen Geschwistern Anweisungen gab, Streit schlichtete, sie tröstete, den älteren bei den Schulaufgaben half. Ich bemerkte aber auch das nervöse Zucken in seinem Gesicht, und plötzlich wurde mir bewußt, daß ich ihn noch nie hatte lachen sehen – und daß die Lehrer sehr ungerecht waren, die diesen Jungen als dumm und faul bezeichneten.

Ich erinnere mich noch heute genau daran, wie sehr mich diese Ungerechtigkeit empörte. Die Erfahrung hat sich mir bis heute eingebrannt. Als ich später Albert Camus las, *Der Mensch in der Revolte* zuerst, dann auch *Licht und Schatten*, da begriff ich, daß damals, als ich Kurt in »Klein Moskau« besuchte, mit mir etwas geschah, was Camus mit dem Begriff der *Revolte* zu fassen sucht. Meine Empörung hatte nichts mit Ressentiment oder Neid zu tun, nicht einmal mit einem mir persönlich zugefügten Leid. Es war – damals hätte ich natürlich nie ein so großes Wort benutzt – eine Empörung im Namen der Menschenwürde, eine spontane Reaktion, in der ich blitzartig entdeckte, was mich mit diesem Jungen verband. Die Erfahrung wühlte mich auf, und rückblickend meine ich, daß sie mir eine erste vage Vorahnung davon vermittelte, was es heißt, ein politischer Mensch zu sein.

Heute bin ich sicher, daß mein späteres politisches Engagement unter anderem aus dieser Quelle kommt. Wahrscheinlich waren mir bei aller Faszination, die politische Theorien bald auch für mich hatten, deswegen jene wissenschaftlichen Sozialisten immer suspekt, denen die stringente Analyse der bestehenden Verhältnisse alles war, die aber nicht selten blind und taub waren für das konkrete Leid um sie herum. Auch als es in den späten sechziger und in den siebziger Jahren unter der akademischen Linken weithin üblich wurde, moralische Begründungen des politischen Engagements als »kleinbürgerlich« zu belächeln, blieb ich *ethischer Sozialist* und mißtraute all jenen kalten Strategen zutiefst, die Hegels Wort, daß der Fortschritt sich seinen Weg mit blutigen Stiefeln durch die Geschichte bahne, als Entschuldigung für ihren eigenen Mangel an Menschlichkeit nahmen.

In Camus' *Licht und Schatten* las ich auch den Satz: »Die Armut habe ich nie als Unglück empfunden.« Genauso war es auch mir gegangen, wie Camus hatte auch ich schon früh jenes Glück des Seins kennengelernt, das nicht von der Fülle des Habens abhängig ist. Es war, denke ich, diese Erfahrung, die mich zeitlebens vor der gutgemeinten, aber im Kern doch herablassenden sozialarbeiterlichen Auffassung bewahrte, daß wer arm ist, nicht in Würde leben, nicht ein voll entfalteter Mensch, nicht in Maßen glücklich sein könne. Es war nicht das nagende Bewußtsein, zu kurz gekommen zu sein, das mich zum politischen Engagement trieb. Mich trieb kein Ressentiment gegen die, denen es besser ging als mir. Es war eher ein Grundgefühl elementarer Zugehörigkeit, das mich bewog, Partei zu ergreifen für die, denen es schlechter ging als mir, denen offensichtlich Unrecht geschah. Darum leuchtete mir der kategorische Imperativ des jungen Marx, »alle Verhältnisse umzuwerfen, in denen der Mensch ein erniedrigtes, ein geknechtetes, ein verlassenes, ein verächtliches Wesen ist«, unmittelbar ein.

Hochzeit der Eltern 1928 in Leeuwarden

Politik im engeren Sinn spielte in meinem Elternhaus kaum eine Rolle. Wir Kinder hörten unsere Eltern dann und wann sagen, daß dieser oder jener ein alter Nazi sei, mit dem man besser nichts zu tun haben sollte, Adenauer, das war gelegentlichen Bemerkungen zu entnehmen, war bei meinen Eltern nicht besonders beliebt, und einmal in den frühen fünfziger Jahren, daran glaube ich mich zu erinnern, ist meine Mutter mit dem Bus nach Bremen gefahren, um Kurt Schumacher zu hören. Mein holländischer Großvater, der in den Fünfzigern einige Zeit bei uns lebte, war wie die meisten Holländer nicht gut auf die Deutschen zu sprechen. Stundenlang konnte er über die Kränkungen berichten, die die deutschen Besatzer den Holländern angetan hatten. Aber auch er war im Grunde kein politischer Mensch. Daß nicht wenige Holländer mit den Deutschen kollaboriert hatten, daß die fast vollständige Vernichtung der holländischen Juden ohne die Mithilfe vieler seiner Landsleute gar nicht möglich gewesen wäre, wußte er nicht oder wollte er nicht wissen. Und wenn er sich über die Missetaten der Deutschen ausließ, gipfelte seine Empörung regelmäßig darin, daß sie ganze Güterzüge voll unausgereiften Gouda ins Reich hatten abtransportieren lassen. Da zeige sich, pflegte mein Großvater zu sagen, daß die Deutschen letztlich eben doch kein Kulturvolk seien.

Für meine älteren Brüder war Politik in jenen frühen Jahren überhaupt kein Thema. Sie interessierten sich für Musik, für den Jazz und die Unterhaltungsmusik, die von jenseits des Atlantiks bis zu uns in die abgelegene Nordheide drangen. Ludoviko, den wir Louis nannten, spielte Gitarre, mit Plektron und elektrischem Tonabnehmer, Roberto, der in der Familie nur Roger hieß, Klarinette, Trompete und, weil ein Klavier nicht in die Wohnung gepaßt hätte, Akkordeon. Das Akkordeon wurde dann auch mein Instrument, das ich leidlich zu spielen lernte, so daß ich damit in den ersten Jahren meines Studiums meinen Lebensunterhalt verdienen konnte.

Von heute aus gesehen, war unsere Familie eher unpolitisch. Aber das hieß keineswegs, daß wir alles über uns ergehen ließen. Angefeuert von unserer tatkräftigen holländischen Mutter nahmen wir die Dinge selbst in die Hand. Da auf dem Dorf, in dem wir zunächst lebten, ein Sportplatz fehlte, planierten wir mit anderen ein Stück Heideland, errichteten Tore aus Holz, das wir im nahen Wald schlugen, obwohl das, streng genommen, nicht erlaubt war, und gründeten einen Fußballverein. Weil es in unserem Dorf außer einem grauenvoll spielenden Musikzug mit Pikkoloflöten, Tuba und Pauke, keine Musikkapelle gab, gründete mein ältester Bruder eine Familienband, die sich *Los Amigos* nannte und bald in der näheren und weiteren Umgebung, insbesondere bei jungen Leuten, ein gewisses Ansehen genoß.

Vielleicht ist diese früh eingeübte Gewohnheit, nicht darauf zu warten, daß andere für einen die Probleme lösen, sondern selbst zuzupacken, der Grund dafür, daß ich mich als Erwachsener fast selbstverständlich zuständig fühlte, wenn es darum ging, gegen ein Unrecht aufzubegehren oder einem Übel abzuhelfen. Mag schon sein, daß es auch meiner Eitelkeit schmeichelte, mich selbst in der Rolle des Rächers der Enterbten und des uneigennützigen Helfers zu sehen. Allerdings glaube ich, letztlich ausschlaggebend war das in Kindheit und Jugend erworbene Vertrauen, daß man aus eigener Kraft, zusammen mit anderen, etwas verändern kann.

Und doch bleibt es eine der Erklärung bedürftige Tatsache, daß dieselben oder ähnliche Bedingungen bei verschiedenen Personen sich so ganz unterschiedlich auswirken. Meine beiden älteren Brüder zum Beispiel sind eher unpolitisch geblieben, der älteste war, eine Zeitlang zumindest, sogar ein gläubiger Anhänger Ronald Reagans, was mir erheblich zu schaffen machte. Ein Grund ist sicher, daß sie, Ende der Fünfziger der eine und Anfang der Sechziger der andere, in die USA auswanderten und somit jene für mich und viele meiner Generation politisch so überaus prägende Zeit der sechziger Jahre in der Bundesrepublik verpaßten. Bei meinem jüngeren Bruder liegt der Fall anders. Er heiratete früh, blieb in der norddeutschen Provinz, verstrickt in all jene kraftraubenden und den Blick verengenden kleinen Aufstiegskämpfe, die ihn schließlich zu einem leidlichen Einkommen, einem Mittelklassewagen und einem hypothekenbelasteten Eigenheim verhalfen. Erst nachdem ihm das Leben schon erheblich zugesetzt hatte, engagierte er sich, vielfältig begabt und verletzlich wie er war, gelegentlich auch politisch. Nur meine Schwester, die die unruhige Achtundsechziger-Zeit als Studentin erlebte und später Lehrerin wurde, ist politisch einen ähnlichen Weg gegangen wie ich.

Ich habe es immer als ein großes Privileg angesehen, daß ich, obwohl aus kleinsten Verhältnissen kommend und als Ausländer ohne Chance auf Studienförderung nach dem »Honnefer Modell«, dennoch studieren konnte. Natürlich könnte ich, wie es heute unter den selbsternannten »Leistungsträgern« üblich geworden ist, hierin ganz und gar nur mein Verdienst sehen. Schließlich habe ich vom ersten bis zum letzten Tag mein Studium am Auslands- und Dolmetscherinstitut der Universität Mainz in Germersheim selbst finanziert: durch Akkordeonspielen in Cafés und Bars, durch Knochenarbeit auf dem Bau und später durch Mitarbeit an einem Lexikon. Und das spätere Philosophiestudium finanzierte ich mit dem Geld, das ich mir als Übersetzer bei den Ford-Werken zusammengespart hatte. Aber den Mut dazu und das Vertrauen in die eigene Kraft, verdanke ich den frühen Erfahrungen in meiner Familie, vor allem der Tatsache, daß meine Mutter mir die Überzeugung einpflanzte, ich könne alles schaffen, wenn ich es nur wolle, was natürlich maßlos übertrieben war, wie sich denn auch bald herausstellen sollte. Aber als meine Mutter, die zunächst ganz anderes mit mir vorhatte, schließlich in meine Studienpläne einwilligte und mir das Geld für die Zugreise in die ferne Vorderpfalz in die Hand drückte, sagte sie zu mir: »Du schaffst das schon.« Und entsprechend optimistisch machte ich mich auf den Weg, in der Rechten einen großen Koffer, in der Linken das Akkordeon.

Was ist wichtig im Leben? Geld war immer knapp in unserer Familie, auch als rund um uns herum die Anzeichen für ein Wirtschaftswunder unübersehbar wurden. Oft genug reichte es nicht, um das Nötigste zum Leben anzuschaffen. Entsprechend erfinderisch mußten wir sein, um dennoch irgendwie über die Runden zu kommen. Sicher wäre vieles leichter gewesen für meine Eltern, für meine Mutter zumal, auch für uns Kinder, wenn mein Vater in seinen kleinen Geschäften erfolgreicher, wenn die materielle Lage der Familie etwas großzügiger gewesen wäre. Dennoch: Geld war nicht wichtig. Es war notwendig, und wir mußten uns immer wieder etwas einfallen lassen, um genügend davon zu verdienen, aber wirklich wichtig war es nicht. Außer für meinen ältesten Bruder, der sich nach seiner Auswanderung in die USA eine Zeitlang amerikanischer gab als die Amerikaner.

Ich selbst bin in dem Bewußtsein aufgewachsen, daß Geld, Besitz, auch Macht nichts über den Wert eines Menschen aussagen, daß es auf ganz andere Dinge ankommt im Leben: auf Anstand, Mut, Zivilcourage, geistige Offenheit und Selbständigkeit, auf Kreativität, Esprit und Lebensfreude. Darum habe ich auch immer Distanz gehalten zu dem linken Ökonomismus der Vulgärmarxisten, die allein materielle Interessen als Triebkräfte der Geschichte anerkannten und denen das Geistige als bloßer Überbau galt; und aus dem gleichen Grunde ist es mir zutiefst zuwider, wenn der Kapitalismus, wie das heute unter dem Einfluß des Neoliberalismus geschieht, zur Weltanschauung wird, wenn die ökonomische Logik zunehmend alle Lebensbereiche durchdringt und es am Ende für immer mehr Menschen womöglich keine höheren Werte gibt als die, die an der Börse gehandelt werden. Gelänge es den Propagandisten des Neoliberalismus tatsächlich, die Welt nach ihren Vorstellungen zu formen, so wäre das für mich nichts als Barbarei.

Dabei ist mir die Geschäftswelt nicht fremd. Mein Vater war viele Jahre lang Klein- oder Kleinstunternehmer, und nach Lage der Dinge waren alle Familienmitglieder, ob sie es wollten oder nicht, in seine Unternehmungen verwickelt. Nachdem wir nach Deutschland umgezogen waren, trieb mein Vater, von einer kurzen Zeit als Dolmetscher bei der englischen Besatzungsmacht abgesehen, immer mit irgendetwas Handel. Mit Kurzwaren zunächst, später mit Süßwaren, und schließlich mit Bausparverträgen und Versicherungspolicen. Immer wieder entdeckte er phantastische neue Möglichkeiten, die Familie aus der finanziellen Dauerkrise herauszuführen, sogenannte Goldgruben, die sich regelmäßig als Fallgruben entpuppten. Ich erinnere mich, daß er eines Nachmittags heimkam, als wieder einmal eines dieser großartigen Geschäfte geplatzt war, kein Wort sagte, seine Geige nahm und stundenlang so ergreifend spielte, daß selbst meine Mutter, die sonst mit Kritik und Vorwürfen nicht sparte, nichts zu sagen wagte.

Mein Vater war als Geschäftsmann ein Versager, teils weil er, arglos und vertrauensselig wie er war, Betrügern und Scharlatanen auf den Leim ging, teils weil sich bei ihm Phasen der Euphorie und der abgrundtiefen Melancholie ablösten, was eine zielstrebige Verfolgung seiner zahlreichen Projekte sicher erschwerte. Er litt unter seiner Erfolglosigkeit nicht minder als unsere Mutter; seine Magengeschwüre und die ihm vom Arzt wiederholt verordneten Rollkuren zeugten davon. Aber er strahlte eine elegische Würde aus, die die Menschen, mit denen er in Berührung kam, beeindruckte. Mag sein, daß er manchen als ein Don Quichote des Geschäftslebens erschien, aber die meisten achteten ihn, der eine oder andere bewunderte ihn wohl gar als eine Gestalt, die es aus einer fernen romantischen Zeit in unsere Gegenwart verschlagen hatte.

Gibt es so etwas wie einen romantischen Rationalismus, einen elegisch getönten Fortschrittsglauben, einen Utopismus, der seinen eigenen Verheißungen mißtraut? Bei meinem Vater gab es das, und, je älter ich werde, um so klarer wird mir, daß ich viel von dieser merkwürdigen Ambivalenz geerbt habe. Mein Vater konnte mit Begeisterung ein Projekt entwickeln und mitten im Pläneschmieden plötzlich innehalten, seufzen und in seinem österreichisch gefärbten Deutsch sagen: »Schwamm drüber, 's wird eh nichts draus«, um gleich darauf mit der Entfaltung seiner kühnen Idee fortzufahren. Viele Jahre später, wenn in einer der politischen Auseinandersetzungen, in die ich verwickelt war, die Fronten allzu klar, die sich gegenüberstehenden Gewißheiten allzu ehern erschienen, erinnerte ich mich daran. Es half mir, mich zumindest für einen Augenblick aus der Logik des Konflikts zu lösen, und es schärfte mir den Blick für den dunklen Rest, der bei aller zur Schau gestellten Gewißheit unseren Projekten anhaftet.

Wahrscheinlich sind es überhaupt eher die Ambivalenzen, die unvereinbar erscheinenden Charakterzüge, die unaufgelösten Spannungen in uns selbst, die unsere Persönlichkeitsentwicklung bestimmen. Das Erinnerungsgepäck, das wir mit auf die Lebensreise nehmen, ist einerseits beschwerlich, andererseits enthält es die Lebensmittel, ohne die wir nicht existieren könnten. Ja, die sechziger Jahre, nicht erst die aufgeregten späten

Sechziger, sondern schon die Jahre der Ostermärsche, der *Spiegel*-Affäre, des Auschwitzprozesses und des Hochhuthschen *Stellvertreters*, haben mich nachhaltig politisiert. Aber selbst in den siebziger Jahren, als ich wie viele andere vorübergehend dazu neigte, mich für die Lösung aller Weltprobleme für zuständig zu halten, habe ich immer mal wieder das Bedürfnis gehabt und die Zeit gefunden, mich aus dem aktivistischen Betrieb zurückzuziehen und meinen kontemplativen Neigungen nachzugeben. Manche werden sagen, daß mir die Zielstrebigkeit, die Härte und die Ausdauer fehlte, mich mit Haut und Haaren der Politik zu widmen. In der Tat habe ich mich allen Versuchen, mich zum Bundestagsabgeordneten zu machen, nach kurzem Zögern entzogen. Vielleicht war es Angst vor der eigenen Courage, vielleicht Verantwortungsscheu. Ganz ausschließen kann ich nicht, daß auch dies dabei eine Rolle gespielt hat. Insgeheim habe ich mir allerdings eine schmeichelhaftere Erklärung zurechtgelegt: Ich glaube, mich hat ein wohlmeinender Instinkt davor bewahrt, mich auf etwas einzulassen, was mich nicht wirklich ausgefüllt und mich am Ende unglücklich gemacht hätte.

Bis heute versuche ich, die verschiedenen, zum Teil gegensätzlichen Seiten meiner Persönlichkeit irgendwie unter einen Hut zu bringen, mit wechselndem Erfolg. Ich rede und schreibe über Politik, manchmal über Detailfragen der sozialen Sicherung oder des ökologischen Umbaus der Gesellschaft, manchmal über die großen Linien der Gesellschaftspolitik und über Grundfragen der Demokratie oder über die Zukunft der Arbeitsgesellschaft. Neben politischen Sachbüchern verfasse ich Gedichte, Romane, Hörspiele und Theaterstücke, ich mische mich in politische Kontroversen ein, kümmere mich im P. E. N.-Club um verfolgte Schriftsteller und ziehe mich doch allzugern aus dem Getümmel in meine Nische zurück. Daß eine solche Widersprüchlichkeit oder, freundlicher ausgedrückt, Vielseitigkeit manchen überfordert, wurde mir schlagend demonstriert, als vor einigen Jahren ein Feuilletonredakteur mich fragte, ob ich mit dem Strasser verwandt sei, der diese politischen Bücher schreibe.

Bin ich ein Achtundsechziger? Im Gegensatz zu manchem früheren Mitstreiter aus den Jahren der Studentenrebellion habe ich eine solche Etikettierung nie als peinlich oder ehrenrührig empfunden. Wenn ich an diese Jahre zurückdenke, fällt mir wenig ein, was ich zu bereuen oder als groben Irrtum einzuräumen hätte. Auch heute noch glaube ich, daß der antiautoritäre Grundimpuls, der die Jungen damals leitete, Deutschland gutgetan hat, daß die Bewegung, auch wenn viele ihrer Aktivisten Größeres im Sinn hatten, wesentlichen Anteil daran hat, daß die Bundesrepublik im Laufe der Zeit zu einer mehr oder weniger normalen westlichen Demokratie geworden ist. Dennoch bin ich nicht das, was für die meisten heute ein typischer Achtundsechziger ist, war es nie. Ich habe nie die revolutionäre Emphase geteilt, die manche damals beseelte. Ich habe nie daran geglaubt, daß die Lösung aller Welträtsel in den blauen Bänden der Marx-Engels-Ausgabe zu finden sei oder bei Frantz Fanon oder bei Wilhelm Reich oder in der Mao-Bibel. Ich war von Anfang an äußerst skeptisch gegenüber der These, daß allein die Zuspitzung der gesellschaftlichen Widersprüche Fortschritt erzeuge, und war immer der Ansicht, daß unter demokratischen Bedingungen nur der mühsame Weg der argumentativen Überzeugung legitim, gewaltsame Aktionen dagegen illegitim seien.

Links sein war für mich von Anfang an vor allem ein an humanistischen Idealen orientiertes Projekt, und auch heute noch heißt links sein für mich vor allem eins: die unveräußerliche Würde des Menschen zum Maßstab des politischen Handelns zu nehmen. Dabei geht es um den ganzen Menschen, nicht einen auf seine materiellen Bedürfnisse oder standardisierte Durchschnittswerte reduzierten Menschen. Adornos Wort, daß die bessere Gesellschaft zu denken sei als eine, in der die Menschen »ohne Angst verschieden« sein könnten, erschien mir schon immer einleuchtend. Im Stillen habe ich für mich allerdings hinzugefügt, daß dies auch das Recht umfassen sollte, selbst nicht immer konsequent sein zu müssen, sogar in sich selbst widersprüchlich sein zu dürfen.

Ich will im folgenden versuchen, am Leitfaden meiner Biographie und an einigen Grundfragen der politischen, philosophischen und religiösen Lebensorientierung deutlich zu machen, wie ich zu meinen Auffassungen gekommen bin. Dabei wird, für die meisten Leser sicher nicht überraschend, das Politische im Zentrum stehen. Denn die Absicht dieses Buches ist durchaus eine werbende: Ich möchte anschaulich werden lassen, daß politisches Engagement nicht, wie heute vielfach angenommen wird, Zeitvergeudung oder gar Lebensverfehlung ist, sondern zu einem vollständigen und erfüllten Leben gehört. Wir haben nur die Wahl, entweder *Objekt* des politischen Geschehens zu sein, das heißt, es grollend oder gottergeben über uns ergehen zu lassen, oder *Subjekt* der Politik zu werden und in die politischen Prozesse, so gut es eben geht, einzugreifen. Meine Lebenserfahrung hat mich gelehrt, was Hannah Arendt immer wieder betont hat, daß es so etwas wie das »Glück des Politischen« gibt, daß es allemal lustvoller – und wohl auch gesünder – ist, sich politisch einzumischen. Und wer sich auf der Welt umschaut, wer sich die gewaltigen Probleme vergegenwärtigt, vor denen wir stehen, der kann meiner Ansicht nach ohnehin nur zu dem Schluß kommen, daß wir uns aus Verantwortung für uns selbst und für die Zukunft unserer Kinder und Enkel nicht auf die Rolle des gleichgültigen oder mißmutigen Zuschauers beschränken dürfen, sondern uns einmischen müssen.

2

DEN MUND AUFMACHEN

Die *jiddische Mamme* ist sprichwörtlich: Superweib und Ur-
mutter in einem, umhegt sie ihre Kinder, ihre Söhne zumal, mit
einem Übermaß an Liebe und Fürsorglichkeit und erwartet von
ihnen im Gegenzug lebenslange ausschließliche Hingabe. Aus
Woody Allens Filmen ist uns die zugleich liebenswerte und strapaziöse Figur vertraut. Meine Mutter war so etwas wie die frie-
sisch-protestantische Version der jiddischen Mamme: von sprö-
der Strenge, aber kompromißlos in der Verteidigung ihrer Brut.
Nicht daß wir als Kinder mit besonderer Umsicht und Sorgfalt
erzogen worden wären. Das ließen die streckenweise chaotischen Umstände, unter denen wir damals lebten, gar nicht zu.
Aber unsere Mutter trieb uns mit ihren maßlosen Erwartungen
ständig an, und wenn uns jemand auch nur ein Haar krümmen
wollte, dann wurde sie zur Furie.

Das mußte auch mein Klassenlehrer in der Mittelschule, ein
ehemaliger Nazi, erfahren, als er sich weigerte, mir die nötige
Empfehlung für den Übertritt ins Gymnasium auszustellen.
Meine Mutter nahm mich an die Hand, stellte ihn im Flur der
Schule, hielt ihm das Formular unter die Nase und fragte:
Warum unterschreiben Sie das nicht? Ist mein Sohn etwa nicht
gut genug fürs Gymnasium? Der Mann zog die Augenbrauen
hoch und streifte mich mit einem leicht angewiderten Blick. Der
Notendurchschnitt, antwortete er, reiche in meinem Fall zwar
aus, aber es gebe darüber hinaus gewisse moralische Vorausset-
zungen für den Besuch eines deutschen Gymnasiums, und die ...
Weiter kam er nicht. Noch heute sehe ich das verdutzte Gesicht
des Mannes vor mir und die roten Streifen, die die Hand meiner
Mutter auf seiner linken Wange hinterlassen hatte. Und dann

geschah etwas, womit wohl nicht einmal meine Mutter gerechnet hatte. Er nahm das Formular, legte es auf die Fensterbank, zog seinen Füller und unterschrieb, ohne ein weiteres Wort zu sagen.

Merk dir das, sagte meine Mutter zu mir, als wir wieder draußen waren. Von so einem darf man sich nichts gefallen lassen. Ich merkte es mir, obwohl ich zugeben muß, daß mir der martialische Auftritt meiner Mutter damals vor allem peinlich war. Noch peinlicher war allerdings, was einige Wochen später folgte.

Ich schnitt bei der Aufnahmeprüfung für das Gymnasium von achtzig Bewerbern am besten ab, was in einer Rangliste sorgfältig vermerkt wurde. Meine Mutter ließ es sich nicht nehmen, mit einer Abschrift dieser Liste in die Mittelschule zu gehen und sie meinem ehemaligen Klassenlehrer triumphierend zu präsentieren. Als sie am Abend der versammelten Familie stolz davon berichtete, wäre ich, der ich damals eher schüchtern war, vor Scham am liebsten im Boden versunken.

Nie wieder habe ich einen Menschen kennengelernt, der so furchtlos war wie meine Mutter. Sie hatte vor niemand Angst, ließ sich, wenn sie sich im Recht wähnte, durch keinen Hinweis auf Paragraphen und Vorschriften einschüchtern, und sie erwartete von uns Kindern, daß wir es ihr gleichtaten. Nur manchmal, wenn nachts ein Unwetter tobte, der Wind ums Haus heulte und der Regen gegen die Fenster klatschte, saß sie in Mantel und Nachthemd auf einem Stuhl, ihre schwarze Kunstledermappe mit den *Papieren* auf dem Schoß. Wenn dann eines der Kinder vom Lichtschein aufwachte und sie fragte, was los sei, antwortete sie immer mit dem gleichen Satz: *Het is noodweer!* Es ist Notwetter. »Noodweer« – das war das Schlüsselwort, das das Drama einer Springflut heraufbeschwor, die sie als Kind bei Verwandten auf der Insel Overflakkee im Süden der Niederlande erlebt hatte. Nun saß sie hier, hundert Kilometer von der nächsten Küste entfernt und achtzig Meter über dem Meeresspiegel auf dem Geestrücken zwischen Hamburg und Bremen, und hielt Wache, um ihre Kinder, falls das Wasser kommen sollte, jederzeit in Sicherheit bringen zu können.

Von einer starken Mutter gilt, was einer meiner späteren Leichtathletiktrainer, ein richtiger Leuteschinder, von seinem winterlichen Kraft- und Ausdauertraining sagte: Wer's überlebt, den macht es stärker. Die fordernde Strenge meiner Mutter war für uns Kinder ein permanenter Stress, aber sie war wohl auch notwendig, zumindest für mich, als Gegengift gegen die zugleich betörende und verstörende melancholische Phantasterei meines Vaters. Ein Grundsatz meiner Mutter lautete: Rechtzeitig den Mund aufmachen, statt hinterher zu jammern! Was ihr vermutlich nicht klar war: Sie verlangte von uns Kindern ein Maß an Zivilcourage, das wohl auch die meisten Erwachsenen überfordert hätte.

Dabei neigt man als Heranwachsender natürlicherweise zum Konformismus, jedenfalls in der eigenen Gruppe und in Gegen-

Die Mutter um 1930 in Frankreich

wart derjenigen, deren Achtung man gewinnen möchte. Man ist als junger Mensch viel zu sehr darauf angewiesen, Verhaltenssicherheit zu gewinnen, indem man sich seiner Umgebung anpaßt, als daß man dauernd jene »Tapferkeit vor dem Freund« beweisen könnte, die meine Mutter ganz selbstverständlich von uns erwartete. Ich erinnere mich, daß es mir Gewissensbisse bereitete, wenn ich, um von den Klassenkameraden akzeptiert zu werden, etwas mitgemacht hatte, was ich eigentlich, zumindest in den Augen meiner strengen Mutter, nicht hätte mitmachen sollen. Und wenn ich tatsächlich rechtzeitig den Mund aufgemacht und widersprochen hatte, litt ich unter der Angst, nun für immer aus dem inneren Kreis verstoßen zu werden. Immerhin waren wir Ausländer, dem Paß nach Österreicher, aus Holland zugezogen, was für manchen damals Grund genug war, uns mit besonderem Mißtrauen zu begegnen.

Erst sehr viel später begriff ich, wie wichtig die Lektion war, die meine Mutter mir erteilt hatte. Da hatte ich allerdings auch schon erfahren, daß man keineswegs alles mitmachen mußte, um akzeptiert zu werden, und daß man durchaus überleben konnte, wenn man wegen seiner Haltung oder seiner Meinung eine Weile ziemlich allein dastand. In solchen Momenten fand ich Trost und Unterstützung in Büchern, die ich damals las, vorzugsweise solchen, in denen einsame Helden sich einer Welt von Feinden entgegenstellten und am Ende mitsamt ihrer guten Sache siegten.

Als wir auf dem Gymnasium Schillers *Don Carlos* lasen, trieb mir, der ich ansonsten nicht leicht zu rühren war, die Kühnheit, mit der der Marquis von Posa von seinem König Gedankenfreiheit fordert, die Tränen in die Augen. Dasselbe passierte mir übrigens auch noch Jahrzehnte später, als ich im Fernsehen die Bilder des einsamen Studenten sah, der sich einem der Panzer in den Weg stellte, mit denen die kommunistische Führung Chinas die Demokratiebewegung niederwalzte. Zeitlebens habe ich davon geträumt, selbst einmal diesen Mut vor Königsthronen zu beweisen. Aber zum Glück wurden mir solche Heldentaten bisher nicht abverlangt.

Der aufrechte Gang – als in den sechziger Jahren die Kritik an der selbstgefälligen Wirtschaftswunderwelt der Bundesrepublik heftiger wurde, war es diese von Ernst Bloch gern benutzte Metapher, die auch mir sinnfällig machte, was demokratisches Engagement zu bedeuten hatte. Aufrecht gehen, das erschien mir und vielen meiner Generation als plausible Chiffre für eine radikal demokratischen Ansprüchen genügende Lebensführung in einer Gesellschaft, die in ihrer großen Mehrheit die Nazi-Verbrechen verdrängte und sich duckmäuserisch und großsprecherisch zugleich im neuen Wohlstand eingerichtet hatte. Schon 1960 hatte ich an einer Dokumentation über die vielen ehemaligen Nazis auf deutschen Richterstühlen mitgearbeitet, einer eher schlampig recherchierten Arbeit, deren hochfahrend-denunziatorischer Ton mir heute peinlich ist. Nachdem ich ein Jahr später mein Übersetzerexamen abgelegt hatte, arbeitete ich einige Zeit als Übersetzer in der Entwicklungsabteilung der Ford-Werke in Köln, wo der von Hitler begeisterte Henry Ford viele Jahre lang Lastwagen für die Nazi-Armeen hatte bauen lassen. Ich wohnte mit zwei anderen Übersetzern im Stadtteil Niehl in einer Wohngemeinschaft, die damals noch nicht so hieß, wir lasen Jean-Paul Sartres Roman *Der Ekel* und Karl Jaspers' provozierendes Buch *Die Atombombe und die Zukunft des Menschen*, kleideten uns vorzugsweise in existentialistischem Schwarz und diskutierten bis in die Nacht über die verdrängte deutsche Vergangenheit und die halbherzige Demokratisierung nach 1945.

John F. Kennedy, der junge amerikanische Präsident, war damals unsere große Hoffnung. Später war es Martin Luther King. Vor allem mit dem letzteren verband sich meine Vorstellung von dem, was es hieß, aufrecht zu gehen. Aber sein Beispiel zeigte mir auch, wie schwer das sein konnte und wie gefährlich. Um so wichtiger erschien es mir, daß wir uns unter ungleich günstigeren Bedingungen als Kritiker der deutschen Zustände und auf Veränderung drängende Demokraten bewährten. Für uns ging es in diesen frühen sechziger Jahren ja nicht um Leben und Tod, sondern allein darum, heute weithin selbstverständliche demokratische Verhaltensweisen einzuüben und durchzusetzen.

Jahre später, als Benno Ohnesorg erschossen worden war und Rudi Dutschke ein Attentat nur knapp überlebt hatte, glaubten viele, daß nun auch in Europa amerikanische Zustände einziehen würden. Manche redeten sich und anderen sogar ein, in der Bundesrepublik herrsche ein formaldemokratisch getarnter Faschismus. Ich war damals gerade im linken Bezirk Hessen-Süd in die SPD eingetreten und zu den Jungsozialisten gestoßen. Die Gewalt gegen die Linke schockierte und empörte auch mich. Aber bei den Jungsozialisten hielten wir daran fest, daß unter den Bedingungen von Demokratie und Rechtsstaatlichkeit, auch wenn sie noch so halbherzig praktiziert wurden, Gewalt nicht mit Gewalt beantwortet werden dürfe, daß aufrechter Gang jetzt erst recht bedeuten müsse, den Mund aufzumachen und öffentlich einzuklagen, was das Grundgesetz als Versprechen enthielt.

Diese Position war nicht immer leicht durchzuhalten, denn unter konservativen Politikern war es damals üblich, sich zur Rechtfertigung autoritärer Maßnahmen gegen die aufmüpfige Jugend, ab 1972 besonders penetrant in der beschämenden Praxis der Anhörungen zur Zulassung zum Öffentlichen Dienst, auf die »freiheitlich demokratische Grundordnung«, kurz: FDGO, zu berufen, was im Gegenzug bei Teilen der Linken die Auffassung nährte, daß das Grundgesetz nichts als ein Instrument bürgerlicher Klassenherrschaft und die bürgerliche Demokratie letzten Endes nichts als ein besonders subtiles Unterdrückungssystem sei. Die mißbräuchliche Verwendung demokratischer Begriffe auf der einen Seite förderte die Verachtung der – angeblich – »bloß formalen« Demokratie auf der anderen.

Es gibt Situationen, da sitzt man zwischen allen Stühlen und muß es aushalten, daß man von den einen als Kompromißler und Feigling, von den anderen als Umstürzler und Verfassungsfeind beschimpft wird. Ich erinnere mich an eine Veranstaltung in der Frankfurter Universität, bei der es um die damals viel diskutierte »Gewaltfrage« ging. Als ich mich auf Martin Luther King und die amerikanische Tradition des bürgerlichen Ungehorsams berief und das Prinzip der Gewaltlosigkeit beschwor, sah ich mich einer hohnlachenden Menge gegenüber, darunter, wenn ich mich nicht irre, auch der junge Joschka Fischer. Meine Frage, ob den Befürwortern von Gewalt klar sei, daß ein Stein, der gegen das »System« geschleudert werde, womöglich einen Menschen treffen könne, wurde von einem Debattenredner als »kleinbürgerliche Bigotterie« abgetan, und ein Zwischenrufer, der mir riet, doch zur Heilsarmee zu gehen, erhielt tosenden Beifall.

Es war aussichtslos. Die lange Tradition des zivilen Widerstands in den USA, von Thoreau bis Martin Luther King, war hier ebensowenig rezipiert worden wie der gewaltlose Freiheitskampf der Inder unter Mahatma Ghandi. Alles, was die Mehrheit der Versammelten in einem Plädoyer für Gewaltlosigkeit zu erkennen vermochte, war mangelnde Konsequenz, Feigheit und – ein Begriff aus dem Sprachschatz der Stalinisten, der damals an den dogmatischen Rändern der Bewegung aufkam – Defaitismus. Was noch schlimmer war: Von meinen eigenen Leuten, den Jungsozialisten, wagte in diesem Klima organisierter Intoleranz niemand den Mund aufzumachen. Nur ein älterer Sozialdemokrat, der sich wer weiß wie in diese Versammlung verirrt hatte, sprang mir bei, aber, da er unübersehbar weit jenseits der Dreißig war, wurde er von den Versammelten nicht ernst genommen.

Als hätte ein begabter Ironiker Regie geführt, erschien wenige Tage später im *Bayernkurier*, dem Parteiblatt der CSU, ein Artikel, in dem ich als ein aus Südamerika eingeschleuster Guerrillero porträtiert wurde – eine phantastische Geschichte, die ihre Überzeugungskraft vor allem daraus bezog, daß der Autor meinen Esperanto-Vornamen für einen spanischen hielt oder ausgab. Viele Jahre später war dieser Artikel übrigens einer der Gründe dafür, daß mir vorübergehend ein Visum zur Einreise in die USA verweigert wurde. Amerikanische Geheimdienstler gehörten offenbar zu den wenigen, die diese schlicht erfundene Geschichte für bare Münze nahmen, und John Kornblum, damals oberster Vertreter der Amerikaner im noch geteilten Berlin, später US-Botschafter im vereinigten Deutschland, mit dem ich darüber sprach, hatte einige Mühe, den Unsinn in den Computern der amerikanischen Behörden löschen zu lassen.

Den Mund aufmachen, öffentlich zu seiner Überzeugung stehen, auch wenn rundherum alle oder doch die meisten anderer Meinung waren, das konnte einem Haß und Feindschaft eintragen in einer Gesellschaft, die Kritik oft noch als Majestätsbeleidigung behandelte, die abweichende Meinungen vor allem als Bedrohung empfand und dazu neigte, in jedem Demonstranten einen Agenten fremder – kommunistischer – Mächte zu wittern. Die große Mehrheit der Deutschen glaubte damals wohl allen Ernstes, es müsse ins allgemeine Chaos führen, wenn man es der Jugend durchgehen ließ, daß sie die Autoriäten in Staat und Gesellschaft in Frage stellte. Daß die Stärke der Demokratie genau darin besteht, jede Autorität immer wieder der kritischen Überprüfung zu unterziehen, so daß sie sich rechtfertigen muß, begriffen nur wenige.

Aber auch als überzeugte Antiautoritäre, die wir damals waren, brauchten wir Vorbilder, die uns halfen, einigermaßen Kurs zu halten. Die kategorische Forderung meiner Mutter, den Mund aufzumachen, wenn einem etwas nicht paßte, ließ sich zweifellos leichter erfüllen, wenn man sich an einer Autorität wie Martin Luther King orientierte und seinem Beispiel nacheiferte. Überhaupt scheint mir, daß Grundsätze am ehesten dann verläßlich internalisiert werden, wenn sie, in eine ästhetische Form gekleidet, zum Habitus werden. Ich bin sicher, daß ohne solche Vorbilder und ästhetischen Muster, ohne zur Nachahmung anregende Gesten und Posen, ohne die Rituale der Teachins, Sit-ins, Go-ins, ohne die Theatralik der großen Demonstrationen die Haltung der Kritik und der Widerspruchsgeist sich damals nicht so schnell hätten ausbreiten können.

Freilich lag hierin auch eine Gefahr, die Gefahr nämlich, daß zur bloßen Pose, zum leeren Ritual, zum gedankenlosen Aktivismus verkam, was ursprünglich als kritischer Beitrag zum demokratischen Prozeß gemeint war. Auch ich selbst war vor dieser Gefahr nicht gefeit. Wenn ich heute Flugblätter und politische Aufrufe lese, die ich damals verfaßt oder unterschrieben habe, dann bin ich manchmal bestürzt über die klischeehafte Sprache, in der »Betroffenheit« – ein Wort, das damals Karriere machte – und Protest zum Ausdruck gebracht wurden. Wir, die wir alle Konventionen kritisch zu hinterfragen meinten, unterlagen ganz offenbar selbst nicht selten dem geistlosen Zwang konventioneller Sprach- und Aktionsmuster.

Unter solchen Umständen kann es nicht verwundern, daß, als in den Siebzigern zunächst eine dogmatische Verhärtung und in den Achtzigern dann auf breiter Linie ein politischer Modenwechsel einsetzte, auch viele aus der Garde der Achtundsechziger die Fronten wechselten. Kritisches Bewußtsein, Linkssein, Engagement – das war offenbar für viele weniger existentiell, als es zunächst den Anschein hatte. Wenn ich mich heute frage, warum manche, die damals eine kritische, radikal demokratische Position einnahmen, später so leicht zu Mitläufern dogmatischer Parteien oder zu gänzlich unpolitischen Zeitgenossen wurden, und andere – übrigens nicht wenige – das damals eingeübte kritische Verhalten auch Jahrzehnte später an den Tag legten, dann glaube ich, daß die Gründe sehr tief in der jeweiligen Persönlichkeit liegen und viel mehr mit frühen Lebenserfahrungen zu tun haben, als die meisten wahrhaben wollen.

Was an den frühen Aufklärern des 17. und 18. Jahrhunderts zugleich besticht und befremdet, ist der fast religiöse Glaube an die Kraft des Wortes und das unumstößliche Vertrauen darauf, daß die Wahrheit progressiv ist. Es war dieser aufklärerische Glaube, den meine Eltern – meine Mutter wie immer energischer und unzweideutiger, vielleicht auch eine Spur naiver als mein Vater – auf uns Kinder übertrugen: Jeder historische Fortschritt, jede Besserung auch der eigenen Lage fängt damit an, daß man den Mund aufmacht und der Wahrheit zu ihrem Recht verhilft. Zu unseren Hausheiligen gehörten neben Ludwik Zamenhof, dem Schöpfer des Esperanto, vor allem Spinoza, Voltaire, Rousseau und Lessing. Meine Mutter fügte dieser Liste immer noch den Namen Descartes' hinzu, weil dieser eine Zeitlang, als er im absolutistischen Frankreich Probleme mit der Obrigkeit bekam, im friesischen Städtchen Franeker untergekommen war, wo er übrigens auch, vielleicht aus Verzweiflung darüber, daß er die Einheimischen so gar nicht verstand, an einer Universalsprache bastelte.

Wahrscheinlich hatten meine Eltern alle diese Geistesgrößen gar nicht oder, wenn, dann nur in Auszügen und oberflächlich gelesen. Jedenfalls erinnere ich mich nicht, damals Bücher der Genannten bei uns gesehen zu haben. Sie waren, mit Ausnahme Zamenhofs natürlich, ganz offensichtlich weniger wegen ihrer Schriften als wegen ihres beispielhaften Lebens interessant. Wenn wir Kinder uns stritten, wenn wir in der Schule mit Schulkameraden oder Lehrern Ärger hatten, wenn wir begriffsstutzig waren, unbescheiden, feige, faul, wenn wir etwas ausgefressen hatten und uns um die Verantwortung dafür herumdrückten, wurde uns das Beispiel dieser großen Männer vorgehalten, die im Gegensatz zu uns Kindern offenbar keinerlei Mühe damit gehabt hatten, in jeder Situation das Richtige zu tun.

Ich erinnere mich, daß in meiner Klasse auf dem Gymnasium ein dicklicher Junge war, dessen Eltern den Zeugen Jehowas angehörten. Jonas hatte es in der Klasse schwer, weil seine Eltern ihn aus irgendeinem Grunde nie an den Klassenfahrten teilnehmen ließen, und er im Sport eine Niete war. Wenn wir Geschichte oder Gemeinschaftskunde hatten, und er sich zu Wort meldete, wurde er von Rektor Krause grundsätzlich nicht aufgerufen. Was die Zeugen Jehowas dazu meinen, interessiert uns hier nicht, pflegte er zu sagen. Als ich meiner Mutter davon erzählte, fragte sie: Und du? Was hast du gesagt? Ich hatte nichts gesagt, ich hatte den Kopf eingezogen und geschwiegen, weil rundherum alle meine Mitschüler gelacht hatten, weil ich Angst hatte, ausgegrenzt zu werden wie Jonas. Mir war klar: Ich war feige gewesen, hätte den Mund aufmachen müssen.

Meine Mutter machte mir keine Vorwürfe. Diesmal nicht. Erst am nächsten Morgen, als ich mich auf den Weg zum Bahnhof machen wollte, um zur Schule zu fahren, sagte sie unvermittelt zu mir: Weißt du, was Voltaire einmal gesagt hat? Ich halte Ihre Meinung zwar für falsch, aber ich bin bereit, mein Leben dafür zu geben, daß Sie sie äußern dürfen. Die Botschaft war klar: Ich sollte nicht nur selbst den Mund aufmachen, sondern darüber hinaus auch noch dafür sorgen, daß allen anderen das gleiche Recht zugestanden wurde. Und wenn es ganz schlimm kam, daran ließ meine Mutter allerdings keinen Zweifel, dann würde sie mich schon raushauen. So oder so.

Ich habe dann tatsächlich beim nächsten Mal all meinen Mut zusammengenommen und Rektor Krause vor der versammelten Klasse gesagt, daß ich es nicht richtig fände, wie er Jonas behandele. Das Ergebnis war, daß ich eine Eintragung im Klassenbuch wegen »ungebührlichen Benehmens« erhielt und Rektor Krause von nun an auch mich mit Nichtachtung strafte. Aber im Verhalten der Klassenkameraden änderte sich etwas. Jonas wurde nicht mehr dauernd gehänselt und ausgelacht, und als sich bald darauf im Sportunterricht herausstellte, daß er als Handballtorwart zu verwenden war, wurde er sogar in Maßen geachtet.

Die Wahrheit ist progressiv – ich glaube immer noch, daß Rechtsstaatlichkeit und Demokratie, ein Klima der geistigen Offenheit und der Achtung vor anderen Menschen sich nur aufrechterhalten lassen, wenn die Menschen, wenn zumindest eine hinreichend große Zahl politischer und gesellschaftlicher Akteure sich von diesem aufklärerischen Glauben leiten lassen. Aber natürlich weiß auch ich, daß viele Politik- und Medienprofis, viele der dynamischen Erfolgsmenschen in der Wirtschaft eine solche Ansicht nur belächeln. In jedem Wahlkampf höre ich von eifrigen Genossen, daß jetzt nicht die Zeit sei, die eigene Partei zu kritisieren, interne Meinungsunterschiede offenzulegen, daß es um des Wahlerfolgs willen darauf ankomme, Geschlossenheit zu demonstrieren, auch wenn man sich in diesem oder jenem Punkt in Wahrheit nicht einig sei. Die, die das sagen, haben stichhaltige Argumente parat: das verheerende Medienecho zum Beispiel, das regelmäßig zu erwarten ist, wenn in einer Partei zu einer wichtigen Frage der Politik unterschiedliche Ansichten geäußert werden, oder die fast einhellige Anerkennung, die in unserer Öffentlichkeit einem Kanzler oder einer Parteivorsitzenden gezollt wird, die mit einem *Basta!* jede offene Diskussion in den eigenen Reihen unterbinden.

In einer Medienöffentlichkeit, die politische Akteure und Parteien vorwiegend an vordemokratischen Kriterien wie Machtbewußtsein und Geschlossenheit mißt, die offenbar nichts mehr schätzt als Spitzenpolitiker, die ihre Partei, ihre Fraktion und ihr Kabinett wie Rekruten auf dem Kasernenhof behandeln, der die gelungene Inszenierung wichtiger ist als der Austausch von Argumenten, ist es nicht immer leicht, den Glauben aufrechtzuerhalten, daß die Wahrheit progresssiv ist. Zum Glück habe ich auch andere, positive Erfahrungen gemacht. Immer wieder habe ich erlebt, daß es weit eher gelingt, nachdenkliche Menschen für die eigene Sache zu gewinnen, wenn man Kontroversen in den eigenen Reihen offen austrägt, wenn man nicht unerschütterliche Gewißheit vorspiegelt, wo in Wirklichkeit Zweifel bestehen, wenn man sich nicht mit der Aura unbezweifelbarer Objektivität umgibt, sondern die Verwurzelung der eigenen Ansichten in subjektiven Neigungen und Erfahrungen offenlegt.

Aber natürlich wird man mir entgegenhalten, das gelte vielleicht für die Nachdenklichen, für die große Mehrheit der Menschen allerdings nicht. Die Mehrheit – das ist die Meinung fast aller, die sich von Berufs wegen mit Politik befassen – will Autorität und Führungsstärke, orientiert sich an Personen, die vorgeben, für praktisch alle Probleme die einzig richtigen Lösungen parat zu haben, die den Bürgern das Denken abnehmen und den Eindruck erwecken, daß alles in Ordnung komme, wenn man die Politik nur ganz und gar ihnen überlasse. Ihnen oder »dem Markt«, von dem im neoliberalen Zeitgeist als ausgemacht gilt, daß er die menschlichen Verhältnisse allemal vernünftiger ordne als die Politik. Zumal in Zeiten der Globalisierung, in denen sich Demokratie, Mitsprache und Mitentscheidung der Bürger zunehmend als Standortnachteil erweise.

Es ist merkwürdig: Das, worauf wir so stolz sind, wenn es gilt, aus feierlichem Anlaß die Vorzüge unserer demokratischen Verfassung herauszukehren, scheint im politischen Alltag hinderlich, und wenn nicht hinderlich, so doch kaum von Bedeutung zu sein. Berufspolitiker, PR-Fachleute, Medienprofis, Politologen und Soziologen, nahezu alle, die für sich in Anspruch

nehmen, das politische Geschäft zu kennen und zu durch-
schauen, scheinen der Meinung zu sein, daß das, was wir feier-
tags unserer Demokratie nachrühmen, für den Alltag der Politik
weitgehend irrelevant oder gar störend ist.

Ich mag das immer noch nicht akzeptieren. Wenn man mich
in dieser Weise belehrt, bringe ich dagegen meine eigenen Erfahrungen in Stellung, Erfahrungen nicht nur mit einer Handvoll
Gebildeter, sondern auch mit sogenannten einfachen Leuten.
Demokratie ist, darauf bestehe ich, mehr als nur eine schöne,
aber leider nicht praktikable Idee. Bisher haben sich die Demokratien noch immer als leistungsfähiger erwiesen als alle technokratischen und diktatorischen Systeme. In Deutschland haben
wir doch nach 1945 ganz von vorn, so richtig erst Ende der sechziger Jahre, mit der Demokratie angefangen; daß das auf Anhieb nicht gleich zur allgemeinen Zufriedenheit klappte, wen
kann das verwundern? Vor allem aber: Wer die Demokratie ver-
wirklichen will, darf nicht vor den tristen Tatsachen kapitulie-
ren. Fortschritt, humaner, sozialer und politischer Fortschritt,
konnte in der Geschichte der Menschheit immer nur erkämpft
werden, wenn die gesellschaftlichen Akteure mehr Mündigkeit
unterstellten, als zum betreffenden Zeitpunkt empirisch nach-
weisbar gewesen wäre. Wer zuerst das allgemeine Wahlrecht forderte, tat gut daran, nicht auf jene dünnlippigen Realisten zu
hören, die ganz genau wußten, daß das nie und nimmer funktionieren könne, weil die große Mehrheit der Menschen gar nicht
wisse, worum es in der Politik gehe. Und als die Arbeiterbewegung im Kaiserreich das Frauenwahlrecht auf die Tagesordnung
setzte, war es ein Glück, daß sie nicht von empirischen Soziologen beraten wurde, die ihr leicht hätten nachweisen können, daß
86,9 Prozent der deutschen Frauen sich für Politik gar nicht interessierten.

Schlagende Argumente. Aber während ich sie vorbringe,
steht plötzlich das Bild meines Vaters vor mir, wie er mitten in
einer enthusiastischen Suada innehält, wie ein Schatten seine
Stirn streift und ein verschämtes Lächeln seine Lippen kräuselt,
wie seine Hand jene für ihn so typische Geste der Vergeblichkeit

macht. Ich höre ihn seufzen: Schwamm drüber, 's wird eh nichts draus. Ja, wir haben Grund anzunehmen, daß unsere kühnen Projekte jederzeit vom Scheitern bedroht sind. Wir können nicht sicher sein, daß, was sich als Fortschritt ankündigt, sich auch tatsächlich als Fortschritt erweist. Es ist nicht ausgeschlossen, daß am Ende doch immer wieder die Zyniker recht behalten, die sich Realisten nennen. Und dennoch: Was würde aus der Welt, wenn wir unsere Träume vom Besseren aufgäben? Was würde aus uns Menschen, wenn wir nicht immer wieder *contra factum* unternehmen würden, was die Neunmalklugen für unmöglich erklären?

Den Mund aufmachen – das ist nicht *nur* eine Frage der Moral. Es ist auch eine Frage der Vitalität. Wer den Mund aufmacht, wer sich einmischt, der zeigt damit, daß er sich nicht zum passiven Objekt der Politik, nicht zum bloßen Zuhörer und Zuschauer, nicht zur Staffage degradieren lassen will. Er will eingreifen, aktiv teilnehmen an der Gestaltung seiner Welt, zusammen mit anderen und im Wettstreit mit ihnen. Und wenn er dabei auf Widerstand trifft, so reizt ihn das, seine Geschicklichkeit und seine Kraft zu erproben. Das, was Platon mit *Thymos* bezeichnete, der Drang des Menschen, in Wettbewerb mit anderen zu treten und sich auszuzeichnen, manifestiert sich am humansten und zivilsten im Spiel und im geistreichen Gespräch, im Austausch der Argumente und in der Freude am Debattieren.

Als Kind und als Jugendlicher bin auch ich gelegentlich in eine richtige Rauferei geraten, was bei mir selbst dann ein schales Gefühl hinterließ, wenn ich daraus als Sieger hervorgegangen war. Als Erwachsener habe ich mich ganz auf die zivilisierte Form der Rauferei verlegt: die Diskussion. Die Auseinandersetzung mit dem Mittel des Arguments wurde neben dem Sport meine thymotische Leidenschaft, und je turbulenter es dabei zuging, um so mehr fühlte ich mich in meinem Element. *Hij houd van dijning*, pflegte mein holländischer Großvater von mir zu sagen, was soviel heißt wie: Er liebt die rauhe See. Und in der Tat, ich betrieb den Wortkampf nicht nur mit Begeisterung, sondern bald auch mit einer gewissen Raffinesse und fast immer mit unbändigem Siegeswillen, was einen meiner Freunde dazu veranlasste, mich zugleich liebevoll und entlarvend als »Argumentationsgangster« zu bezeichnen. Auch wenn es in diesen Diskussionen um die Wahrheit und nichts als die Wahrheit zu gehen schien, so spielte es doch immer eine Rolle, sich nicht unterkriegen zu lassen, nach Möglichkeit als Sieger vom Platz zu gehen. Und je häufiger mir dies gelang, um so zuversichtlicher warf ich mich in die Auseinandersetzung und um so freudiger befolgte ich die Forderung meiner Mutter, den Mund aufzumachen.

Auch heute ist der argumentative Kampfgeist bei mir keineswegs versiegt. Aber wenn es der Partner zuläßt, ziehe ich doch immer häufiger das nachdenkliche, die platte Konfrontation vermeidende Gespräch vor. Nicht daß meine Leidenschaft für die zu verhandelnde Sache nachgelassen hätte und ich partout darauf aus wäre, mit allen und jedem meinen Frieden zu machen. Aber es ist mir zuwider, jenen Voyeurismus zu bedienen, den vor allem das Fernsehen mit seinen öffentlichen Schaukämpfen in den viel zu vielen Talkshows kitzelt. Gegenüber diesem eklatanten Niedergang der Diskussionskultur, denke ich, kommt es heute vor allem darauf an, die heitere Gelassenheit dialogischer Gedankenarbeit als attraktive Alternative vorzuleben und, wo immer möglich, deutlich zu machen, daß Überzeugung und Überwältigung zwei ganz verschiedene Dinge sind.

3

HOMO LUDENS

Mein holländischer Landsmann Johan Huizinga war es, der in den dreißiger Jahren einen geistreichen Essay veröffentlichte, in dem er die zentrale Bedeutung von Sport und Spiel für die Menschwerdung des Menschen hervorhob: *Homo ludens. Vom Ursprung der Kultur im Spiel.* Ich las dieses Buch, bevor ich mich mit der Hegelschen und Marxschen Geschichtsdeutung näher vertraut gemacht hatte, weshalb ich die auf der Linken vorherrschende These, daß der Mensch sich allein durch die Arbeit fortentwickelt habe, ebenso wie die in Deutschland auch sonst weithin übliche Verherrlichung der Arbeit immer nur mit einem gewissen Vorbehalt akzeptieren konnte. Möglicherweise wäre dies aber auch so gewesen, wenn ich Johan Huizinga nicht gelesen hätte. Denn für meine eigene Entwicklung – wie auch für die meiner Kinder – waren Spiel und Sport zweifellos von enormer Bedeutung.

»Im Spiel ›spielt‹ etwas mit«, schreibt Huizinga, »was über den unmittelbaren Drang nach Lebensbehauptung hinausgeht und in die Lebensbetätigung einen Sinn hineinlegt. Jedes Spiel bedeutet etwas.« Wer je als Kind hingebungsvoll und selbstvergessen gespielt oder Kinder beim Spielen beobachtet hat, wird dies bestätigen: Wir ordnen unsere Welt im Spiel, spielend fügen wir uns selbst in das komplizierte Ganze der Welt und geben so unseren Handlungen einen sozialen Sinn. Vielleicht sollte man besser sagen, daß dieser Sinn sich hinter dem Rücken der Spielenden gewissermaßen als ein Nebenprodukt einstellt. Denn er ist nicht der beabsichtigte Zweck, nicht der kalkulierte Nutzen des Spiels. Das Spiel selbst ist an keinerlei materielles Interesse geknüpft, geht nicht auf irgendeinen Nutzen aus. Es ist zweckfrei, auch wenn Pädagogen ihm – zu Recht – wichtige persönlichkeitsbildende und erzieherische Funktionen beilegen.

Zu den Wundern meiner Kindheit und Jugend gehört, daß wir trotz der anhaltenden materiellen Probleme, die uns Kinder früh zur Mitarbeit zwangen, so unendlich viel Zeit und Gelegenheit zum Spiel hatten. Vielleicht hängt dies damit zusammen, daß uns die heute so verbreiteten und zeitraubenden Möglichkeiten der Mediennutzung und die Vielfalt der zerstreuenden Unterhaltung nicht zur Verfügung standen. Vielleicht spielte dabei auch eine Rolle, daß unsere Eltern uns, wenn wir nicht gerade in der Schule saßen oder mitarbeiten mußten, weitgehend uns selbst überließen. Ganze Nachmittage, in den Ferien auch ganze Tage, streunten wir umher, aßen, was wir in den Gärten und auf den Feldern fanden: Äpfel, Beeren, Steckrüben oder Kartoffeln, die wir in der heißen Asche eines Lagerfeuers garten. Nach strengen gutbürgerlichen Maßstäben womöglich ein Zustand der Verwahrlosung, aber für uns Kinder nichts als paradiesische Freiheit.

Den ganzen Sommer über liefen wir barfuß, und unsere Mutter, die uns Kleinen samstags der Reihe nach in eine Zinkbadewanne steckte, behauptete immer, wir hätten keine Füße, sondern Hufe. Wir spielten Indianer, ausgerüstet mit Bögen aus Weidenholz für die Kleineren, aus weniger biegsamem Haselnußholz für die Größeren. Die Pfeile schnitzten wir uns aus Schilfrohr, das am unteren Ende unmittelbar vor einem Knoten eingekerbt und dessen oberes Ende in das weiche Mark eines Stücks Holunderholz gesteckt wurde. Im Umkreis von mehreren Kilometern legten wir in hohlen Bäumen oder in raffiniert getarnten Erdverstecken Pfeildepots an, um für alle Eventualitäten gerüstet zu sein. Im Wald bauten wir uns Höhlen, errichteten auf freistehenden Eichen Ausgucke, die nur mit Strickleitern zu erreichen waren, die, im Laub verborgen, von Uneingeweihten kaum zu entdecken waren.

Wir spielten Pinn, ein Spiel, bei dem ein an beiden Enden zugespitztes Holzstück mit einem Stock aufgenommen und möglichst weit weggeschlagen werden mußte, ein Fangspiel, das wir

Fasseloh nannten, wir spielten Fußball, Handball, Völkerball, Schlagball, Dachball und manchmal an Sonntagen auf der langen schnurgeraden apfelbaumbestandenen Allee, die unser Dorf mit dem Nachbardorf verband, auch Treibball, wobei sich zwei Mannschaften, je eine aus den beiden Dörfern, in der Mitte trafen und es darauf ankam, die gegnerische Mannschaft bis zum Ortsschild ihres Heimatdorfes zurückzutreiben. Bei all diesen Spielen gab es komplizierte Regeln, die unbedingt eingehalten werden mußten. Ich kann mich nicht erinnern, daß jemand, der sie verletzte, je damit durchgekommen wäre. Wohl kam es vor, daß Regeln, die sich als ungeeignet erwiesen hatten, nach längerer Beratung verändert wurden. Allerdings nur, wenn ausnahmslos alle Mitspielenden damit einverstanden waren.

Das ist die eine, die idyllische Seite meiner Kindheit. Daneben gibt es eine andere, eine düstere und gewalttätige Seite. Auffällig ist, daß mir die heitere, idyllische viel klarer vor Augen steht als die düstere. Das ist vermutlich meiner im ganzen optimistischen Weltsicht zu verdanken, die zuweilen mit der fragwürdigen Neigung einhergeht, negative Erfahrungen nachträglich aufzuhellen oder gleich ganz zu verdrängen. Jetzt, da ich mich genauer zu erinnern versuche, fällt mir freilich ein, daß damals, kurz nach dem Krieg, blutige Prügeleien auf dem Schulhof an der Tagesordnung waren. Meist war es eines der Flüchtlingskinder, das mit einem Einheimischen aneinandergeriet. Die Kinder der Bauern waren besser ernährt und daher in aller Regel stärker als die unterernährten Flüchtlingskinder. Diese waren allerdings oft flinker und gewitzter, beherrschten allerhand Tricks und Finten, und so kam es nicht selten vor, daß ein vor Kraft strotzender Bauernbursche von einem hohlwangigen Flüchtlingskind nach allen Regeln der Kunst verdroschen wurde.

Kein Wunder, daß dies den Haß noch verstärkte, den die Einheimischen ohnehin gegen die Flüchtlinge hegten, die man gegen ihren Willen in ihre Häuser einquartiert hatte. Ich erinnere mich, daß in unserem Dorf, Flüchtlingskinder sich lange nicht allein auf die Straße trauten, daß ich eine Zeitlang bei Dunkelheit nur in Begleitung älterer, mit Stöcken bewaffneter Nachbarskinder zum Bäcker oder zur Kolonialwarenhandlung Meyer zu gehen wagte, weil hinter jeder Hausecke ein paar Bauernkinder lauern konnten, um mich zu verprügeln. Wenn heute – nicht ohne Berechtigung – über die zunehmende Gewalt unter Jugendlichen geklagt wird, so sollte man nicht übersehen, daß brutale Auseinandersetzungen unter Jugendlichen in den ersten Jahren nach dem Krieg schon einmal zum Alltag gehörten – zu einer Zeit, da Gewalt im Fernsehen noch keine Rolle spielte, weil es das Fernsehen noch gar nicht gab.

Die verbreitete Aggressivität fand zum Teil auch Eingang in unsere Spiele. Ich erinnere mich, daß bei den Pfadfindern, denen ich eine kurze Zeit lang angehörte, nächtliche Geländespiele üblich waren, bei denen es ungeheuer brutal zuging. Einmal entdeckte ich bei einer solchen Gelegenheit einen Jungen, den die gegnerische Partei gefangen und, an Armen und Beinen gefesselt, auf einen kaum fußbreiten Steg über einen Bach gelegt hatte. Hätte er eine einzige unvorsichtige Bewegung gemacht, so wäre er ins Wasser gefallen und womöglich ertrunken. Ich befreite ihn. Aber als er, immer noch vor Angst zitternd, einem der erwachsenen Leiter des Pfadfinderlagers berichtete, was vorgefallen war, wurde er von diesem als Memme und Petze beschimpft. Was da eigentlich vorging, verstand ich erst sehr viel später, als ich erfuhr, daß unmittelbar nach dem Krieg beim Bund deutscher Pfadfinder zahlreiche – damals noch gar nicht so alte – Nazis untergekommen waren, die die ihnen anvertrauten Jugendlichen mit brutalen Ertüchtigungsmethoden zu wehrhaften Deutschen meinten erziehen zu müssen. Aber da lag das kurze Zwischenspiel in der Wölflingsgruppe *Polarfüchse* – den Dreieckswimpel mit dem weißen Fuchs auf blauem Feld hatte meine Mutter uns nichtsahnend genäht – längst hinter mir.

Ich selbst liebte Spiele, bei denen es darauf ankam, durch Geschicklichkeit, Kraft und Schnelligkeit die anderen zu übertreffen. In Huizingas Terminologie war ich ein *agonaler* Typ, bin es im Grunde bis heute geblieben. Deshalb faszinierte mich auch früh der Wettkampfsport, Ballspiele zunächst: Fußball, Handball, Tischtennis, später dann vor allem die Leichtathletik. Bis

44

heute treibe ich Sport, inzwischen meinem Alter entsprechend nur noch in Maßen und ohne größeren Ehrgeiz. Immer wieder begegne ich Menschen, die darüber erstaunt sind, weil ich für sie ein typischer Buchmensch, ein Intellektueller, ein Schreiberling bin, einer, der den ganzen Tag am Schreibtisch hockt, gelegentlich vor ein Publikum tritt, um aus einem Buch vorzulesen oder einen Vortrag zu halten. Daß ich immer noch im Verein Tischtennis spiele, daß ich mir die *Sportschau* am Samstag nur höchst ungern entgehen lasse, mir, wenn es irgend geht, die Leichtathletikwettkämpfe der Olympiade im Fernsehen anschaue, paßt nicht in das Bild, das sie sich von mir machen.

Ich selbst habe eigentlich nie Probleme gehabt, das eine mit dem anderen zusammenzubringen. *Mens sana in corpore sano* (Ein gesunder Geist in einem gesunden Körper), die alte Schulmeisterweisheit, die mein Lateinlehrer, ein ewig kränkelnder Mensch mit vom vielen Rauchen braungelben Zähnen, so gern zitierte, leuchtete mir jedenfalls eher ein als das *Dulce et decorum est pro patria mori* (Süß und ehrenvoll ist es, fürs Vaterland zu sterben), das er uns ebenfalls bei jeder Gelegenheit ans Herz legte. Daß im antiken Griechenland die Philosophen es für angemessen hielten, dann und wann ihre tiefgründigen Erörterungen zu unterbrechen, ins Gymnasium zu gehen und den eigenen Körper beim Ringkampf zu stählen, fand ich sympathisch, auch wenn um mich herum nicht wenige es für ausgesprochen spießig hielten, Sport zu treiben. Allerdings zwang mich meine Sportbegeisterung eine Zeitlang zu einem veritablen Doppelleben. Wenn ich vom Leichtathletiktraining beim USC Mainz heimkam, duschte ich, zog ein schwarzes Hemd an und begab mich in verräucherte Kellerkneipen, wo meine intellektuellen Freunde, eine Zigarette lässig im Mundwinkel, sich dekadent gaben. Um keinen Preis hätte ich in diesem Kreis zugegeben, daß ich kurz zuvor noch Intervalläufe, Weitsprung, Speer- oder Diskuswurf trainiert hatte.

Natürlich trieb ich Sport nicht nur aus Freude an der Bewegung, an der Anspannung der Kräfte. Ich träumte davon, Bestleistungen zu erbringen und Meisterschaften zu gewinnen, und die Sportfunktionäre und Trainer, mit denen ich es zu tun hatte, heizten diesen Ehrgeiz unerbittlich an. Damals, Anfang der sechziger Jahre, wurden in der Leichtathletik überall neue wissenschaftliche Trainingsmethoden eingeführt. Nach gründlicher sportmedizinischer Untersuchung wurden von den Trainern detaillierte Trainingspläne ausgearbeitet, die von den Athleten unbedingt eingehalten werden mußten, wenn sie nicht das Wohlwollen der Vereinsoberen und die bescheidene finanzielle Förderung, die sogenannten *Steakgelder*, verlieren wollten. Als aber mein Trainer mir eines Tages einen Plan vorlegte, nach dem ich zweimal am Tag je anderthalb Stunden hätte trainieren sollen, zog ich die Notbremse. Mein Philosophiestudium war mir da doch wichtiger.

Daß die ganz großen Bestleistungen unter diesen reduzierten Bedingungen nicht zu erreichen waren, mußte ich akzeptieren. Und daß meine ehrgeizigen Trainer mir zu verstehen gaben, mir fehle die *professionelle* Einstellung zum Sport, auch. Aber mir ging es ja nicht nur um Ruhm und Ehre, und eine *Profession* war der Sport für mich erst recht nicht. Für mich war der Sport nie nur Wettkampf und Rekordjagd, sondern immer zugleich Askese im ursprünglichen Sinn, Arbeit am Selbst. Wenn ich heute darüber nachdenke, so bin ich ziemlich sicher, daß ich ohne den Sport nie und nimmer jenes Mindestmaß an Disziplin, Ausdauer und Konzentrationsfähigkeit erlangt hätte, das man auch für die geistige Arbeit und das politische Engagement braucht.

Das spielerische und das asketische Element, im Sport sind sie von Anfang an unauflöslich miteinander verbunden. Zum Sport gehört das Training, gehört das systematische Verbessern der Bewegungsabläufe, die ständige Wiederholung bestimmter Übungen zur Steigerung von Kraft, Schnelligkeit und Ausdauer. Was ich im Sport vor allem lernte, war, ein Ziel mit Hartnäckigkeit über lange Zeit zu verfolgen, systematisch auf einen Erfolg hinzuarbeiten, auch wenn sich die erträumten Erfolge durchaus nicht immer einstellten. Ich bin sicher, daß ich, von Natur mit einer zuweilen chaotischen Phantasie, einer anarchischen

Umtriebigkeit und periodischen Einbrüchen milder Melancholie geschlagen, es ohne die mir durch den Sport aufgezwungene Selbstdisziplin im Leben sehr viel schwerer gehabt hätte.

Es mag merkwürdig klingen, aber für mich haftete dem Sport von Anfang an etwas Kultisches an. Immer wenn ich einen Sportplatz, später auch eines der großen Stadien betrat, hatte ich das Gefühl, einen Ort zu betreten, an dem andere Gesetze gelten, als in der normalen Welt. Die Sportstätten, selbst die schlecht gepflegten Schulsportplätze mit ihren zum Teil verkrauteten Laufbahnen, waren aus der Welt herausgeschnitten, nicht unbedingt heilige Bezirke wie in der Antike, aber doch Orte, an denen sich etwas abspielte, was die profane Wirklichkeit transzendierte. Ich erinnere mich sehr deutlich an die Beklommenheit, die mich anfänglich immer überfiel, wenn ich zum Training oder zum Wettkampf eine dieser Sportstätten betrat. Dem entsprach eine fast schmerzhafte Ernüchterung, wenn ich nach dem Training, nach einem Wettkampf wieder in die normale Welt zurückkehrte. Aber erst als ich Huizinga las, vermochte ich diese Empfindungen richtig zu deuten.

»Der Form nach betrachtet«, schreibt Huizinga, »kann man das Spiel also zusammenfassend eine freie Handlung nennen, die als ›nicht so gemeint‹ und außerhalb des gewöhnlichen Lebens stehend empfunden wird und trotzdem den Spieler völlig in Beschlag nehmen kann, an die kein materielles Interesse geknüpft ist und mit der kein Nutzen erworben wird, die sich innerhalb einer eigens bestimmten Zeit und eines eigens bestimmten Raums vollzieht, die nach bestimmten Regeln ordnungsgemäß verläuft und Gemeinschaftsverbände ins Leben ruft, die ihrerseits sich gern mit einem Geheimnis umgeben oder durch Verkleidung als anders als die gewöhnliche Welt herausheben.« Der Sport war und ist für mich in diesem Sinn immer freie Handlung geblieben, herausgehoben aus dem gewöhnlichen Leben, aber es um die – freilich utopische – Dimension von Eigenmächtigkeit und Ungebundenheit ergänzend.

Heute, nachdem der Sport in einer damals kaum vorstellbaren Weise kommerzialisiert worden ist, mag ein solches Verständ-

nis des Sports naiv erscheinen. Der Sport ist heute, manchmal bis
hinunter in den Schulsport, so weitgehend professionalisiert,
daß sein Spielcharakter verlorenzugehen droht. Zumindest im
Spitzensport geht es heute für die Vereine und Verbände, zunehmend auch für die Athleten selbst, vor allem um Geld. Eine ganze
umsatzkräftige Industrie, die Sportstätten errichtet und Sportgeräte, Sportkleidung, Sportnahrung und Fan-Artikel herstellt, ein
Heer von Dienstleistern wie Trainer, Ko-Trainer, Betreuer, Phy-
siotherapeuten, Sportpsychologen, Berater und Vereinsmanager
und nicht zuletzt die Medien und die Werbebranche sehen im
Sport vor allem ein einträgliches Geschäft. Waren früher Spitzen-
sportler stolz auf ihren Amateurstatus, so gilt heute eine professionelle Einstellung zum Sport als lobenswert. Und dennoch: All
dies hat nichts daran geändert, daß für die große Mehrheit der
Sportler und des Publikums der Sport immer noch in erster Linie
jenes zweckfreie, der utilitaristischen Logik der modernen Gesellschaft enthobene Spiel ist, eine Gegenwelt, in der das Drama
der Existenz ritualisiert und symbolisch überhöht zur Darstellung gelangt.

Als Weitspringer in Fribourg (Schweiz) 1963

Es gibt viele solcher Gegenwelten: neben der des Spiels und des Sports, die der Kunst, der Musik und der Poesie, der Freundschaft, der Liebe, der Philosophie und der Religion. Keine dieser Gegenwelten hat sich ihre Unschuld und Reinheit bewahren können, in alle ist der gefräßige Geist der Ökonomie eingedrungen. Neuerdings gibt es sogar Stimmen, die behaupten, daß auch in der Sphäre der Kultur und des Spiels von Anfang an eine spezifische ökonomische Logik waltet, daß die persönlichen Antriebe der Akteure auch in diesem Feld im Kern ökonomische sind. In kritischer Weiterführung der Arbeiten des französischen Soziologen Pierre Bourdieu hat Georg Franck in seinen beiden Büchern *Die Ökonomie der Aufmerksamkeit* (1998) und *Mentaler Kapitalismus* (2005) diesen Gedanken systematisch entfaltet. Nach ihm bestimmt auch in der Wissenschaft, in der Kunst, in der Literatur, überhaupt im ganzen Feld der Kultur eine kapitalistische Ökonomik das Geschehen, dreht sich alles um Gewinn (Ankerkennung und Beachtung), um Kapitalbildung (Reputation, Prominenz) und um Effizienz. Meine eigenen Erfahrungen in den Gegenwelten der Kultur belegen etwas anderes: Bei aller nicht zu leugnenden Ökonomisierung auch dieser Bereiche bleibt ein Rest an Unverfügbarem, und eben dieser Rest ist es, der dem Leben existentielle Tiefe, Sinn und Erfüllung gibt.

Meine frühen Erfahrungen des entrückten Spielens, davon bin ich überzeugt, haben nicht wenig Anteil daran, daß ich dem Kapitalismus immer kritisch gegenüberstand, vielleicht ebensoviel wie die spätere Beschäftigung mit Politik, Philosophie, Kunst und Literatur. Für mich ist und bleibt der Utilitarismus eine fade Theorie, das Menschenbild des egoistischen Nutzenmaximierers eine groteske Verzerrung der menschlichen Wirklichkeit. Auch wenn Konstrukte dieser Art heute von vielen als realistisch ausgegeben werden, bleibe ich dabei, daß die tiefsten menschlichen Erfahrungen sich jeder krämerhaften Kosten-Nutzen-Berechnung entziehen. Im Grunde wissen das, denke ich, alle Menschen, denn dieselben Grunderfahrungen, die mich in dieser Angelegenheit so sicher machen, haben doch auch sie gemacht. Sie wissen oder ahnen zumindest, daß es ein immenser

Verlust an Menschlichkeit und Lebensfülle wäre, wenn der Kapitalismus tatsächlich, wie es heute die Neoliberalen fordern, zur allgemeinen Lebensform würde, und darum rechne ich fest damit, daß der Widerstand gegen eine solche Entwicklung, der heute schon groß ist, eher noch weiter zunehmen wird.

Ist ein gutes Gedicht nur dann ein gutes Gedicht, wenn es, gedruckt und in großer Zahl verkauft, öffentliche Anerkennung findet? Ist der Spaß am Spiel, an der sportlichen Betätigung restlos dahin, wenn man verliert? Ist, was mich an einer religiösen Erfahrung erschüttert, nur dann von Bedeutung, wenn ich es in die Öffentlichkeit trage und damit Kirchen oder Missionszelte fülle? Georg Francks ökonomische Theorie des Kulturbetriebs kennt nur eine Triebkraft geistiger und künstlerischer Produktion: das Streben nach Anerkennung. Ich weiß aus eigener Erfahrung, daß dies eine große Rolle spielt, bin mir durchaus bewußt, wie begierig ich nach jedem Buch darauf warte, wie die Freunde, wie die Feuilletons reagieren, und wie enttäuscht ich bin, wenn die erhoffte Beachtung ausbleibt oder eines meiner Bücher verrissen wird. Aber ich erinnere mich auch an das Glück des Gelingens, das etwas anderes ist als das des Anerkanntwerdens. Es hat zu tun mit dem, was der Kulturkritiker George Steiner *reale Gegenwart* nennt, etwas, »was uns in direkteste Beziehung zu dem im Dasein bringt, was uns nicht gehört«. Es ist dasselbe, was der französische Dichter René Char zum Ausdruck bringt, wenn er von dem spricht, »was dem Menschen nichts schuldet, aber uns wohlwill«.

Jeder noch so fein gesponnene Utilitarismus greift hier zu kurz. Es gehört zur unaufhebbaren Ironie der menschlichen Existenz, daß, wer immer nur darauf aus ist, aus allem und jedem den größten Nutzen, den größten Lustgewinn, das Maximum an Beachtung und Anerkennung für sich selbst herauszuholen, sich am Ende um das Beste im Leben betrügt. Früh schon lernen wir dies im kindlichen Spiel, später in Freundschaft und Liebe, in der Begegnung mit Musik, Kunst, Literatur, in der Beschäftigung mit Philosophie und Religion. Aus eigener Erfahrung weiß ich, daß es gar kein größeres Glück im Leben gibt, als sich dann und wann einer Sache oder einer Person selbstvergessen und ohne utilitaristische Hintergedanken hinzugeben.

In zahlreichen Büchern, zuletzt in *Leben oder Überleben. Wider die Zurichtung des Menschen zu einem Element des Marktes* (2001), habe ich mich gegen die Ökonomisierung aller Lebensbereiche gewandt, habe vernünftige Argumente ins Feld geführt, den totalitären Charakter des Neoliberalismus analytisch bloßzulegen versucht. Aber im Rückblick wird mir klar, daß auch diese kritische Position einen Großteil ihrer Plausibilität und Evidenz der eigenen Lebenserfahrung verdankt. Das Recht und die Würde des Außerökonomischen gegen eine heute mit totalitärem Gestaltungsanspruch auftretende kapitalistische Ökonomie zu verteidigen, ist für mich die wichtigste Aufgabe einer humanistischen Linken. Dies kann aber nicht gelingen, wenn man die soziale Welt ganz und gar der ökonomischen Logik überläßt und nur in einer privaten Nische konkurrierenden Lebensansprüchen zu genügen versucht. Humanismus im Sinne eines integralen Menschentums hat nur dann eine Chance, wenn er politisch wird, wenn er sein Verständnis der menschlichen Existenz und seine Werte im Staat, in den Institutionen, unter den Augen der Öffentlichkeit zur Geltung bringt.

Die »göttliche Freiheit des Spiels« (Schiller) ist etwas völlig anderes als die heute verbreitete Reduktion der Freiheit auf die Wahl zwischen – möglichst vielen – Konsumoptionen. In ihr tritt uns als »utopischer Vorschein« (Bloch) die eigentliche politische Freiheit entgegen, die in der bewußten kooperativen Gestaltung der Lebensverhältnisse durch die Menschen besteht. Im Spiel befreit sich der Mensch aus den unerbittlichen Zwängen des Schicksals, im Spiel übt er ein, was im wirklichen Leben einzulösen so unendlich viel schwieriger ist: die Gestaltung der Welt nach seinem Bilde. Ich weiß, daß hier zugleich die Quelle moderner Hybris und vieler schrecklich gescheiterter Utopien liegt. Aber noch gefährlicher als der emphatische Überschwang scheint mir die neue wissenschaftlich verbrämte Schicksalsgläubigkeit der Marktradikalisten zu sein. Die Gestaltung der Welt, wie es heute von den Neoliberalen gefordert wird, einem Gesellschaftsautomaten anzuvertrauen, jener berühmt-berüchtigten *unsichtbaren Hand* des Marktes, die angeblich alles zu unserem Besten regelt, mag zwar Menschen attraktiv erscheinen, die auf diese Weise die Last der Verantwortung meinen abschütteln zu können, aber im Grunde bedeutet es nichts anderes, als sich selbst und die Menschheit insgesamt in den Status einer neuen Unmündigkeit zu verweisen.

Vielleicht ist nichts bezeichnender für die Torheit unseres technokratischen Zeitalters als der Ruf nach Abschaffung der Feiertage. Im Namen von Effizienz und Konkurrenzfähigkeit haben wir bereits den Sonntag weitgehend dem produktivistischen Geist geopfert; nun sollen, wenn es nach dem Willen der Wirtschaftsverbände geht, auch die vielen kirchlichen und sonstigen Feiertage dran glauben. Es scheint, daß unserer Kultur immer mehr das Verständnis für den Sinn des Spiels, der Muße und der feierlichen Unterbrechung des Alltags abhanden kommt. Die Sonntags- und Feiertagsruhe, die Selbstbestätigung im Fest und im Spiel, das Innehalten, um Sinn und Zweck des eigenen Tuns zu überdenken, all das gilt dem technokratischen Zeitgeist als Vergeudung von Zeit und Mitteln. Was dabei übersehen wird, ist, daß die hohe geistige und materielle Produktivität der europäischen, der westlichen Kultur insgesamt gerade auf dem rhythmischen Wechsel von Anspannung und Entspannung, von Aktivität und Kontemplation, von zielgerichtetem Handeln und zweckfreiem Spiel beruht und nicht auf produktivistischem Aktivismus vierundzwanzig Stunden am Tag, sieben Tage in der Woche und dreihundertundfünfundsechzig Tage im Jahr.

Aus der Sicht unserer modernen Effizienzanbeter vergeuden wir alle unendlich viel kostbare Lebenszeit, und manchmal, wenn ich wieder einmal aus unbegreiflicher Trägheit einen blödsinnigen Film oder eine sterbenslangweilige Talkshow im Fernsehen bis zum bitteren Ende angeschaut habe, bin auch ich bereit, mich in diesem Punkte schuldig zu bekennen. Aber dann fallen mir alle die erfüllten Momente ein, die nach Auffassung dieser dürren Rationalisten ebenfalls nichts als vergeudete Zeit sind, und es ist mit der Bußfertigkeit schon wieder vorbei. Nein, Spielen ist keine Zeitvergeudung, auch nicht das nachdenkliche Sich-Besinnen, die gelassene Kontemplation, das ziellose Grübeln. Und das Schreiben und Lesen von Gedichten schon lange nicht. Sogar die Langeweile, die Melancholie, das müßige Vertrödeln und Vertändeln von Zeit, haben ihren menschlichen und sozialen Sinn, weil die sich in solchen Stimmungen manifestierende ungerichtete Sehnsucht die Phantasie befreien und den Geist auf produktive Abwege führen kann.

Der Mensch ist nicht nur *homo sapiens* und *homo faber*, er ist auch *homo ludens*. Ganz gewiß aber ist er nicht jener *homo oeconomicus*, zu dem ihn die Neoliberalen verballhornen möchten. Und weil das so ist, sollten wir auch entschlossen jenen gegenübertreten, die die immer weitere Straffung und Verkürzung der schulischen und universitären Ausbildung propagieren. Besonders in der formativen Periode der Kindheit und Jugend brauchen die Menschen Zeit, um sich zu orientieren, sich spielend auszuprobieren, in Sackgassen zu laufen und umzukehren. Wenn wir ihnen das nicht mehr zugestehen, wenn wir im Namen der Effizienz in immer kürzerer Zeit immer mehr Stoff in die Köpfe junger Menschen pressen, kann Bildung in einem anspruchsvollen Sinn nicht gelingen. Wenn es nach mir ginge, würden wir über jede Schule den Satz in Stein meißeln: »Hier dürfen Fehler gemacht werden.« Denn nur wo gespielt, wo angstfrei experimentiert wird, wo Um- und Irrwege begangen werden dürfen, ist wirkliches Lernen möglich.

Und auch das sollten wir bedenken: Der Unterschied zwischen Arbeit und Spiel ist nicht immer so trennscharf zu markieren, wie die modernen Leistungsfanatiker glauben. Mark Twain erzählt in *Die Abenteuer von Tom Sawyer* eine Episode, die zur Pflichtlektüre für alle Pädagogen und Bildungspolitiker gemacht werden sollte. Tom soll unter dem strengen Regiment seiner Tante Polly einen Bretterzaun anstreichen: fünfunddreißig Meter lang und zwei Meter hoch. Es ist die reinste Plackerei; fremdbestimmte Arbeit im Reich der Notwendigkeit hätte Karl Marx das genannt. Zu allem Unglück kommen nun auch noch Toms Freunde vorbei, die zum Fluß hinunter baden gehen wollen. Da hat Tom eine Idee: Er gibt vor, von seiner Arbeit gefesselt zu sein, setzt hingebungsvoll Pinselstrich neben Pinselstrich. Und nun passiert etwas Wunderbares. Einer nach dem anderen bitten die Freunde Tom, sie auch ein Stück des Zauns streichen zu lassen. Ja, sie zahlen sogar dafür mit dem, was Jungen so in der Tasche haben. Aus fremdbestimmter Arbeit ist unversehens eine begehrte Freizeitaktivität geworden.

Als mein Vater in den Fünfzigern einige Jahre lang mit Süßwaren handelte, stellten wir zu Haus in Heimarbeit eine besondere Attraktion her: *Strassers Wundertüten*. Das Wunder bestand darin, daß in jeder zehnten dieser kleinen Papiertüten neben dem üblichen Sortiment an Süßigkeiten, als zusätzliche Überraschung, ein kleines Spielzeug steckte, zum Beispiel ein winziges Auto mit Gummibandmotor oder eine Nasenflöte aus Plastik. Wenn mein Vater neue Wundertüten brauchte, versammelte sich die ganze Familie um den großen Tisch neben dem Kachelofen. Jedes von uns Kindern hatte einen Karton mit einer speziellen Süßigkeit vor sich, Sahnebonbons, Lakritzschnecken, sogenannte Nappos, die als Plombenzieher berüchtigt waren, Salmiakpastillen oder Schokoladenbruch. Mein Vater fügte jeder zehnten Tüte das jeweils aktuelle Wunder hinzu, und meine Mutter verklebte die Tüten mit Pinsel und Leim.

Es wäre mir niemals eingefallen, diese Tätigkeit als Arbeit zu betrachten. Während die Tüten wie am Fließband um den Tisch herumwanderten und jeder aus dem vor ihm stehenden Karton ein Stück hineintat, unterhielten wir uns, lachten, stritten, naschten auch dann und wann von den Süßigkeiten, was meinem Vater, wenn er es bemerkte, jedes Mal den Seufzer entlockte: »Kinder, ruiniert mich nicht!« Manchmal stand mein Vater auf und holte aus dem *Lager*, einem fensterlosen Nebenzimmer, eine neue Überraschung, die dann zunächst von allen begutachtet und ausführlich kommentiert werden mußte, ehe die Produktion wieder anlaufen konnte. Es war ein Gesellschaftsspiel, bei dem spielerisch Hunderte von Wundertüten produziert wurden, die mein Vater für zwanzig Pfennig pro Stück auf Schützen- oder Sportfesten verkaufte.

Ich bin sicher, daß das, wovon Mark Twain erzählt und was ich selbst bei der Produktion von *Strassers Wundertüten* erlebte, ähnlich auch in unseren Schulen und Hochschulen passieren könnte, wenn wir auf Motivation setzten, statt auf Zwang und rigide Auslese, wenn wir die Neugier und die Freude am kreativen Spiel zu wecken verstünden, statt Versagensangst zu schüren, wenn wir den in uns schlummernden düsteren Selbsthaß überwinden könnten und uns nicht damit abfänden, immer und überall nur *animal laborans* zu sein, sondern hier und da auch auf die Schöpferkraft des *homo ludens* vertrauten.

4

LEHRJAHRE

Von meiner Schulzeit ist mir nicht allzuviel und nur weniges klar in Erinnerung geblieben. Es ist, als liege ein Nebel über diesen Jahren, aus dem einzelne Ereignisse und Personen wie Bergspitzen aus einer dichten Wolkendecke herausragen. Da ist zum Beispiel meine Deutschlehrerin an der Mittelschule, der ich meine ersten selbstverfaßten Reimereien zeigte und die mir Bücher zusteckte, von denen sie glaubte, daß ich sie lesen müsse. Oder ein Deutschlehrer am Gymnasium, der es mir durchgehen ließ, wenn ich zu den langweiligen Besinnungsaufsätzen, die er laut Lehrplan schreiben lassen mußte, phantastische Rahmengeschichten erfand. Auch an die ständigen Querelen zwischen uns Fahrschülern und dem Bahnpersonal erinnere ich mich, und an einige Zusammenstöße mit autoritären Lehrern. Daß fast alles andere in nebliges Grau gehüllt ist, liegt vielleicht daran, daß ich, als ich nach dem Abitur zum Studium nach Süddeutschland ging, den Kontakt mit der Schule und den Klassenkameraden abbrach. Den Klassentreffen, zu denen ich regelmäßig eingeladen wurde, blieb ich fern, weil gleich beim ersten Mal in der Einladung dazu als besondere Attraktion Gelegenheit zum fröhlichen Preisschießen auf einem Schießstand der Bundeswehr angeboten wurde. Eine Zeitlang tauschte ich noch Briefe mit einem Schulfreund, der an der Technischen Hochschule in Aachen studierte, aber dann schlief auch dieser Kontakt ein.

Wie fremd mir die bieder-konservative Welt in der Kleinstadt Rotenburg a. d. Wümme, wo ich bis Februar 1958 das Ratsgymnasium besuchte, geblieben war, wurde mir erst im nachhinein richtig bewußt: ein Rektor, der im Geschichtsunterricht die Nazi-Zeit geflissentlich aussparte, für den Deutschland aber immer noch – dreigeteilt niemals! – in den Grenzen von 1937 existierte, wie eine große Landkarte in der Eingangshalle der Schule deutlich machte, ein Lehrerkollegium, das bis auf ganz wenige Ausnahmen aus sterbenslangweiligen und ziemlich unfähigen Paukern bestand, das Städtchen selbst trist bis auf eine pittoreske verfallene Häuserzeile an der aufgestauten Rodau, dem sogenannten *Stadtstreek*, ein Bürgertum, das sich von den Hamburger und Bremer Hanseaten nur die steifen Umgangsformen, nicht aber die Weltoffenheit und die demokratische Gesinnung abgeschaut hatte, und die *Milchbar* als einziger Jugendtreff und eine Art Behelfskulturzentrum.

Vertrauter ist mir bis heute die Kleinstadt Zeven geblieben, in der ich einige Jahre die Mittelschule besuchte, in der unsere Familie ab 1955, meine Eltern bis zu ihrer Auswanderung in die USA im Jahre 1973, wohnten, und von wo ich einige Jahre lang jeden Tag mit dem Zug ins fünfundzwanzig Kilometer entfernte Rotenburg zur Schule fuhr. Aber wirklich heimisch bin ich auch in Zeven nie gewesen, es blieb stets ein Gefühl der Fremdheit und ein tiefsitzendes Mißtrauen, ein Mißtrauen, von dem ich damals nicht hätte sagen können, worin es begründet war. Erst sehr viel später, als ich den Roman *Stille Jagd* schrieb, kam vieles von dem, was ich damals vage empfand und nur halb verstand, auf einmal an die Oberfläche und hat sich in dem Porträt der – fiktiven – Kleinstadt *Düsternrade* verdichtet.

Wahrscheinlich ist es falsch und zudem ungerecht, wenn ich heute den Eindruck habe, daß ich der Schule für meine weitere Entwicklung wenig verdanke. Denn auch in schlechten Schulen und von schlechten Lehrern kann man, wie ich heute weiß, eine Menge lernen, und die Konflikte, die ich während meiner Schulzeit auszutragen hatte, haben mich vermutlich tiefer geprägt, als ich mir lange eingestehen mochte. Dennoch, meine hervorstechendste Erinnerung an die Schule ist die an eine Unmenge vergeudeter Zeit, an Langeweile und Tagträumerei. Nur wenn es um Ordnung, Sauberkeit und Disziplin ging, fühlte ich mich eher überfordert, was sich in einer großen Zahl sogenannter *Ordnungsstriche*, in wiederholten Eintragungen im Klassenbuch und katastrophalen Kopfnoten für Betragen und Ordnung niederschlug.

Angefangen hat mein schulischer Bildungsgang in einer dörflichen Zwergschule, in der die Klassen 1 bis 4 in einem Raum und die Klassen 5 bis 8 in einem anderen jeweils gemeinsam unterrichtet wurden. Unsere Lehrerin, Frau Baar, beschäftigte sich mit den vier Jahrgangsstufen nacheineinander, beginnend mit den Ältesten und endend mit den Jüngsten. Während die Älteren Rechenaufgaben lösten und Diktate schrieben, hatten wir Erstklässler mit dem Griffel lange Reihen von I und E auf unsere Schiefertafeln zu kratzen, und da mich das nicht ausfüllte, spitzte ich die Ohren und lernte mit den höheren Klassen mit. Meiner Lehrerin blieb das nicht verborgen, weil ich mein Wissen nicht für mich behalten konnte und mich ständig ungefragt zu Wort meldete, und am Ende des Schuljahrs versetzte sie mich, wohl auch, um mich endlich ein wenig ruhigzustellen, von der ersten gleich in die dritte Klasse. So kam es, daß ich nach nur drei Volksschuljahren auf die Mittelschule nach Zeven wechselte.

Mein Entree an der Mittelschule war ausgesprochen unglücklich. Gleich am ersten Tag erzählte ich in der Pause der versammelten Klasse aufgeregt und voller Stolz, was ich am Vortag erlebt hatte oder besser erlebt zu haben glaubte: Auf dem Hof hinter unserem Haus seien viele kleine schwarz und gelb gestreifte Flugzeuge gelandet. Einer der Piloten habe die Plexiglashaube der Pilotenkanzel aufgeklappt und mir eine rote Blechschachtel mit Pilotenschokolade geschenkt. Dann hätten alle mir zugewinkt und seien wieder davongeflogen. Ich erinnere mich noch genau an das brüllende Gelächter, das meine Erzählung auslöste, und an die Rufe: Spinner! Spinner! Erst allmählich wurde mir klar, daß, was ich als mein Erlebnis zum Besten gegeben hatte, so gar nicht geschehen sein konnte. Ich mußte es geträumt haben. Aber der Traum war so intensiv gewesen, daß ich zunächst felsenfest davon überzeugt war, dies alles tatsächlich erlebt zu haben.

Noch einschneidender war eine andere Begebenheit, die einige Wochen darauf passierte. Unser Klassenlehrer, derselbe, der mich später nicht fürs Gymnasium empfehlen wollte, schritt jeden Morgen durch die Bankreihen und inspizierte die Hände der Schüler. Eines Morgens blieb er neben meinem Platz stehen und sagte: Wie siehst denn du aus? Wascht ihr euch zu Hause nicht? *Ihr*, das sollte wohl heißen: *ihr Ausländer*. Er schickte mich auf den Schulhof hinunter, wo eine Pumpe stand, an der ich mir Hände und Gesicht waschen mußte, während oben an den offenen Fenstern sich die Klassenkameraden Kopf an Kopf drängten, um dem Schauspiel zuzusehen. Natürlich fühlte ich mich wie am Pranger. Noch Jahrzehnte später, wenn ich erlebte, wie jemand ausgegrenzt wurde oder sich durch eine Ungeschicklichkeit in eine peinliche Situation brachte, war die Erinnerung an diese Demütigung auf einmal wieder da. »Kränkungen«, schreibt der niederländische Gedächtnisforscher Douwe Draaisma in seinem wunderbaren Buch *Von den Rätseln der Erinnerung*, »werden mit wischfester Tinte eingetragen. Sie verjähren nie.«

Daß ich nach einem solch wenig glücklichen Start nicht ein für allemal in der Klasse untendurch war, verdankte ich vor allem der Tatsache, daß ich im Sport, insbesondere bei den Mannschaftsspielen, schon damals zu den Besseren gehörte. Wenn beim Fußball, Handball, Völkerball oder Schlagball Mannschaften aufgestellt wurden, gehörte ich immer zu den ersten, die gewählt wurden. Wenn eine Auswahl unserer Klasse gegen eine andere antrat, war ich mit von der Partie. Unter solchen Umständen konnte man auch als *Spinner* akzeptiert werden. Jedenfalls bei den Mitschülern. Bei den Lehrern war ich bis auf die Ausnahme der Deutschlehrerin nicht gut angeschrieben, vor allem, weil ich mich leicht ablenken ließ, meine Bleistifte nicht sorgfältig gespitzt waren und ich ein Lineal benutzte, das so schartig war, daß damit kein gerader Strich gezogen werden konnte. Außerdem vernachlässigte ich eine Zeitlang meine Hausaufgaben, weil ich gleich nach der Schule den Kiosk gegenüber der Post übernehmen mußte, in dem meine Mutter am Vormittag und ich am Nachmittag Süßwaren, Zigaretten und Stumpen verkaufte.

Vom Gymnasium versprach ich mir, daß mir nun endlich aufregende Einsichten in die Welt des Wissens geboten würden. Ich weiß nicht, woher ich die Vorstellung hatte, aber ich glaubte damals tatsächlich, das Gymnasium sei im Gegensatz zur Mittelschule ein Ort, an dem Schüler und Lehrer ständig über die wichtigsten Probleme diskutierten, an dem alle nur eines im Sinn hätten, den Dingen auf den Grund zu gehen und alle Welträtsel zu lösen. Sehr bald aber begriff ich, daß jedenfalls das Rotenburger Gymnasium ein solcher Ort nicht war, obwohl der Rektor bei feierlichen Anlässen gern das Ideal umfassender humboldtscher Bildung beschwor. Nahezu alle Lehrer spulten mehr oder weniger routiniert ihr Pensum herunter, Fragen und kritische Einwände wurden eher als Störung des Unterrichts angesehen, ernsthafte Diskussionen waren die absolute Ausnahme. Als ich zwanzig Jahre nach meinem Abitur von der Rotenburger SPD zu einem Vortrag eingeladen wurde und bei dieser Gelegenheit auch meine alte Schule besuchte, wurde mir klar, daß ich mit den fünf oder sechs Lehrern, die ich noch kannte, auch jetzt so gut wie nichts anfangen konnte, und sie mit mir auch nicht. Nur mit meinem früheren Kunstlehrer, einem klugen, sensiblen und weltoffenen Mann, der, wie ich heute weiß, auch in der Nazi-Zeit Mut bewiesen hatte, entwickelte sich ein interessantes Gespräch. Und ausgerechnet dessen Qualitäten waren mir als Schüler entgangen, weil ich mich damals, banausenhaft wie ich war, für Kunst nicht interessierte.

Eine ähnliche Überraschung erlebte ich, als ich vierzig Jahre nach meinem Abitur dann doch einmal zu einem Treffen meiner ehemaligen Klassenkameraden ging und dabei feststellen mußte, daß viele sich völlig anders entwickelt hatten, als ich es in der Schulzeit von ihnen erwartet hätte. Ein Mitschüler, der mir seinerzeit eher als gehemmt und begriffsstutzig erschienen war, war ein charmanter und beredter Professor für Kulturwissenschaften geworden. Christa, die mir als besonders schüchtern im Gedächtnis geblieben war, weil sie, von unserem tyrannischen Mathematiklehrer an die Tafel gerufen, immer gleich in Tränen ausbrach, wenn sie die Lösung nicht auf Anhieb wußte, trat mir nun als weltgewandte Inhaberin einer Anwaltskanzlei entgegen. Und der Klassenbeste, ein absoluter Überflieger in allen Fächern, dem allgemein eine glänzende Karriere vorausgesagt wurde, war als Inhaber eines Haushaltswarengeschäfts in Rotenburg hängengeblieben und hatte sich offenbar mit der Rolle des *Local Hero* zufriedengegeben. Ich habe mich seitdem oft gefragt, ob damals, als ich mit diesen Menschen zusammen die Schulbank drückte, tatsächlich von all dem nichts zu bemerken war oder ob ich die Personen, mit denen ich umging, verzerrt oder nur sehr oberflächlich wahrnahm.

Einen Menschen, an den ich mich all die Jahre hindurch sehr genau erinnerte, weil er mir einmal ungeheuer imponiert hatte, habe ich Mitte der neunziger Jahre bei einer Lesung in Oldenburg wiedergetroffen. Schon während ich in der Buchhandlung aus dem Roman *Stille Jagd* vorlas, bemerkte ich in der vorletzten Reihe einen Mann, der besonders angespannt zuhörte. Als er dann hinterher zu mir kam, und seinen Namen, Jan Dubbels, nannte, stand mir sofort wieder alles vor Augen. Es muß im Jahre 1956 oder Anfang 1957 gewesen sein, jedenfalls waren wir in der Unterprima, als ein neuer Schüler in unsere Klasse kam, der erheblich älter war als wir. Er hatte vor einigen Jahren die Schule abgebrochen, war zur See gefahren, hatte sich dann eines Besseren besonnen und wollte nun doch noch sein Abitur machen. Er war großgewachsen, breitschultrig, ein gutmütiger Hüne, der unseren Geographielehrer in Verlegenheit brachte, weil er viele der fernen Länder, die wir im Unterricht durchnahmen, aus eigener Anschauung kannte und daher wußte, daß manches, was in unseren veralteten Lehrbüchern stand, nicht oder nicht mehr stimmte.

Zum Helden meiner Schulzeit stieg er auf, weil er einem Sportlehrer, der sich einen Spaß daraus machte, die Schwächeren und weniger Geschickten zu quälen, eine schmerzhafte Lehre verpaßte. Dieser Lehrer, der, wie so viele damals, das Ende der Nazi-Herrschaft ohne Schaden an seiner Gesinnung überstanden hatte, betrachtete den Sportunterricht vor allem als Gelegenheit, uns Jungen jene Härte beizubringen, die seiner Meinung nach den deutschen Mann zierte. Zu diesem Zweck hatte er in der Turnhalle einen Boxring errichten lassen, in dem wir gegen ihn, der einmal niedersächsischer Jugendmeister im Weltergewicht gewesen war, anzutreten hatten. Das ging dann gewöhnlich so: Er stellte sich vor einem von uns hin, ohne Deckung, die Arme nach unten hängend, und sagte: Schlag zu! Und wenn man zuschlug, wich er mit blitzschnellen Kopf- oder Körperbewegungen aus, so daß man immer ins Leere traf. Nach einer Weile sagte er: Nun komm ich. Zog man dann, um den Kopf zu schützen, die Deckung zu weit nach oben, schlug er auf den Solarplexus oder auf die Milz, nahm man die Fäuste runter, bekam man einen Schlag an den Kopf, vorzugsweise auf die Nase.

Wenn man geschickt war und über genügend Kraft verfügte, konnte man sich einigermaßen aus der Affäre ziehen. Aber für die weniger Sportlichen in der Klasse war das Boxtraining ein wahres Martyrium. Auf einen kleinen, dicklichen Jungen namens Dieter hatte es unser Sportlehrer besonders abgesehen. Als Dieter eines Tages die Aufforderung des Lehrers, ihn anzugreifen, einfach ignorierte und im Ring stehenblieb, ohne sich zu rühren, schlug der Lehrer ihm plötzlich auf die Nase, daß das Blut nur so heraussprudelte, und sagte höhnisch lachend: So geht das.

Dies war der Moment, da Jan Dubbels seinen ersten und zugleich letzten großen Auftritt an unserer Schule hatte. Er kletterte in den Ring, schob den kleinen Dieter beiseite, zog dessen Boxhandschuhe an und sagte: Jetzt bin ich dran. Und dann jagte er den einen Kopf kleineren Lehrer durch den Ring und prügelte ihn, der sich verzweifelt, aber erfolglos wehrte, windelweich. Am Ende sank der Lehrer in einer Ecke lautlos zu Boden. Die ganze Klasse applaudierte. Aber als wir sahen, wie Jan seine Sachen zusammenpackte und, ohne etwas zu sagen, in den Umkleideraum ging, da ahnten wir schon, daß der Triumph nicht lange halten würde. Schon am Tag darauf wurde Jan Dubbels von der Schule verwiesen. Ich habe ihn nicht mehr wieder gesehen, bis zu jenem Abend in Oldenburg.

Als Jan und ich nach der Lesung beim Bier zusammensaßen, erzählte er mir seine Geschichte. Nach dem Rauswurf aus der Schule war er, frustriert und ohne Perspektive, wieder zur See gefahren, fast zehn Jahre lang. Er hatte zu trinken angefangen, hatte sich im Suff an einer Seilwinde zwei Finger abgeklemmt und wegen kleinerer Delikte ein paarmal im Gefängnis gesessen. Als er fast am Ende war, lernte er eine Frau kennen, die seinem Leben eine Wende gab. Sie heirateten, Jan nahm einen Job bei einer Speditionsfirma an, holte an der Abendschule in Hamburg sein Abitur nach, fuhr einige Jahre als Steuermann auf demselben Kreuzfahrtschiff, auf dem seine Frau als Gymnastiklehrerin tätig war, und machte schließlich sogar sein Kapitänspatent. Jetzt war er Rentner, war soeben zum dritten Mal Großvater geworden und mit sich und der Welt mehr oder weniger im reinen. Die Sache damals, sagte er, hätte mich beinah für den Rest meines Lebens aus dem Tritt gebracht. Aber irgend jemand mußte dem Scheißkerl doch zeigen, daß er sich nicht alles erlauben konnte.

Menschen wie Jan Dubbels waren für mich wahrscheinlich wichtiger als alle Lehrer zusammen. Die Botschaft, die er mir vermittelte, war dieselbe, die auch meine Mutter uns Kindern mitgegeben hatte: Moral ist im Kern eine einfache Sache. Man tut, was man tun muß, weil einem eine innere Stimme sagt, daß dies und nichts anderes das Richtige ist. Um das Richtige zu tun, braucht man nicht über ein großes Wissen zu verfügen, man braucht nur gesunden Menschenverstand und einen Schuß friesischer Sturheit, um nicht auf die Advokatentricks hereinzufallen, mit denen wir uns selbst allzugern einreden, die Sache sei viel zu kompliziert, der Zeitpunkt womöglich der falsche und wir selbst eigentlich auch gar nicht zuständig. Nur daß Jan Dubbels keine Mutter hatte, die ihn raushaute, als es für ihn schwierig wurde.

Aber während ich dies schreibe, fällt mir ein, daß auch die, die Jan Dubbels damals von der Schule warfen, hochmoralische Gründe für ihr Vorgehen ins Feld führten. Ich erinnere mich, daß die ganze Klasse in der Aula der Schule zusammengerufen wurde und der Rektor uns im Beisein des Sportlehrers und unseres Klassenlehrers verkündete, daß man den Delinquenten mit sofortiger Wirkung der Schule verwiesen habe, weil er sich in unglaublich roher und widerwärtiger Weise an einer Respektsperson vergriffen habe. Dann kamen wir dran. Es sei ein erschreckendes Zeichen moralischer Verwahrlosung, sagte der Rektor, daß niemand von uns den Mut aufgebracht habe, sich dem Wüstling in den Weg zu stellen, daß die Klasse vielmehr einer solchen unglaublichen Tat auch noch applaudiert habe. Er habe mit unserem Klassenlehrer über die notwendigen Sanktionen gesprochen. Die Klassenfahrt ins Weserbergland, die für das Frühjahr vorgesehen sei, werde hiermit gestrichen. Über weitere Maßnahmen werde man noch befinden. So einfach, wie meine Mutter glauben machte, scheint es also mit der Moral doch nicht zu sein.

Vor mir auf dem Schreibtisch das Foto vom Abiturjahrgang 1958: neunzehn Jungen, sechs Mädchen, in der Mitte der letzten Reihe unser Klassenlehrer, der damals übrigens dafür sorgte, daß die Klassenfahrt, unsere letzte, doch noch stattfinden konnte. Sein listiges Argument: Man könne die Mädchen doch nicht dafür bestrafen, daß die Jungen sich ungebührlich betragen hätten. Einige von uns halten auf dem Foto stolz ihre Abiturzeugnisse in der Hand. Vorn in der ersten Reihe unter den langen Kerlen, von denen keiner unter ein Meter neunzig ist, der zweite von rechts, das bin ich. Das Ende meiner Schulzeit, verbriefte Reife. Ich schaue in die Gesichter auf dem Foto und werde das Gefühl nicht los, daß hier etwas nicht stimmt. Was wird hier gespielt, welches Stück wird hier aufgeführt? Die meisten von uns Jungen sehen aus wie Sparkassenfilialleiter oder Staatssekretäre, und dabei ist der älteste gerade mal zweiundzwanzig, ich als jüngster bin achtzehn.

Es gelingt mir beim besten Willen nicht, mir das Lebensgefühl von damals ins Gedächtnis zurückzurufen. Vorzeit, eine vergangene Epoche, mit der mich so gut wie nichts zu verbinden scheint. Hier und da ragt etwas aus jener Zeit in die Gegenwart hinein wie ein Fremdkörper, wie ein schwer zu klassifizierendes Fossil. Hat das einmal zu meinem Leben gehört? Habe ich wirklich erlebt, woran ich mich zu erinnern meine? Ist es so passiert, wie es mir im Gedächtnis ist, oder habe ich es nachträglich stilisiert?

Abitur 1958. J. S. zweiter von rechts in der vordersten Reihe

Zwei Monate, nachdem das Abiturfoto gemacht wurde, fahre
ich mit dem Zug nach Süden, um mein Studium anzutreten. Ich
fahre durch mir fremde Landschaften, die Luft ist warm und
weich, wenn man sich während der Fahrt aus dem Fenster lehnt,
muß man achtgeben, daß man keinen Kohlenstaub in die Augen
bekommt. Ich steige um in Hannover, in Frankfurt und in
Mainz. Eine fremde Frau, mit der ich zwei Stunden lang im selben Abteil gesessen habe, ohne ein Wort mit ihr zu wechseln,
schenkt mir, als sie in Kassel aussteigt, eine Tafel Schokolade. Ab
Mainz geht es am Rhein entlang, vorbei an roterdigen Hängen,
auf denen Weinreben wachsen. Ich bin fest davon überzeugt,
daß mein Leben nun erst richtig beginnt, daß alles Bisherige nur
ein Vorspiel war. Es ist Mai, die Sonne scheint, hier am Rhein
blüht schon der Flieder. Wahrscheinlich war es gar nicht anders
möglich, als den Bruch zu vollziehen und die Schulzeit im Nebel
zurückzulassen.

5

PROVINZLER UND KOSMOPOLIT

Ich bin ein Provinzler. Aufgewachsen in der niederländischen Provinz Friesland und in Dörfern und Kleinstädten im nördlichen Niedersachsen, Gegenden, in die die Nachrichten aus der großen Welt, die jeweils neuesten Moden, die revolutionären Neuerungen, die Wunder der Wissenschaft und der Technik immer mit beträchtlicher Verspätung vordrangen, habe ich nie jene blasierte Weltläufigkeit entwickeln können, die ich bei anderen einerseits affig fand, andererseits insgeheim bewunderte. Ich erinnere mich, wie mir mit einem Schlag die Zurückgebliebenheit unseres Provinzlerdaseins bewußt wurde, als mein Vater eines Tages einen windigen Geschäftspartner aus Hamburg mitsamt seiner extravaganten Frau zu uns nach Hause mitbrachte. Die Frau vor allem erschien mir wie eine Botin aus einer anderen Welt. Sie hatte rot geschminkte Lippen und rot lackierte Fingernägel, rauchte Zigaretten, die in einer Zigarettenspitze aus Elfenbein steckten, und wenn sie mit ihrer tiefen Stimme sprach, schienen ihre Worte minutenlang im Zimmer zu schweben wie dunkelsamtige Schmetterlinge.

So eine Frau hatte ich bis dahin allenfalls in einem alten Ufa-Film gesehen. Daß es solche Wesen in Wirklichkeit gab, war einerseits aufregend und beglückend, andererseits bewies es schmerzhaft, wie tief der Graben war, der uns Provinzler vom richtigen Leben trennte. Dann und wann fuhr ein futuristisch aussehendes amerikanisches Auto über das holprige Kopfsteinpflaster unseres Dorfes und vermittelte uns eine vage Ahnung von den Wundern, die da draußen, in der Welt außerhalb unserer Provinz existierten. In *Fox tönender Wochenschau*, die damals im Kino vor jedem Film gezeigt wurde, sahen wir Bilder von den Wolkenkratzern New Yorks, vom Petersdom in Rom und vom Zuckerhut in Rio de Janeiro. Als Deutschland 1954 Fußballweltmeister wurde, saß ich eingeklemmt zwischen zwei Erwachsenen im *Gasthof Podendorf* vor dem einzigen Fernseher im Dorf und konnte mit eigenen Augen verfolgen, was ich eigentlich schon wußte: daß das wirklich Wichtige immer weit weg, an fernen, mythischen Orten passierte. Bern, das Wankdorfstadion, war ein solcher Ort. Aber als dann das entscheidende Tor gefallen war und der Schiedsrichter das Spiel abgepfiffen hatte, schleuderte ein junger Bursche vor lauter Begeisterung sein Bierglas in den Fernsehapparat, der mit einem lauten Knall implodierte, und für das nächste Vierteljahr blieb das Guckloch, durch das wir dann und wann in die große Welt blicken konnten, verschlossen.

»Nirgends wird herzzerreißender geträumt als in der Provinz.« Der Satz steht so in meinem 1987 veröffentlichten Roman *Der Klang der Fanfare*. Ein Schlüsselsatz, nicht nur für den Roman, sondern auch für mein eigenes Leben. Ich erinnere mich noch heute an den Sehnsuchtsklang, den Städtenamen wie New York, Buenos Aires, Valparaiso für uns Kinder hatten. Im Norden, wo das Meer so nah war, wo von Hamburg, Bremerhaven, Rotterdam die großen Schiffe nach Übersee ausliefen, war es fast unvermeidlich, daß man nachts im Traum auf große Fahrt ging. Als ich gerade mein Abitur machte, ging mein ältester Bruder für eine Bremer Baumwollimportfirma nach Kalifornien, ein Traumland, das wir nur aus dem Seemannslied *Blow, Boys, Blow For Californio* kannten. Ein Nachbarsjunge heuerte auf einem Trampliner an und schickte Postkarten aus der Karibik und vom Kap Horn, die unser Fernweh ins Unerträgliche steigerten. Aber als ich dann im Jahre 1958 von Norddeutschland aus nach Süden aufbrach, um am Dolmetscherinstitut der Universität Mainz in Germersheim zu studieren, landete ich nur wieder in einer verschlafenen Kleinstadt, die sich allenfalls dadurch auszeichnete, daß es in ihrer Nähe eine Straßenkreuzung gab, von wo es über Kaiserslautern und Saarbrücken geradewegs nach Paris ging.

Unsere Eltern hatten uns Kindern immer das Bewußtsein vermittelt, daß politische, religiöse, kulturelle Grenzen – jedenfalls
für uns – bedeutungslos seien, daß uns die ganze Welt offenstehe,
daß wir als Weltbürger überall, vorzugsweise natürlich in den
großen Metropolen, leben könnten. Tatsächlich aber waren sie
selbst, außer in der kurzen Zeit, während der sie einander in
Paris kennenlernten, immer im Abseits gelandet: Avignon, Mulhouse, Leeuwarden, das nördliche Niedersachsen und schließlich Fresno in Kalifornien, eine gesichtslose Stadt von damals
etwas über einhunderttausend Einwohnern, die Reisende allenfalls streiften, um die Mammut-Bäume im nahen Yosemite
Nationalpark zu bestaunen. Manchmal denke ich, daß meine
Eltern, obwohl sie als Esperantisten natürlich überzeugte Kosmopoliten waren, es im Grunde doch vorzogen, die große Welt
gewissermaßen aus sicherem Abstand zu beäugen.

Und ich? Im Grunde bin auch ich ein provinzieller Kosmopolit. Oder ein kosmopolitischer Provinzler. Ich erinnere mich,
daß ich als Kind und auch noch als junger Erwachsener nie das
Gefühl loswurde, daß das Leben, das wirkliche Leben ganz anders sein müsse, als das, was ich bis dahin kannte, und daß es
irgendwo dort draußen, wo die Schienenstränge im Mittags-
dunst zusammenliefen, auf mich wartete. Dort draußen oder in
den Büchern, die mir meine Deutschlehrerin zusteckte, die ich
später im Bibliothekssaal des Dolmetscherinstituts oder auf dem
Bett in meinem Studentenzimmer las. Alle Stationen, die ich an-
lief, alle Bücher, die ich las, die Menschen, die ich kennenlernte,
es war immer nur Vorbereitung auf das Eigentliche, das noch
kommen mußte. Jedes Buch verwies auf andere Bücher, jeder
Ort, an dem ich lebte, war nach einem anderen, bedeutenderen
Ort ausgerichtet, die Menschen, die ich traf, berichteten von
staunenswerten Dingen und Personen, die das andere, das exem-
plarische Leben verkörperten, das mir bisher vorenthalten war.

Die Adenauer-Zeit mit ihrer Bigotterie, ihrem spießerhaften
Wir-sind-wieder-wer, mit Kuppelparagraphen, »Aktion Saubere
Leinwand« und Kommunistenhatz, mit der Strafandrohung für
Homosexualität und Gotteslästerung erlebte ich, erwachsen

werdend, zunehmend als beklemmende, mir den Atem abschnürende Enge. Das Gegenbild dazu war Frankreich, Paris vor allem, der Fluchtpunkt meiner Träume, meiner und der der Freunde, mit denen ich mich in den ersten Jahren des Studiums umgab. Wir lasen Sartre, Camus, Gedichte von Villon, Rimbaud, Mallarmé und Verlaine, verpaßten im Kino keinen französischen Film, in Karlsruhe und in Mannheim sahen wir im Theater so gut wie alle Stücke von Anouilh, wir hörten Tonbandaufnahmen der Lieder von Georges Brassens und lernten alle seine Texte auswendig. Und als wir eines Tages zu viert per Autostop nach Paris aufbrachen und mitten in St. Michel in der Rue de la Huchette in einem Hotel für sagenhafte fünfzehn Francs das Doppelzimmer unterkamen, fanden wir tatsächlich alles bestätigt, was wir uns in unseren Träumen ausgemalt hatten.

Nirgens wird herzzerreißender geträumt als in der Provinz. Ich glaube, daß die Spannung zwischen der provinziellen Realität und den kosmopolitischen Ambitionen wesentlichen Anteil daran hatte, daß ich damals in einem wahren Heißhunger mir alles Wissen der Welt anzueignen trachtete. Neben dem Sprachenstudium hörte ich Vorlesungen in Geschichte, Recht, Volkswirtschaft und Philosophie. Mit einem Freund trampte ich von Germersheim nach Frankfurt, um Adorno zu hören. Ich las, was ich an deutscher, französischer, englischer Literatur in die Finger bekam. Für kurze Zeit befaßte ich mich sogar mit Parapsychologie und kokettierte mit dem Gedanken, einige Semester bei Hans Bender, dem Begründer des Instituts für Grenzgebiete der Psychologie und Psychohygiene in Freiburg zu studieren. Natürlich war es naiv zu glauben, ich könne auf allen diesen Gebieten Kompetenz erlangen, aber damals war ich von der Idee besessen, mir auf diese Weise die Welt zu erobern.

Dabei war die Pfalz eigentlich schon exotisch genug für einen, der aus der norddeutschen Provinz kam. Damals, Ende der fünfziger Jahre, war die Mobilität sehr viel geringer als heute, hatten die meisten Norddeutschen, vor allem, wenn sie auf dem Lande lebten, zwar Bekanntschaft mit Flüchtlingen aus Ostpreußen oder Schlesien gemacht, aber noch nie einen leibhaftigen Rheinländer, Bayern oder Pfälzer in seiner angestammten Umgebung gesehen. Entsprechend verblüfft war ich, als ich zum ersten Mal Menschen begegnete, die am hellichten Tag, in einer Laube sitzend, Wein tranken und sich ganz offenbar nichts dabei dachten. Ich erinnere mich auch, daß ich, auf dem Bahnhof in Germersheim ankommend, eine freundliche Frau nach dem Weg zum Auslands- und Dolmetscherinstitut fragte, und kein Wort von dem verstand, was mir zur Auskunft gegeben wurde. Heute fällt es schwer, sich vorzustellen, wie fremd man damals im eigenen Land sein konnte.

Germersheim, eine alte Festungs- und Garnisonstadt südlich von Speyer auf der linken Rheinseite gelegen, hatte Ende der fünfziger Jahre gerade mal sechstausend Einwohner. Hätte es nicht das in einem der großen Kasernenbauten untergebrachte Auslands- und Dolmetscherinstitut mit seinen mehr als eintausendfünfhundert Studenten und Dozenten aus aller Herren Länder gegeben, das Kreisstädtchen hätte wohl keinerlei Beachtung auf sich gezogen. Aber das Institut oder die »Dolmetscherschul«, wie die Einheimischen sagten, war eine Art Kaderschmiede für das junge Europa. Hier wurde ein erheblicher Teil jener Übersetzer und Dolmetscher ausgebildet, die später im diplomatischen Dienst oder in den europäischen Institutionen in Brüssel, Luxemburg und Straßburg tätig waren. Als ich mein Studium in Germersheim antrat, war auch für mich das Ziel klar: Ich wollte nach Brüssel, um an der Gestaltung Europas mitzuwirken. Daß es dann doch anders kam, hatte vor allem einen Grund, nämlich den, daß ich mich im Laufe des Studiums mehr und mehr für Philosophie zu interessieren begann.

Für die männlichen Studenten der umliegenden Universitäten und Technischen Hochschulen in Karlsruhe, Mannheim, Heidelberg, Mainz und Frankfurt war Germersheim vor allem deswegen interessant, weil von den eintausendfünfhundert Studierenden des Dolmetscherinstituts mehr als 70 Prozent weiblich waren. Die Tanzabende im *Kellerclub* des Instituts, die an jedem Samstag stattfanden, waren entsprechend gut besucht, auch von jungen Leuten aus den umliegenden Universitätsstädten. Für zunächst vier, später fünf Mark die Stunde, spielte ich hier in einer kleinen Band jeweils von acht bis ein Uhr, am Freitag- und am Samstagnachmittag darüber hinaus in einem Café als Alleinunterhalter. Soviel Geld, wie ich durch die Musik verdiente, konnte man damals kaum in einem anderen Job verdienen, und weil die Grundkosten ausgesprochen niedrig waren – die Miete im spartanisch eingerichteten Achtmannzimmer des Herrenwohnheims kostete im Sommer fünf, im Winter inklusive Heizung zehn Mark monatlich, der Eintopf in der Mensa inklusive Nachschlag fünfzig Pfennig –, konnte ich auf diese Weise tatsächlich meinen Lebensunterhalt bestreiten.

Natürlich gab es auch schon damals einige ausgesprochen wohlhabende Studenten, die privat wohnten und im eigenen Auto herumfuhren. Aber die große Mehrheit lebte unter ähnlich bescheidenen Bedingungen wie ich. Daß wir mit äußerst wenig Geld auskommen, in den Semesterferien auf dem Bau für 1,80 oder bei der *Gummasol*, einer örtlichen Gummiwarenfabrik, gar für 1,38 Mark die Stunde arbeiten mußten, um über die Runden zu kommen, daß wir uns längere Reisen nur per Autostop leisten konnten, jeder Kino- oder Theaterbesuch Einschränkungen auf anderen Gebieten zur Folge hatte, all das erschien mir damals so normal, daß ich darüber kein Wort verloren hätte. Was mich störte und mich im Laufe der Zeit immer öfter zum Widerstand reizte, waren die heute kaum noch vorstellbaren absurden Gängelungen und Eingriffe in unser Privatleben. So hatte die Heimleiterin, Frau Bohn, die Angewohnheit, abends nach einundzwanzig Uhr, ohne anzuklopfen, in die Zimmer des Studentenwohnheims zu stürmen, um nachzusehen, ob dort womöglich Unzucht getrieben werde. Als ich mir – zunächst versuchsweise – die Haare etwas länger wachsen ließ, wurde ich wiederholt nicht nur von Professoren und Dozenten, sondern auch von Funktionären des Deutschen Sportbunds ermahnt, mich »nicht gehen zu lassen«.

In den ersten im engeren Sinn politischen Konflikt geriet ich, als ich 1960 zu einer Dokumentation über Nazis auf deutschen Richterstühlen, die von Karlsruher Studenten erstellt worden war, einen kurzen Text beisteuerte. In Flugblättern des Studentenverbandes der Union, des RCDS, wurde ich als »Kommunist« verdächtigt, obwohl ich weder damals noch später zu den Sympathisanten der Sowjetunion und der DDR gehörte. In meinem Wohnheimzimmer wurde kurz darauf ein älterer Kommilitone einquartiert, der sich am Studium selbst merkwürdig uninteressiert zeigte, dafür um so eifriger Anschluß bei mir und meinen Freunden suchte. Alsbald wurde gemunkelt, er sei ein Spitzel, merkwürdigerweise hieß es: des Militärischen Abschirmdienstes. Ob das stimmte, weiß ich nicht; er ist meines Wissens nie als Agent enttarnt worden. Tatsache ist aber, daß Jahrzehnte später eine Veröffentlichung im *Spiegel* aufdeckte, daß ich jahrelang vom MAD bespitzelt worden war, noch dazu von einem Agenten, der, wie sich schließlich herausstellte, viele Jahre lang als Doppelagent beiden deutschen Staaten dienstbar war.

Wirklich beunruhigt haben mich die Verdächtigungen damals nicht, und ich glaube auch nicht, daß sie mir in irgendeiner Weise geschadet haben. Bei den meisten Menschen, die mir damals wichtig waren, galt es sowieso eher als ein Ritterschlag, wenn man als *Kommunist* verdächtigt wurde. Im Klima des Kalten Krieges mit seiner neurotischen Kommunistenangst mußte sich nahezu jeder junge Mensch, der offen Kritik wagte oder von den spießigen Normen des Adenauer-Staates abwich, irgendwann sagen lassen: »Geh doch nach drüben!« Und mit »drüben« war natürlich die DDR gemeint, in die man Kritiker und Abweichler allzugern abgeschoben hätte. Daß man der eigenen Gesellschaft und dem eigenen Staat kritisch gegenüberstehen konnte, ohne ein heimlicher Parteigänger des anderen Deutschland zu sein, war vielen damals nur schwer zu vermitteln.

Meine Germersheimer Jahre erscheinen mir im nachhinein vor allem als Jahre des Suchens und des Ausprobierens, obwohl ich sie damals natürlich durchaus auch als aufregende Gegenwart erlebte. So entschieden wir in der Ablehnung der spießigen Konventionen jener Zeit waren, hatten wir doch keine klare Vorstellung davon, wie wir selbst leben wollten. Die Wegweisungen meiner Eltern, meiner Mutter vor allem, waren zwar hilfreich, wenn es darum ging, in kritischen Situationen einigermaßen Kurs zu halten, aber für den Entwurf eines eigenen Lebens reichten sie, das zeigte sich nun, nicht aus. Alles, was wir sicher wußten oder zu wissen meinten, war, daß wir so wie der Normalbürger nicht leben wollten. Aber wie dann? Die Pariser Bohème war faszinierend, aber lebbar war sie für jemanden wie mich nicht, und das, was als Versprechen in den Liedern von Georges Brassens und in der Musik von jenseits des Atlantiks und bald auch aus Großbritannien mitschwang, war allzu vage, um daraus ein Leben zu formen.

Ich denke, daß ich schon damals instinktiv nach einer Lebensform suchte, die das Private und das Öffentliche auf glaubwürdigere Weise zusammenband, als es in der Erwachsenenwelt der Bundesrepublik gewöhnlich der Fall war. Es gibt ein Foto von mir aus jener Zeit, vermutlich 1960 aufgenommen, das mich am Rheinufer in Germersheim zeigt: dunkelblauer Anzug mit für den heutigen Geschmack zu weiter Hose, weißes Hemd, Krawatte, kurzes Haar, die linke Hand lässig in der Hosentasche – ein bißchen sonntäglich herausgeputzter Vorstadtbeau, wie wir ihn aus französischen und italienischen Filmen kannten, ein bißchen John F. Kennedy. Die ästhetischen Signale des Nonkonformismus sind noch eher versteckt; der Einundzwanzigjährige, der sich auf so betont lässige Weise erwachsen gibt, ist sich in Wahrheit seiner Sache keineswegs sicher.

Ich gehöre dem Alter nach nicht mehr zu der von dem Soziologen Helmut Schelsky sogenannten *skeptischen Generation*. Das Grauen des Krieges kenne ich nur aus Erzählungen Älterer und aus Büchern. Allenfalls erinnere ich mich daran, daß meine Eltern plötzlich verstummten und mit gespannten Gesichtern dasaßen, wenn bei hereinbrechender Dunkelheit am Himmel über Leeuwarden das Dröhnen der englischen Bomber zu hören war, die Bremen, Hamburg, Köln oder Dresden ansteuerten. Als der Krieg zu Ende ging und ich mit der Familie nach Deutschland kam, war ich gerade mal sechs Jahre alt. Und ich wuchs in einer Familie auf, in der es den klassischen Konflikt zwischen der Generation der Mitmacher und Mitwisser und der der Nachgeborenen nicht gab. Ich gehörte also nicht zu den zahlreichen jungen Menschen in Deutschland, die, als mit Verspätung die verbrecherische deutsche Vergangenheit auf den Prüfstand kam, sich zugleich kritisch und nicht selten haßerfüllt mit den eigenen Eltern, besonders dem Vater, auseinandersetzten.

Am Rhein bei Germersheim 1960

Im Rückblick glaube ich zu erkennen, daß das hohe Maß an Übereinstimmung in den politischen und moralischen Grundpositionen, das es in meiner Familie gab, es mir erheblich erleichterte, die späteren Auseinandersetzungen mit einer gewissen Gelassenheit und ohne Verbitterung zu bestehen und dabei eine optimistische Grundhaltung zu bewahren. Trotz all des Beengenden der materiellen Verhältnisse und des geistigen Klimas in den fünfziger und frühen sechziger Jahren blickte ich verhältnismäßig unbeschwert in die Zukunft. Ich litt zwar unter der allgegenwärtigen Bevormundung und ihrem Gegenstück, der Duckmäuserei, ich verachtete den bornierten Spießerstolz auf das »Wirtschaftswunder« und die Konsumprotzerei der Wohlstandsbürger, aber ich war merkwürdig zuversichtlich, daß meine und die nachwachsenden Generationen mit der Bigotterie und der Kleingeisterei in Deutschland ein für allemal aufräumen würden. Zwar dauerte es noch fast ein Jahrzehnt, bis der Aufbruch der Jugend tatsächlich stattfand, und insofern waren die späten fünfziger und frühen sechziger Jahre tatsächlich so etwas wie eine gesellschaftspolitische Latenzphase, aber ich erinnere mich nicht, daß mich das entmutigt hätte.

Vermutlich spielte dabei das Wirtschaftswunder eine größere und positivere Rolle, als ich ihm damals einräumen mochte. Denn durch die schnelle Verbesserung der wirtschaftlichen Lage wuchs überall in Deutschland die Nachfrage nach Arbeitskräften. Bei den un- und angelernten Tätigkeiten konnte man sich mit dem massiven Import von sogenannten Gastarbeitern behelfen. Aber auch der Bedarf an qualifizierten Arbeitskräften stieg enorm an. Wir, die wir die Entwicklung der Gesellschaft kritisch sahen und wegen unserer Kritik nicht selten *nach drüben* verwünscht wurden, wußten doch wohl, daß wir hier, in *diesem* Deutschland gebraucht wurden. Im Gegensatz zu heute konnte damals jeder, der studierte, sicher sein, nach dem Studium einen, meist sogar einen ihm genehmen Arbeitsplatz zu finden. Entsprechend blickten wir, was die beruflichen Aussichten anging, ziemlich unbekümmert in die Zukunft.

Während junge Leute heute oft schon in der Schule sich die sorgenvolle Frage stellen, ob sie später eine Lehrstelle, einen Studienplatz und danach eine den Lebensunterhalt sichernde Anstellung bekommen, standen meiner Generation nahezu alle Wege offen. Darum war es auch keineswegs ungewöhnlich, daß ich, als ich mein Studium in Germersheim mit dem Diplom für Übersetzer abschloß, nur ein kurzes Zwischenspiel in der Arbeitswelt einplante, um danach Philosophie zu studieren. Mit welchem Berufsziel? Ich erinnere mich nicht, daß ich mir darüber Gedanken gemacht hätte. Wir lebten in dem Bewußtsein, daß sich das schon ergeben werde, und, wie sich in den nächsten Jahren zeigte, hatten wir damit auch durchaus recht, weil es mit

Deutschland – scheinbar unaufhaltsam – aufwärtsging und überall auf Expansion gesetzt wurde.

Sogar für meine Eltern schien die Lage sich allmählich zu bessern. Mein Vater hatte den Süßwarenhandel aufgegeben und war ins Versicherungsgeschäft eingestiegen. Es ging aufwärts mit der Wirtschaft, mit den Löhnen, mit dem Konsum, und immer mehr Deutsche konnten sich nach Jahren der Entbehrung wieder etwas anschaffen. Mit dem Besitz wuchs aber zugleich die Angst, ihn zu verlieren, und das wiederum war gut fürs Versicherungsgeschäft. Mein Vater fuhr mit einer gebrauchten Renault-Dauphine über Land und überzeugte die Menschen davon, daß es klug und vorausschauend sei, sich gegen alle denkbaren Wechselfälle des Lebens zu versichern. Diebstahl, Brand, Krankheit, Hausrat, Leben, Ausbildung, Aussteuer, Haftpflicht, Rechtsschutz – für jede seiner vielen Versicherungen hatte mein Vater eine eigene Mappe. Besonders gern empfahl er aber eine »Rundumversicherung«, die alle Gefährdungen auf einmal abdeckte, bei der also praktisch nichts mehr schiefgehen konnte im Leben.

Eines Tages, kurz vor Pfingsten, bekam ich einen Brief von meinem Vater: Er müsse über Pfingsten Tante Berthe in Mulhouse besuchen, weil sie Probleme mit dem Finanzamt habe. Ob ich Lust hätte, für ein paar Tage mit ihm ins Elsaß zu fahren. Er würde mich in Germersheim auflesen und mich auf der Rückfahrt dort auch wieder absetzen. Ich habe meinen Vater niemals davor und niemals danach so jung und so dynamisch erlebt wie auf dieser kleinen Reise. Der vorübergehende wirtschaftliche Erfolg und die Aussicht, die Landschaft seiner jungen Jahre wiederzusehen, euphorisierten ihn offensichtlich. Bei Wissembourg passierten wir die Grenze und fuhren über Strasbourg und Colmar nach Mulhouse. In Strasbourg besichtigten wir das Münster und das Gerberviertel, von Colmar aus machten wir einen Abstecher nach Kaysersberg, dem Geburtsort Albert Schweitzers, und als wir uns Mulhouse näherten, erzählte mir mein Vater, wie Mutter und er dort vor dem Krieg einige Jahre lang ein Milch- und Käsegeschäft betrieben hätten, bis Mutter mit meinem ältesten Bruder schwanger geworden sei und den Milch-

und-Käse-Geruch im Laden partout nicht mehr habe ertragen können. Er habe daraufhin das Geschäft aufgegeben und als Auslandskorrespondent in einer großen Kammgarnspinnerei angefangen. Das Merkwürdige aber sei, daß Roger, der Älteste von uns Kindern, bis heute tatsächlich keinen Käse anrühre.

Drei Tage blieben wir in Tante Berthes geräumiger Wohnung. Es stellte sich heraus, daß sie, die ein kleines Textilgeschäft besaß, über Einnahmen und Ausgaben praktisch nie buchgeführt und auch so gut wie nie Steuern bezahlt hatte. Mein Vater arbeitete von morgens bis abends, und als nach Pfingsten die angekündigte Betriebsprüfung durchgeführt wurde, fanden die Beamten ordentlich geführte Bücher vor, aus denen hervorging, daß Tante Berthe all die Jahre hindurch praktisch keinen Gewinn erzielt hatte. Allenfalls mit einer unbedeutenden Steuernachzahlung müsse sie rechnen, sagten die Herren vom Finanzamt, als sie gingen. Tante Berthe, die sich schon im Gefängnis gesehen hatte, war sichtlich erleichtert. Zur Belohnung lud sie uns zu einem Kurzurlaub in den Vogesen ein, wo sie in einem luxuriösen Hotel bereits Zimmer gebucht hatte. Aber mein Vater hatte andere Pläne. Wir aßen zwar im Hotel *Beau Site* und verbrachten den größten Teil des Tages mit Tante Berthe, aber abends nach dem Essen fuhren wir in die Berge hinauf und schlugen im letzten Tageslicht irgendwo auf einer Wiese unser Zelt auf. Am Morgen wuschen und rasierten wir uns dann an einem Bach und waren rechtzeitig zum Frühstück wieder im Hotel.

Mein Vater kannte hier in den Bergen jeden Pfad. Als junger Mann war er oft hier gewandert, jede Bergkuppe, jeder überraschende Ausblick ins Tal erinnerte ihn an die Träume seiner Jugend.

Der Felsvorsprung dort oben, bei klarem Wetter kannst du von dort den Rhein und dahinter die Hügel des Kaiserstuhls sehen.

Gleich am ersten Abend ging es hinauf zum Lac Noir. Die kleine ebene Stelle am Hang über dem See, genau hier hatte mein Vater schon einmal gezeltet, im August 1927 oder 1928 mußte das gewesen sein. Mit einer Gruppe von Freunden waren sie hier heraufgestiegen, und am nächsten Morgen erwachten sie früh, weil sie in ihren dünnen Schlafsäcken ganz jämmerlich froren. Und als sie aus den Zelten traten, war draußen alles weiß, der ganze Hang bedeckt mit Schnee. Mitten im August.

Viele Jahre später habe ich ein Gedicht über meinen Vater geschrieben: »Triptychon«. Da lebten meine Eltern längst in Kalifornien, wir sahen uns nur noch selten, die Entfernung war zu groß. Aber als ich am Schreibtisch saß, tauchten auf einmal die Bilder dieser Reise wieder auf, und mein Vater war mir wieder ganz nah. Was in dem Gedicht nicht vorkommt: Als wir nach Mulhouse zurückkehrten, dirigierte Tante Berthe uns zu einem Autohaus. Der Besitzer, Monsieur Pantin, kam heraus, begrüßte uns und ließ meinen Vater probehalber in einem schwarz glänzenden Citroën ID 19, seinem Traumwagen, Platz nehmen. *Elle te plait, Robert?* fragte Tante Berthe, als mein Vater wieder ausgestiegen war und das elegante Gefährt mit einem zärtlichen Blick maß. Mein Vater, der immer noch nicht begriffen hatte, was hier gespielt wurde, nickte strahlend. *Elle est à toi*, sagte Tante Berthe, der Wagen gehört dir. Sie hatte alles vorbereitet. Die Dauphine wurde in Zahlung genommen, Monsieur Pantin drückte meinem Vater den Fahrzeugbrief und die Papiere für den Zoll in die Hand. Sie habe einiges beiseitelegen können in all den Jahren, sagte Tante Berthe. Sie, in ihrem Alter, könne mit dem Geld sowieso nicht mehr viel anfangen. Sie starb dann tatsächlich ein halbes Jahr später. Aber das ahnten wir nicht, als wir uns am nächsten Morgen von ihr verabschiedeten, mein Vater den Motor anließ, das ganze Fahrzeug sich mit Hilfe der Hydraulik um einige Zentimeter hob wie ein schwarzer Panther, der zum Sprung ansetzt, und wir winkend davonfuhren.

Die Rückfahrt nach Germersheim war eine Triumphfahrt. Jedenfalls empfanden wir es so. In einem kleinen Städtchen nördlich von Strasbourg hielten wir vor einem Gasthof, um zu Mittag zu essen. Als wir ausgestiegen waren und das Wundergefährt mit einem leichten Seufzer der Hydraulik in die Ruheposition sank, sagte mein Vater zu mir: Erzähl ja der Mama nichts davon am Telefon. Ich möchte sehen, was sie für Augen macht, wenn ich damit zu Haus vorfahre. Aber meine Mutter reagierte dann doch nicht ganz so, wie mein Vater es sich wohl vorgestellt hatte. Hast du auch daran gedacht, was solch ein Spielzeug jeden Monat an Benzin und Versicherung kostet? Und wenn erst einmal die Reparaturen anfangen ... Tatsächlich hat mein Vater den Citroën nach einem guten Jahr wieder verkauft. Das Versicherungsgeschäft lief doch nicht ganz so gut, wie er gehofft hatte, und ein gebrauchter Opel Olympia tat es ja auch. Jedenfalls, wenn es darum ging, sich fortzubewegen.

Im Sommer 1960 tat auch ich, was damals immer mehr Deutsche taten: Ich brach mit Freunden zu einem Urlaub nach Italien auf. Wir sagten »Urlaub«, obwohl dieser Begriff eigentlich für ordentliche Arbeitnehmer reserviert war. Immerhin hatten wir zu dritt einige Wochen bei der Lederer-Brauerei in Nürnberg gearbeitet (und in Hersbruck bei den Eltern von einem von uns umsonst wohnen können), bevor es im geborgten VW über die Alpen ging. Wie Zehntausende andere Deutsche, die wir ansonsten wegen ihrer Spießigkeit belächelten, fuhren wir zunächst nach Rimini, zelteten wild an einem abgelegenen Teil des Strands, was hier damals noch möglich war, ernährten uns vor allem von Tomaten, Paprika, Zwiebeln und Weißbrot und kamen uns einigermaßen verworfen vor, wenn wir dazu Rotwein aus der Korbflasche tranken. Von Rimini aus ging es über den Appenin nach Rom, wo in diesem Jahr die Olympiade stattfand.

Zum Besuch der Wettkämpfe reichte unser Geld nicht. Aber in Rom gab es soviel anderes zu sehen, daß uns das nicht beschwerte. Außerdem war auf dem großen Zeltplatz auf dem Monte Antenne, wo wir kampierten, im Freien ein Fernsehapparat aufgestellt, und hier sahen wir am Abend, von unseren Streifzügen durch die Stadt heimkommend, was sich tagsüber an den Wettkampfstätten zugetragen hatte: Wilma Rudolphs Siege auf den Sprintstrecken, Armin Harys Goldmedaillenlauf über einhundert Meter und den sensationellen Sieg des Äthiopiers Abebe Bikila, der barfuß laufend den Marathon gewann. Das einzige Mal, daß wir eine der olympischen Wettkampfstätten betraten, war bei einer Besichtigung der Thermen des Caracalla. Dort hatten die Gewichtheber kurz zuvor um Medaillen gekämpft, und als wir die Thermen besuchten, stand unter einem der imposanten Rundbögen tatsächlich noch das Podest für die Siegerehrung. Das Foto von mir, in Siegerpose auf dem Podest, die beiden Freunde links und rechts auf den Plätzen zwei und drei, gibt es nicht mehr. Vielleicht habe ich es später zerrissen, weil mir die spätpubertäre Selbstinszenierung allzu peinlich war.

Sport spielte für mich weiterhin eine große Rolle, jetzt vor allem die Leichtathletik. Gleich hinter dem Dolmetscherinstitut gab es einen *Stadion* genannten Sportplatz mit einer Laufbahn, die seltsamerweise nicht die vorgeschriebenen vierhundert, sondern nur dreihundertachtzig Meter maß, noch nicht, wie überall sonst in den besseren Wettkampfstätten, tartanbeschichtet, sondern eine Aschen- oder besser Schlackenbahn alten Stils. Hier fand im Sommer dreimal in der Woche abends das Leichtathletiktraining des TuS Germersheim statt, hier übte ich tagsüber zwischen zwei Lehrveranstaltungen Speer- und Diskuswurf, während auf den Rängen Kommilitonen und Kommilitoninnen in der Sonne saßen und ziemlich entgeistert verfolgten, wie ich mich da unten abmühte. Die Sportgeräte, Speer, Diskus, Kugel, hatte ich mir vom Verein ausgeliehen und in einer Ecke meines Wohnheimzimmers gelagert, so daß ich jederzeit die geistige Arbeit unterbrechen und mich nach Art der alten Griechen der körperlichen Ertüchtigung widmen konnte. Meine Mitbewohner, allesamt eher wenig sportbegeistert, ertrugen mein Treiben mit wohlwollendem Unverständnis; nur wenn im *Stadion* Wettkämpfe stattfanden, feuerten sie mich gelegentlich an.

In den Sommermonaten war ich, vor allem an den Wochenenden, oft in der näheren und ferneren Umgebung unterwegs, um an Leichtathletikwettkämpfen teilzunehmen. Im Auto des Trainers ging es ins nahe Kandel, wo es schon damals eine schnelle Tartanbahn gab, oder in die Hinterpfalz nach Kusel, zu größeren Ereignissen ins Südweststadion nach Ludwigshafen oder nach Mainz, gelegentlich auch ins Hessische und Baden-Württembergische hinüber und in die Schweiz. Viele Jahre später, wenn ich als Vortragsreisender in eine der Städte kam, die ich aus meiner Zeit als aktiver Leichtathlet kannte, erinnerte ich mich sofort wieder an die gespannte Hochstimmung, die mich immer befallen hatte, wenn wir einen Wettkampfort erreichten, an den Schweißgeruch in den Umkleidekabinen, die fast lähmende Nervosität vor dem Start zum Vierhundertmeterlauf und das rauschhafte Glücksgefühl, wenn man als erster auf die Zielgerade einbog und merkte, daß die Kraft für die letzten hundert Meter bis zum Ziel ausreichen würde.

Für mich gab es immer eine enge und plausible Analogie zwischen der körperlichen und der geistigen Anstrengung. Jedenfalls hat, soweit ich mich erinnere, das eine dem anderen nie im Weg gestanden, eher haben sich beide Aktivitäten gegenseitig gefördert und befruchtet: *Mens sana in corpore sano* ... Als ich mich der Philosophie zuwandte und mich nun auch genauer mit der griechischen Antike beschäftigte, fand ich aufs glänzendste bestätigt, was ich, der Provinzler aus dem Norden, schon immer vage empfunden hatte: daß Bildung im umfassenden Sinn sich auf Körper und Geist zu beziehen hatte, also auch die Kräftigung des Körpers im sportlichen Wettkampf einschloß, daß der Gebrauch der Arme und Beine, nicht anders als der Gebrauch des Kopfes ein Mittel der Persönlichkeitsbildung ist.

Zur Philosophie war ich gekommen, weil in Germersheim damals der Nietzsche-Forscher Karl Schlechta und später ein Privatdozent namens Arno Sachse Vorlesungen in Philosophie anboten, die mich mehr und mehr fesselten. Die Diplomarbeit, die ich im Sommersemester 1961 ablieferte, hatte denn auch ein philosophisches Thema: *Berkeleys Kritik der Moralphilosophie Mandevilles.*

Wenn ich jetzt, nach fünfundvierzig Jahren, diese Arbeit noch einmal zur Hand nehme und darin blättere, überrascht mich der distanzierte und gelassen urteilende Ton, mit dem ich die Positionen der beiden Kontrahenten referiere und kritisiere. Es ist dasselbe Gefühl, das ich habe, wenn ich Fotos von mir aus dieser Zeit betrachte: das Gefühl, daß hier eine Reife und Weltläufigkeit vorgetäuscht wird, die ich in Wirklichkeit nicht besaß. Aber dann im Fazit der Arbeit doch ein Satz, der ahnen läßt, daß das auf den ersten Blick eher abseitig akademisch erscheinende philosophiegeschichtliche Thema mir doch wohl tiefer unter die Haut ging, weil es einen auffälligen Bezug zur eigenen Lebenssituation aufwies. Was Mandeville angreift, steht da, »ist nicht, wie ihm Berkeley vorwirft, die Tugend an sich, sondern die Scheintugend, die Heuchelei, die moralische Überheblichkeit und die kritiklose Selbstzufriedenheit«. Scheintugend, Heuchelei, moralische Überheblichkeit, kritiklose Selbstzufriedenheit – das ist genau der Katalog der Vorwürfe, der uns in jenen Jahren in die Opposition zum Adenauer-Staat trieb und der auch, Jahre später, die Rebellion der Studenten befeuern wird.

6

DEUTSCHSEIN HEISST...

Als ich Ende 1961 mit dem Übersetzer-Diplom in der Tasche nach Köln ging, um als Übersetzer in der Entwicklungsabteilung der Ford Werke A. G. zu arbeiten, fand ich dort zwei Germersheimer Freunde vor, die ein Jahr vor mir ihr Examen gemacht hatten. Wir bezogen zusammen eine Vierzimmerwohnung im Kölner Stadtteil Niehl, keine dreihundert Meter von unserem Arbeitsplatz entfernt. Was wir damals nicht wußten, war, daß wir damit eine Wohnform wählten, die wenige Jahre später fester Bestandteil des neuen – antibürgerlichen! – Lebensstils werden sollte. Für uns war es einfach praktisch, die Küche, das Bad und das Wohnzimmer zu teilen, und außerdem waren wir das Zusammenleben mit anderen vom Wohnheim in Germersheim her gewöhnt. In der Küche stand ein altes Saba-Radio mit einem grün leuchtenden *magischen Auge*, einen Fernsehapparat gab es nicht, warmes Wasser nur am Samstag, wenn die Vermieterin, Frau Wessels, den Badeofen anheizte. Aber dafür war die Wohnung billig, hundertundfünfzig Mark im Monat, möbliert, Heizung und Strom inklusive. Und das zu dritt.

Damals bekam man bei der Ford A. G., wie bei den meisten anderen Firmen auch, sein Gehalt noch am Monatsende im Personalbüro bar in die Hand gedrückt, in einem weißen Briefumschlag mit einem roten Streifen darauf. Eintausend Mark verdiente ich im Monat, für damalige Verhältnisse ein recht ordentliches Gehalt. Ich jedenfalls hatte noch nie soviel Geld gesehen. Ich erinnere mich, daß ich mich fühlte, als hätte ich im Lotto gewonnen, als ich zum ersten Mal den Briefumschlag mit meinem Gehalt entgegennahm. Fünfzig Mark kamen in die gemeinsame Haushaltskasse, weitere fünfzig gingen für die Miete ab, hundert Mark schickte ich jeden Monat an meine Eltern, und eine kleine Summe behielt ich als Taschengeld. Den Rest trug ich zur Post, um sie meinem Postsparbuch gutschreiben zu lassen. Bis zum Beginn des Sommersemesters 1963, so mein Kalkül, würde ich genug Geld angespart haben, um mein Philosophiestudium beginnen zu können.

Die Anstellung bei Ford war für mich also nur Mittel zum Zweck. Ich hatte gar nicht vor, mein Leben als Übersetzer zu verbringen. Hätte ich das Geld fürs Studium oder einen Anspruch auf Studienförderung gehabt, wäre ich liebend gern gleich nach dem Diplom in Gemersheim zum Philosophiestudium nach Mainz gewechselt. Und dennoch war das Zwischenspiel in der Übersetzungsabteilung der Ford-Werke für mich keine verlorene Zeit. Anders als die meisten meiner Mitstreiter unter den Achtundsechzigern hatte ich zumindest eine kurze Zeit das Leben eines Arbeitnehmers geführt und einen zugleich erhellenden und ernüchternden Einblick in die Binnenwelt eines großen Konzerns erhalten. Das bewahrte mich später davor, in den »Multis« die Quelle allen Übels zu sehen und deren Macht und Handlungsrationalität zu überschätzen, wie es eine Zeitlang unter Linken üblich war.

Anderthalb Jahre arbeitete ich als Übersetzer bei den Ford-Werken, die schon damals ein »Global Player« waren. Die europäische Zentrale befand sich in Dagenham bei London, und entsprechend waren vor allem technische Bauanweisungen und Prüfbestimmungen, sogenannte Spezifikationen, aus dem Englischen ins Deutsche zu übertragen. Nur gelegentlich kam aus dem belgischen Genk, wo Ford damals eine Teststrecke unterhielt, ein Rechtsgutachten oder ein anderes Dokument auf Französisch, eine willkommene Abwechslung im eher tristen Übersetzeralltag. Was mich überraschte, war, wie langsam und ineffizient in den Büros der Angestellten im allgemeinen gearbeitet wurde. Während an den Fließbändern in der Produktion jeder Handgriff von den REFA-Fachleuten mit der Stoppuhr gemessen und jede Möglichkeit der Arbeitsbeschleunigung genutzt wurde, gab es in den Büros einen erstaunlichen Schlendrian.

Direkt über der Übersetzungsabteilung residierte zum Beispiel die Abteilung Z – Z wie Zukunft. Sie wurde geleitet von einem ehemaligen deutschen Konsul in Kuba, der nach dem Sieg der Aufständischen um Fidel Castro nach Deutschland zurückberufen worden war und offenbar wegen besonderer Verdienste um das Battista-Regime von den Amerikanern mit einem leitenden Posten bei den Ford-Werken in Köln belohnt worden war. Ich habe die ganze Zeit, in der ich bei Ford tätig war, nie von einem Projekt gehört, das in dieser Abteilung von immerhin acht Personen, bearbeitet worden wäre. Die Haupttätigkeit der Abteilung Z schien darin zu bestehen, die neuesten Witze mit streng vertraulicher Hauspost an die anderen Abteilungen zu versenden und aufwendige Geburtstagsfeiern zu veranstalten, zu denen dankenswerterweise auch immer wir Übersetzer eingeladen wurden.

Nicht weniger kurios ist das, was zu meiner Zeit als Gerücht umging, aber nach allem, was ich bei Ford erlebte, durchaus der Wahrheit entsprochen haben kann. Der Leiter der Getriebeabteilung, ein sanguinischer Rheinländer, so wurde gemunkelt, habe diesen Posten vor allem dadurch errungen, daß er bei geöffneter Bürotür fingierte Auslandsgespräche geführt habe, bei denen er mit einigen auswendig gelernten englischen Brocken den Eindruck weltweiter Kommunikationskompetenz erzeugt habe. Da damals die Entwicklung der neuen Modelle für den deutschen Markt – laut Konzernwerbung die *Linie der Vernunft* – von Großbritannien aus gesteuert wurde, war es der Karriere natürlich förderlich, wenn einem der Ruf vorausging, perfekt Englisch zu sprechen. Der Leiter unserer Übersetzungsabteilung schwor dagegen, daß der Betreffende in Wirklichkeit kaum ein Wort Englisch verstehe. Dafür sprach auch, daß der gesamte Briefverkehr zwischen der Getriebeabteilung und der Zentrale in Dagenham über unser Büro abgewickelt wurde und bei wichtigen Telefongesprächen unser Chef als Dolmetscher fungierte.

Womöglich hat es mit den bei Ford gemachten Erfahrungen zu tun, daß ich der verbreiteten Ansicht, in der privaten Wirtschaft gehe es um vieles rationaler und effizienter zu als im öffentlichen Dienst, zeitlebens mit einer gewissen Skepsis begegnete. Natürlich wird man mir entgegenhalten, daß heute alles ganz anders sei. In der Tat ist der Leistungsdruck in den Büros – übrigens auch im öffentlichen Dienst – heute ungleich höher als in den sechziger Jahren, und wer verfolgt, wie die Simulation von Marktverhältnissen im Unternehmen neuerdings dazu führt, daß sich die Mitarbeiter innerhalb der Teams und die Teams untereinander unter Druck setzen, der versteht, wie vergleichsweise idyllisch Arbeitsverhältnisse Anfang der sechziger Jahre noch sein konnten. Freilich glaube ich nicht, daß mit der Veränderung der Managementkonzepte und der Arbeitsorganisation im Büro auch gleich entsprechend mehr Rationalität eingekehrt ist. Vielmehr sehe ich deutliche Anzeichen dafür, daß die moderne Rastlosigkeit und Effizienzhuberei aufs Ganze gesehen neben der Hetze, dem Leid und der Überbeanspruchung, die sie für die Betroffenen mit sich bringt, auch eine beträchtliche Vergeudung menschlicher Ressourcen bedeutet.

Die anderthalb Jahre in Köln haben wesentlich zur Klärung meiner politischen Überzeugungen beigetragen. Abends saßen wir drei Freunde oft in unserem Wohnzimmer zusammen, lasen, diskutierten und hörten Musik vom Tonband oder vom Plattenspieler, immer noch Brassens und Cool Jazz, aber immer häufiger auch die poetischen und aufsässigen Folk-Songs, die neuerdings aus den USA herüberkamen. Der Bau der Mauer in Berlin hatte die Teilung Deutschlands und Europas noch sinnfälliger gemacht, Karl Jaspers' Buch *Die Atombombe und die Zukunft des Menschen*, das für kurze Zeit unsere Bibel war, uns die Gefahr der atomaren Selbstzerstörung der Menschheit ins Bewußtsein gehoben. Im Frühjahr 1962 nahmen wir zwei Tage unbezahlten Urlaub, um am Ostermarsch der Kriegs- und Atomwaffengegner und an der abschließenden Kundgebung in Frankfurt am Main teilzunehmen. Daß die Übersetzungsabteilung dadurch zwei Tage lang weitgehend lahmgelegt war, spielte damals keine große Rolle. Jedenfalls wurde unsere Begründung, daß wir an der Hochzeit eines Freundes in Süddeutschland teilnehmen wollten, anstandslos akzeptiert.

Ein Thema, das bis heute seine irritierende Aktualität behalten hat, trat in dieser Zeit deutlicher in mein Bewußtsein: der Umgang der Deutschen mit den Ausländern, die als Gastarbeiter ins Land geholt worden waren und auf einmal auch in Köln im Stadtbild sichtbar wurden. Bei den Ford-Werken gab es damals schon viele Italiener, Griechen und Portugiesen, aber auch schon die ersten Türken, die zusammen mit ihren deutschen Kollegen an den Bändern arbeiteten. Im Werk selbst gab es selten größere Konflikte zwischen Ausländern und Deutschen, unter anderem, weil die Vertrauensleute der Gewerkschaft, in diesem Fall der IG-Metall, es hervorragend verstanden, ein Gefühl der Gemeinsamkeit zwischen ausländischen und deutschen Arbeitern herzustellen und bald auch schon Italiener, Griechen, Portugiesen und Türken unter den Vertrauensleuten zu finden waren. Probleme traten vor allem dort auf, wo die Ausländer wohnten, zunächst die Männer allein, zur Untermiete oder in Barackenwohnheimen, später dann immer häufiger ganze Familien.

Ich erinnere mich, daß Frau Wessels, unsere Vermieterin, mich eines Tages beiseite nahm und mir mit erregter Stimme mitteilte, im Haus gegenüber seien am Morgen *Ausländer* eingezogen. Als ich sie darauf hinwies, daß auch ich Ausländer sei, sah sie mich überrascht an: Sie? Sie sind doch Österreicher. Aber da drüben, da ziehen Türken ein. Es war offensichtlich: Ausländer war keineswegs gleich Ausländer. Es gab eine klare Hierarchie, in der die Italiener ganz oben und die Türken ganz unten standen. Und ich als Österreicher und gebürtiger Holländer galt in den Augen von Frau Wessels überhaupt nicht als Ausländer. Vermutlich war dies das erste Mal, daß ich mich fragte, ob ich, wenn ich denn schon zu den Einheimischen gezählt wurde, nicht besser gleich offiziell Deutscher würde. Aber dann freundete ich mich mit einem der neuen türkischen Nachbarn an; der nahm mich eines Tages mit zu einer Gruppe von Ausländern und Deutschen, die sich gegen Ausländerfeindlichkeit und für ein friedliches Zusammenleben von Menschen unterschiedlicher nationaler und kultureller Prägung engagierten, und hier erwies sich meine Zwitterrolle als ausgesprochen nützlich.

Der Stadtteil Ehrenfeld war damals eine Gegend in Köln, wo es immer wieder Probleme zwischen Einheimischen und Ausländern gab. Dort und in anderen Gegenden der Stadt verteilten wir am Wochenende Flugzettel, die für unsere Ziele warben, dort traf sich in einem ehemaligen Ladenlokal die Gruppe an jedem ersten Donnerstagabend im Monat, um Informationen auszutauschen und über Aktionen zu beraten. Eines Abends, als ich zu einem dieser Treffen kam, bemerkte ich schon von weitem eine Menschentraube vor dem Laden. Näherkommend, sah ich, daß die Schaufensterscheibe zertrümmert war. Zwei junge Männer auf einem Moped, so wurde mir berichtet, hätten sich auf dem Bürgersteig genähert, und plötzlich habe der eine der beiden einen Backstein gegen die Scheibe geschleudert. Dann seien sie Richtung Innenstadt davongefahren. Es war seit langem das erste Mal, daß ich mit einem solchen Akt unmittelbarer Aggression konfrontiert wurde. Die Täter wurden übrigens nie gefaßt, obwohl es eine Menge Zeugen gab, die den Vorfall beobachtet hatten. Aber die meisten Zeugen waren Ausländer oder Deutsche, die zu unserer Initiative gehörten, und die waren für die Kölner Polizei offenbar nicht vertrauenswürdig.

Kurz nach diesem Zwischenfall schrieb ich einen Satz in das Tagebuch, das ich damals führte, einen Satz, der sich für mich, wenn ich ihn heute lese, wie ein verfrühtes Programm des antiautoritären Aufbruchs anhört. Unter dem Datum 16. Dezember 1962 steht da: »Weil der Sinn für das Gute und Nützliche, das abwägende Urteil, die kluge Entscheidung höchst fragliche und beeinflußbare Dinge sind, weil die Wahrheit von der Propaganda gemacht wird, weil der Mensch in der Masse zu dumm ist, die Konsequenzen seines Handelns abzusehen, darum müssen wir eine Atmosphäre des Ungehorsams, ein instinktives Sich-Auflehnen gegen jeden Befehl, schaffen, um die Menschen vor den Menschen zu retten.« Ein ziemlich anspruchsvolles, aber auch ziemlich elitäres volkspädagogisches Programm. Mein Vertrauen in die Weisheit des Volkes, in die Behörden und die demokratische Öffentlichkeit kann damals, in der ausgehenden Adenauer-Zeit, nicht sehr groß gewesen sein.

Das Ereignis, das mich, wie viele andere auch zu dieser Zeit, politisch am nachhaltigsten prägte, war die sogenannte *Spiegel*-Affäre. Als am 26. Oktober 1962 zunächst der *Spiegel*-Redakteur Conrad Ahlers – noch dazu in Franco-Spanien – und am Tag darauf auch der Chefredakteur Rudolf Augstein auf Veranlassung der Bundesregierung wegen angeblichen Geheimnisverrats verhaftet wurden, nahm ich, wenn man den Ostermarsch nicht mitzählt, zum ersten Mal an einer Demonstration teil. Mit einem selbstgebastelten Transparent, auf dem nur das Wort *Pressefreiheit* stand, fuhren wir von Niehl mit dem Bus in die Kölner Innenstadt, wo sich eine große Zahl meist junger Leute versammelt hatte. Die *Spiegel*-Affäre machte mir schlagartig bewußt, daß die mühsam errungenen demokratischen Freiheiten, mit denen es damals ja noch gar nicht soweit her war, keineswegs ein für allemal gesichert waren, daß der von Kant zweihundert Jahre zuvor mit aufklärerischem Pathos verkündete »Ausgang des Menschen aus seiner selbstverschuldeten Unmündigkeit« alles andere als ein automatischer Prozeß war, sondern auch meines aktiven Einsatzes bedurfte.

Der Schriftsteller Gert Heidenreich, einer meiner Vorgänger im Amt des P. E. N.-Präsidenten, hat einmal geschrieben, er habe sich in Deutschland zum ersten Mal heimisch gefühlt, als er in München auf dem Stachus an einer Sitzblockade gegen die Notstandsgesetzgebung teilnahm. Mir, dem um vier Jahre Älteren, ist es bei den Protesten anläßlich der *Spiegel*-Affäre ähnlich gegangen. Bis dahin hatte ich das Geschehen in Deutschland zwar mit Interesse, aber immer mit einer gewissen Distanz betrachtet. Ich war gebürtiger Holländer, dem Paß nach Österreicher, mußte Jahr für Jahr aufs neue meine Aufenthaltsgenehmigung und meine Arbeitserlaubnis beantragen. Noch bevor ich die Deutschen bei ihrem richtigen Namen nennen konnte, kannte ich das holländische Schimpfwort für sie: *moffen,* was dem französischen *boches* entspricht, und als ich sprechen lernte, war Holland von den Deutschen besetzt, wurden holländische Juden in die Vernichtungslager transportiert, wurden auch in meiner Heimatstadt Leeuwarden Kommunisten, Sozialisten, Pazifisten,

Christen drangsaliert, verhaftet, ermordet. Es war nur folgerichtig, daß ich mich eher als Kosmopoliten und Europäer betrachtete denn als Deutschen. Aber nun wurde mir auf einmal bewußt, wie sehr dieses Deutschland doch auch mein Land geworden war und daß ich, ob ich es wollte oder nicht, Verantwortung dafür trug, wie es mit ihm weiterging.

Jetzt stellte sich heraus, daß ich, obwohl eher zufällig nach Deutschland geraten, längst tiefer in die deutschen Dinge verstrickt war, als ich mir eingestand, in die Sprache, die Kultur, die Politik. Sogar die Vergangenheit der Deutschen, die dunklen, verbrecherischen Seiten nicht ausgenommen, war die meine geworden; ich hatte sie mir als Gepäck aufgeladen mit der Sprache, in der ich aufwuchs, in der ich zu denken und zu schreiben gelernt hatte, mit den Freunden, den deutschen Dörfern und Städten, in denen ich lebte, mit der Kunst, der Literatur, der Philosophie. Es bedurfte nur noch eines konkreten Anlasses, um mich dazu zu bewegen, auch formell die deutsche Staatsangehörigkeit anzunehmen.

Dieser Anlaß fand sich, als ich im Frühjahr 1963 meinen Plan wahr machte und mich an der Universität Mainz für Philosophie einschrieb und gleichzeitig in die Leichtathletikabteilung des USC Mainz eintrat. Die ehrgeizigen Funktionäre des Universitätssportclubs bedrängten mich, die deutsche Staatsangehörigkeit zu beantragen, damit ich für den Verein bei den deutschen Meisterschaften antreten könne, und ich selbst war mittlerweile auch davon überzeugt, daß dieser Schritt fällig war. Daß es dann doch noch fast zwei Jahre dauerte, bis ich einen deutschen Paß erhielt, hatte damit zu tun, daß ich die Geburtsurkunde meines Vaters nicht beibringen konnte, weil es eine solche schlicht nicht gab. Als er im Jahr 1907 in St. Louis, Missouri, geboren wurde, gab es dort so etwas wie ein Standesamt nicht. Nach umständlichen Recherchen fand sich nur eine Taufbescheinigung, die ein Hochwürden D. J. O'Brien von der St.-Pius-Kirche in St. Louis ausgestellt hatte – für eine deutsche Behörde ein nahezu unüberwindliches Hindernis.

Am 29. April 1965, inzwischen war ich verheiratet und Vater einer Tochter, war es dann aber soweit: Ich erhielt die Einbürgerungsurkunde. Nun war ich Deutscher, war es aus mehr oder weniger freien Stücken geworden. Wenn ich in den Jahren danach mein Heimatland Holland besuchte, mußte ich es mir gefallen lassen, daß ich für alles, was man an den Deutschen auszusetzen hatte, haftbar gemacht wurde: Ihr Deutschen habt dieses oder jenes angerichtet... Bei euch führen die Rechtsradikalen wieder das große Wort, werden Ausländer gejagt, geschlagen, ermordet... Ich habe in solchen Situationen nie den Versuch gemacht, mich durch einen Hinweis auf meine Herkunft aus der Verantwortung zu stehlen. Im Gegensatz zu vielen meiner linken Freunde, die sich im Ausland nur ungern als Deutsche zu erkennen gaben, nahm ich, nachdem ich einmal den entscheidenden Schritt unternommen hatte, die neue Rolle an.

Dabei hätte mein Leben oder das meiner Eltern nur ein wenig anders verlaufen müssen und ich wäre als Holländer oder Franzose aufgewachsen. Wäre ich wie zwei meiner Brüder und später auch meine Eltern in die USA ausgewandert, ich wäre heute Amerikaner. In Deutschland, wo bis vor kurzem noch ein Staatsbürgerschaftsrecht galt, das die Abstammung in den Mittelpunkt stellte, tun sich immer noch einige schwer damit, wenn jemand Deutscher wird, ohne von Geburt dazu bestimmt zu sein. Ist so jemand ein vollwertiger Deutscher? Reicht es aus, wenn man sich zu jenem Verfassungspatriotismus bekennt, den Jürgen Habermas im Anschluß an Dolf Sternberger denen entgegensetzte, die in den achtziger Jahren plötzlich wieder von *Nationalgefühl* und *Volksseele* schwärmten? Müßten wir Angst um Deutschland haben, wenn die Mehrheit der Deutschen nicht deutscher wäre, als ich es bin?

Die latent hysterischen Identitätssucher unserer Tage können sich offenbar nicht damit abfinden, daß wir alle nicht nur eine Identität, sondern mehrere in sich verschachtelte Identitäten haben. Ich zum Beispiel bin außer Deutscher auch holländischer Friese, ein bißchen Österreicher vom Vater her, aber im ganzen eher norddeutsch geprägt, Berliner bin ich auch – schließlich habe ich dort sechzehn Jahre gelebt – und sogar ein bißchen Bayer, weil ich nun schon wieder zwanzig Jahre am Starnberger

See wohne. Und – das vor allem – Europäer! Die Schuhe des Weltbürgers, das habe ich inzwischen begriffen, sind mir ein wenig zu groß, aber Europa ist für mich mehr als nur ein geographischer Begriff. Es ist ein historisch gewachsener Lebens- und Erfahrungszusammenhang, in den ich hineingeboren bin und dem ich mich zugehörig fühle – als Deutscher, als Friese, als Österreicher, als Individuum.

7

KÖRPER UND GEIST

Die Johannes-Gutenberg-Universität in Mainz ist eine Campus-Universität, im Kern aus Kasernenbauten bestehend, die nach 1945 von der französischen Militärverwaltung einem edleren Zweck zugeführt wurden. Solide, meist ein- und zweistöckige Gebäude säumen Straßen, auf denen keine Autos, allenfalls Fahrräder anzutreffen sind, dazwischen Rasenflächen, Parkbänke unter alten Bäumen, Fliederbüsche, Blumenrabatten, überhaupt viel Grün. Der Brunnen auf dem zentralen Platz wurde von einem Mainzer Klopapierfabrikanten gestiftet, der sich mit dem Titel eines Konsuls schmückte und wegen mir nicht bekannter Verdienste um die Universität zu ihrem Ehrenbürger ernannt wurde. An der nördlichen Stirnseite dieses Platzes im zweiten Stock befand sich zu meiner Zeit das *Alte Herrenwohnheim*. Hier wohnte ich im, verglichen mit dem spartanischen Achtmannzimmer in Germersheim, luxuriösen Dreibettzimmer. Zu den Vorlesungen und Übungen hatte ich maximal zweihundert Meter zu gehen, die Mensa befand sich an der gegenüberliegenden Platzseite, die Universitätsbibliothek war kaum dreihundert Meter entfernt, zu den Festveranstaltungen im Auditorium Maximum ging es schräg über den Platz. Und das Leichtathletikstadion und die dazugehörigen Hallen waren auch nicht mehr als fünfhundert bis sechshundert Meter entfernt. Sogar eine gutbestückte Buchhandlung gab es auf dem Universitätsgelände, gleich neben dem Haupteingang.

Ideale Studienbedingungen, zumal ich von meinem bei Ford verdienten Geld soviel angespart hatte, daß ich – zunächst – nicht auf einen Nebenjob angewiesen war. Entsprechend unbelastet und voller Optimismus stürzte ich mich ins Studium. Antike Philosophie von den Vorsokratikern bis Plotin, Thomistik gleich viermal in der Woche morgens um acht Uhr c. t., Kant, Fichte, Hegel, die Neukantianer, Husserl, die Wiener Schule, Bergson, dazu die Angelsachsen: Locke, Hume, Emerson, White-head, Ayer, Russell – in meiner Anfangsbegeisterung fand ich alles aufregend. Was in Mainz ausgespart wurde, fand im nahen Frankfurt statt: Kritische Theorie, Marxismus und, nachdem Jürgen Habermas an das Frankfurter Institut für Sozialfor-schung berufen worden war, auch der amerikanische Pragmatis-mus und die moderne amerikanische Soziologie. Frankfurt war mit dem Zug in einer halben Stunde zu erreichen. Wer wollte, konnte sich als *Schwarzhörer* jederzeit in die Vorlesungen an der Frankfurter Uni schleichen. Ich wollte.

Während der Jahre in Mainz lebte ich in dem Bewußtsein, daß sich um mich herum alle Prozesse rasant beschleunigten. Schon die *Spiegel*-Affäre war ein erstes Signal dafür gewesen, daß unerledigte Konflikte nun allmählich zum Austrag kamen. Die Kuba-Krise, die die Gefahr eines atomaren Krieges zwischen den Großmächten heraufbeschwor, der Mord an Kennedy, der Auschwitz-Prozeß, die Auseinandersetzung um Hochhuths Theaterstück *Der Stellvertreter* und später um Peter Weiß' *Die Ermittlung*, der Abwurf von Napalmbomben auf Nord-Vietnam und der offizielle Eintritt der Amerikaner in den Vietnamkrieg, der erste Versuch, in der Bundesrepublik eine Notstandsgesetz-gebung einzuführen, der damals noch am Widerstand der SPD scheiterte – all das verstärkte in mir das Gefühl, daß sich etwas zusammenballte, das zur Explosion drängte. Noch war der Kairós, der erfüllte Augenblick, nicht gekommen, aber es galt sich vorzubereiten. Die Philosophie konnte helfen, die Welt und den Gang der Geschicke zu verstehen, Augustinus und Thomas von Aquin nicht weniger als Karl Marx und die Kritische Theo-rie. Ich warf mich auf mein Studium, verausgabte mich beim Sport, verfolgte atemlos die sich beschleunigende Entwicklung der Politik.

Auf der anderen Rheinseite im hessischen Frankfurt, wo der Generalstaatsanwalt Fritz Bauer als einer der ganz wenigen der allgemeinen Verdrängung der deutschen Vergangenheit entgegenwirkte, wurde am 20. Dezember 1963 der Auschwitz-Prozeß eröffnet. Schon zwei Jahre früher hatte der Eichmann-Prozeß in Jerusalem das Thema der Nazi-Verbrechen so unübersehbar auf die Tagesordnung gesetzt, daß Polizei und Gerichte in Deutschland, wenn auch meist widerwillig, nun endlich tätig werden mußten. Ein Großteil der Massenmörder lebte ja noch, die meisten völlig unbehelligt und fast immer unter ihrem richtigen Namen, in Deutschland und in Österreich. Jetzt erst wurden zumindest einige von ihnen verhaftet und vor Gericht gestellt: Biedermänner zumeist, die beteuerten, nur ihre Pflicht getan zu haben, die über die Mordmaschinerie redeten, als habe es sich um einen ganz normalen Arbeitsplatz gehandelt. Hannah Arendt prägte damals das Wort von der »Banalität des Bösen«. Was in den Nazi-Prozessen an den Tag kam, war für mich im großen und ganzen nicht wirklich neu. Was mich aber, wie die meisten jungen Menschen meiner Umgebung, erschütterte, war der Eindruck, daß wir diese Biedermänner kannten, die immer nur getan hatten, was ihnen befohlen worden war, und sich keiner Schuld bewußt waren. Waren es nicht dieselben ordnungsliebenden, korrekt gescheitelten deutschen Männer, die uns als Lehrer entgegengetreten waren und nun als Hochschullehrer unseren Respekt einforderten?

Das Mißtrauen saß tief. »Trau keinem über vierzig« hätte damals unsere Faustregel lauten können, ungerecht wie alle Pauschalierungen dieser Art, aber hermeneutisch sicher fruchtbarer als das spätere, aus der amerikanischen Protestbewegung importierte »Trau keinem über dreißig«. Für jemanden, der die Prozesse verfolgte, die Rechtfertigungstiraden der Angeklagten im Radio hörte oder in der Presse las, der täglich erfahren mußte, daß immer noch eine Mehrheit der Deutschen von den Verbrechen der Nazis und ihrem eigenen Anteil an der Schuld nichts wissen mochte, für den war es schwer, nicht dem Generalverdacht zu erliegen, in jedem ordentlich gekleideten, arbeitsamen und pflichtbewußten deutschen Familienvater stecke ein Täter oder Mitläufer des Nazi-Regimes. Dabei gab es die anderen, und nicht selten waren sie genauso ordentlich gekleidet, genauso fleißig und pflichtbewußt: der Studentenpfarrer zum Beispiel, der als Mitglied der Bekennenden Kirche im Dritten Reich Mut bewiesen hatte, der Wirt des *Rebstöckl*, bei dem es die größten Schnitzel zum kleinsten Preis gab und der im Volksmund nur *Der Kommunist* hieß, weil er als engagierter Gewerkschafter einer Widerstandsgruppe angehört und jahrelang im KZ gesessen hatte, der Philosophieprofessor, der, von den eigenen Studenten denunziert, gleich nach der Machtergreifung von den Nazis entlassen worden war und der das Dritte Reich in der inneren Emigration überdauert hatte.

Ich hatte darüber hinaus das Beispiel meiner Eltern vor Augen, das mich davor bewahrte, die ältere Generation unter Generalverdacht zu stellen. Aber auch in mir wuchs die Ungeduld mit den allzu selbstgewissen und saturierten deutschen Durchschnittsbürgern, die im Hochgefühl des Erreichten schon wieder auf die weniger erfolgreichen Franzosen und Briten – die Siegermächte! – und erst recht natürlich auf die armen *Brüder und Schwestern aus der Zone* herabschauten und scheinbar durch nichts, vor allem nicht durch kritische Fragen nach der Vergangenheit, aus der Ruhe zu bringen waren. Es war die Zeit, da die Union ihre Wahlkämpfe unter das Motto »Keine Experimente« stellte und Ludwig Erhard, der schließlich Adenauer ablöste, kritische Intellektuelle unter dem Beifall der ansonsten schweigsamen Mehrheit als »Pinscher« beschimpfte und in seiner ersten Weihnachtsansprache allen Ernstes von »diesem tiefwinterlichen Fest des Nehmens und Gebens« sprach, als habe in der Krippe zu Bethlehem Adam Smith und nicht Jesus gelegen. Wer sich zur Linken rechnete oder zur kritischen Intelligenz, was in jenen Jahren praktisch dasselbe war, der wurde, gerade wenn er sich an Geist und Buchstaben der Verfassung orientierte, fast unausweichlich in eine Art Fundamentalopposition zu dem getrieben, was kurze Zeit später in einer einflußreichen Sammlung gesellschaftskritischer Analysen *Der CDU-Staat* genannt wurde. Das von Gert Schäfer und Carl Nedelmann herausgegebene und in der edition suhrkamp erschienene grüne Bändchen dieses

Titels stand bald in jedem WG-Bücherregal zwischen Berlin und München.

Für das politische Selbstverständnis vieler Studenten und junger Wissenschaftler jener Jahre war von großer Bedeutung, was bei der zögernden Aufarbeitung der NS-Vergangenheit über die Rolle von Studenten, Hochschullehrern und Wissenschaftlern im Dritten Reich nach und nach an die Öffentlichkeit drang. Der seit Anfang der sechziger Jahre zwischen den kritischen Rationalisten um Karl Raimund Popper und Hans Albert einerseits und der Frankfurter Schule und besonders Jürgen Habermas andererseits geführte »Positivismusstreit« bekam erst vor diesem Hintergrund seine lebensorientierende Dringlichkeit. Für mich und viele meiner Generation war klar, daß wir uns nicht mit der Rolle des *wertneutralen* Wissenschaftlers begnügen durften, daß wir Partei zu ergreifen hatten für die Demokratie, für die Rechte *der Benachteiligten* und *Ausgegrenzten* und natürlich gegen die, die schon wieder ganz genau wußten, daß der Feind links stand. In dieser Frage waren wir pathetisch, vielleicht pathetischer, als es der Wissenschaft auf Dauer guttat. Nie wieder, schworen wir uns, durfte es dazu kommen, daß eine sich als neutral verstehende Wissenschaft zum »Komplizen eines Unrechtssystems« und zum »willigen Erfüllungsgehilfen eines kriminellen Zerstörungswerks« wurde.

Es war dann vor allem die Auseinandersetzung um die Notstandsgesetze, die Studenten und Hochschullehrer zwang – unter Führung des zu neuem Leben erwachten SDS –, Partei zu ergreifen. Als Anfang 1965 die Verabschiedung der von der Union initiierten Notstandsgesetze im Bundestag bevorstand, richteten zweihundertfünfzehn Hochschulprofessoren einen Appell an die im Deutschen Gewerkschaftsbund zusammengeschlossenen Gewerkschaften sowie an die Gewerkschaft der Polizei, sich gegen diesen »Angriff auf die Demokratie« zu wehren. Interessant aus heutiger Sicht ist die Breite der damaligen Opposition gegen die Notstandsgesetzgebung. Zu den Unterzeichnern des Appells gehörten nicht nur bekennende Sozialisten wie der Marburger Soziologe Heinz Maus und der Berliner Politologe Ossip K. Flechtheim, sondern auch Eugen Kogon, Gründungsmitglied der Hessischen CDU, und der spätere FDP-Innenminister Werner Maihofer. Ebenso groß war das Spektrum auf dem von mehreren Studentenverbänden einberufenen Kongreß »Demokratie vor dem Notstand«, zu dem über tausend Personen in Bonn zusammenkamen. Ich selbst war in Bonn nicht dabei, verfolgte aber die Debatte mit gespannter Aufmerksamkeit, und als die SPD unter dem Druck des Protestes die Zustimmung zu den Notstandsgesetzen (vorerst) verweigerte, war dies auch für mich ein Sieg und ein überzeugender Beleg dafür, daß sich politisches Engagement lohnte.

Aber Mainz war Provinz, damals erst recht. In Frankfurt, in Berlin zumal, auch in München, wo die Schwabinger Krawalle schon 1962 aufrührerische Akzente gesetzt hatten, war die Politisierung der Studentenschaft sehr viel weiter fortgeschritten, boten sich ungleich mehr Gelegenheiten, sich aktiv an der studentischen Politik zu beteiligen. Staunend und auch wohl ein bißchen neidisch blickten wir auf die Aktionen der *Provos* in meinem Heimatland Holland, und ebenso staunend nahm ich im Sommer 1965 im kurfürstlichen Schloß den Auftritt des zigeunerbärtigen Günter Grass zur Kenntnis, der unter dem Walt Whitman nachempfundenen Motto *Dich singe ich, Demokratie* für den Kanzlerkandidaten Willy Brandt warb. Zwar gab es auch in Mainz ein kleines Grüppchen des SDS, das gelegentlich mit Flugblättern auf sich aufmerksam machte. Es gab eine Evangelische Studentengemeinde (ESG), die zu den Themen der Notstandsgesetze und der Atomrüstung Diskussionsveranstaltungen durchführte. Aber noch blieben solche Aktionen vereinzelt, gab es, anders als in Frankfurt und in Berlin, keine kontinuierliche politische Betätigung größerer Gruppen von Studenten. Vor allem aber fehlte das großstädtisch-avantgardistische Milieu, in dem die für die Revolte so wichtigen kulturrevolutionären Signale aus den USA aufgenommen und weitergegeben werden konnten.

In Mainz war die Ordinarienuniversität während meiner Studentenzeit noch keinen ernsthaften Anfechtungen ausgesetzt.

Am Philosophischen Seminar ging es ausgesprochen gesittet zu. Als mein Doktorvater Dekan der Philosophischen Fakultät wurde, redeten die Assistenten und die meisten Studenten der Oberseminare ihn geflissentlich mit »Spektabilität« an, und als er zwei Jahre später Rektor wurde, sagten nicht wenige in vollem Ernst »Magnifizenz«. Nur einmal, gegen Ende meines Studiums, als ich eine Hilfsassistenz innehatte, erlaubten wir uns eine kleine Aufsässigkeit. Mein Doktorvater hatte zu seiner Vorlesung über die Philosophie der Aufklärung eine umfangreiche Literaturliste erstellt, die wir Assistenten vor der Vorlesung an die Studenten verteilen mußten. In mühevoller Kleinarbeit hatten wir die Seitenzahlen aller dort aufgeführten Bücher addiert und ausgerechnet, wie lange ein Student bei durchschnittlicher Lesegeschwindigkeit brauchen würde, um alle diese Bücher zu lesen. Das Ergebnis, das wir auf einem der Literaturliste hinzugefügten Handzettel bekanntgaben, lautete: hundertsechsundvierzig Jahre. Bei den Studenten kam die Aktion natürlich gut an, nicht so bei unserem Chef. Als wir, von ihm zur Rede gestellt, darauf hinwiesen, daß eine solche Aktion doch durchaus dem aufklärerischen Anliegen seiner Vorlesung entspreche, erwiderte er eisig: Was dem Anliegen seiner Vorlesung entspreche, entscheide immer noch er ganz allein.

In Mainz fand die Revolte vorerst, wenn überhaupt, nur im Kopf statt. Das galt auch für mich. Äußerlich verlief mein Leben mehr oder weniger in bürgerlichen Bahnen. Ich studierte mit großem Eifer, trieb ebenso eifrig Sport, und als meine Freundin Barbara und ich zusammenziehen wollten, gingen wir zum Standesamt und heirateten, weil wir sonst – der berüchtigte Kuppelparagraph war immer noch in Kraft – in ganz Mainz keine Wohnung gefunden hätten. In einem Menschenleben gehen viele, auch auf den ersten Blick unvereinbar erscheinende Dinge zusammen. Ich wurde Vater einer Tochter, die ich jeden Morgen mit dem Fahrrad in den nahen Hort brachte. Dann setzte ich mich an den Küchentisch und schrieb an einer Doktorarbeit zu dem nicht eben mitreißenden Thema: *Die Bedeutung des hypothetischen Imperativs in der Ethik Bruno Bauchs.* Am späteren

Nachmittag ging ich zum Leichtathletiktraining, und abends gab ich Sprachkurse an der Volkshochschule, ab 1966 auch einen Kurs in marxistischer Philosophie, der das in dieser Hinsicht ergänzungsbedürftige Angebot der Universität komplettierte und zunehmend die politisch interessierten Studenten aus Mainz und Umgebung anzog. Den entscheidenden Beitrag zum Lebensunterhalt der Familie leistete aber Barbara, die beim Dachverband der rheinland-pfälzischen Winzervereine eine mäßig bezahlte Anstellung gefunden hatte.

Wir lebten eine Art Doppelexistenz: einerseits deutsche Kleinfamilie mit allen üblichen Zwängen und unvermeidlichen Spießigkeiten, andererseits ein bohèmehaftes, provokativ antibürgerliches Studentenleben. Irgendwie brachten wir das zusammen, mußten es zusammenbringen, weil wir noch nicht gelernt hatten, daß man nicht alles auf einmal haben kann. Abends, wenn die Kleine im Nebenzimmer schlief, trafen sich die Freunde bei uns im großen Wohn- und Schlafzimmer, es wurde diskutiert, musiziert, gesungen. Ein Freund, Klaus Hähnel, den wir nur den »Meister« nannten, war noch von Germersheim aus nach Kiruna in Nordschweden aufgebrochen, um dort als Deutschlehrer tätig zu sein. Nun tauchte er plötzlich wieder in Mainz auf, im Gepäck einen Tausend-Kronen-Schein, getrocknetes Rentierfleisch und eine Menge vielstrophiger Bellmann-Lieder, die er zur Gitarre sang. Ein anderer Freund brachte Tonbandaufnahmen mit Biermann-Liedern, aufgenommen bei dessen erstem Gastspiel im Westen, das der SDS 1964 organisiert hatte. Die Lieder vermittelten uns eine Ahnung davon, daß ein anderer als der miefige Untertanensozialismus der SED denkbar war, eine wirklich freie und humane Gesellschaft, in der nicht Geldverdienen und Konsum, sondern Lebenssinn und Lebensglück im Mittelpunkt standen. Und wenn Barbara, was gelegentlich vorkam, von einer Weinprobe im Winzerverband zehn oder zwölf angebrochene Flaschen bester Weine mitbrachte, konnte sich ein solcher Abend unversehens zu einem fröhlichen Fest auswachsen.

Wer Wolf Biermann erst Mitte der achtziger Jahre oder gar erst nach 1989 zur Kenntnis genommen hat, kann sich kaum vorstellen, warum seine Lieder und seine Texte uns damals so faszinierten. Biermann war nicht nur ein mutiger Kritiker der Verhältnisse in der DDR, sondern zugleich entschiedener Sozialist und Antikapitalist. Wie die kritische Linke in der Bundesrepublik ließ auch er sich nicht in die falsche Alternative *Entweder US-Kapitalismus oder SU-Sozialismus* einsperren. Was mich allerdings irritierte, war, daß er bei aller Kritik an der DDR dennoch immer, auch noch auf dem Konzert in Köln im Jahre 1976, das zum Anlaß seiner Ausbürgerung wurde, darauf bestand, daß die DDR das »bessere Deutschland« sei. Und als wir, die wir ihn zu dem Kölner Konzert eingeladen hatten, hinterher, als die Nachricht von der Ausbürgerung schon über alle Sender gegangen war, mit ihm zusammensaßen, hielt er uns allen Ernstes vor, daß wir in der Bundesrepublik noch immer nicht jene revolutionäre Umwälzung zustande gebracht hätten, die in seinem Deutschland – immerhin! – eine nicht rückholbare Tatsache sei. Um so erstaunlicher, wie schnell und gründlich er wenig später seine Meinung änderte. Nach der Wende gehörte er gar zu denen, die jeden, der auch jetzt noch nicht bereit war, den Kapitalismus als das letzte Wort der Geschichte anzuerkennen, als heimlichen SED-Sympathisanten verdächtigte und nicht selten mit dem Eifer des Spätbekehrten verfolgte.

Wenn wir, selten genug in dieser Zeit, meine Eltern im fernen Zeven besuchten, war dies eine Reise in eine andere Welt. Von der Leichtigkeit, die unser Leben in Mainz trotz aller Geldnöte umgab, war hier nichts zu spüren. Mein Vater war ohne großen Erfolg am Magen operiert worden, er mußte Diät halten, was mit der Herumreiserei als Versicherungsagent nur schwer zu vereinbaren war. Bald schon hatte er wieder ein Magengeschwür, mußte Rollkuren machen und sah sich immer häufiger gezwungen, Termine abzusagen. Wilhelm, der einzige von uns Brüdern, der in Zeven geblieben war und als Autoverkäufer die Dörfer und Kleinstädte Nordniedersachsens bereiste, sprang zuweilen ein, wenn mein Vater ausfiel. Aber auch er konnte nicht verhindern, daß es mit dem Geschäft immer weiter bergab ging, so daß die Herren von der Versicherungsgesellschaft meinem

Vater schließlich nahelegten, den Bestand zu verkaufen, solange davon noch etwas übrig war, und als Agent auszuscheiden. Nach Lage der Dinge war der Rat nicht unvernünftig, aber für meine Eltern, die als Ausländer keinen Anspruch auf staatliche Hilfe hatten, brach, als sie ihn befolgten, eine äußerst schwierige Zeit an, die sie ohne Wilhelms Unterstützung und gelegentliche Geldzuwendungen der beiden kalifornischen Söhne, wohl kaum hätten überstehen können, zumal meine Schwester, die kurz vor dem Abitur stand, noch zu Hause lebte.

Ich selbst war in dieser Zeit nicht in der Lage, meine Eltern zu unterstützen, weil das Geld, das Barbara beim Winzerverband und ich an der Volkshochschule verdienten, gerade ausreichte, um den Lebensunterhalt für die eigene kleine Familie zu sichern. Also mußte ich mich mit dem Studium beeilen, wohl auch das ein Grund, daß ich mich, was politische Aktionen anging, in dieser Zeit zurückhielt. Irgendwie gelang es mir, obwohl das zu jener Zeit alles andere als üblich war, schon nach dem fünften Semester in Mainz das Thema für meine Doktorarbeit zu erhalten. Gleichzeitig bekam ich eine – allerdings erbärmlich bezahlte – Hilfsassistenz am Philosophischen Seminar, wo ich für die nächsten anderthalb Jahre unter anderem für die Anschaffung von Büchern für die Bibliothek zuständig war.

Das Studium, die Doktorarbeit, die Hilfsassistententätigkeit, der Unterricht an der Volkshochschule, die Familie, die Freunde, der Sport – von heute aus gesehen, fällt es mir schwer zu begreifen, wie ich das damals alles unter einen Hut brachte. Aber wir waren jung, jung und so voller Kraft und Optimismus, daß wir die Probleme, die mit solcher Überanspannung einhergingen, einfach nicht ernst nahmen. Jedenfalls galt das für mich. Ob es im gleichen Maße auch für Barbara zuraf, ob sie sich nicht doch durch dieses strapaziöse Leben überfordert fühlte und darin schon der Grund für das spätere Scheitern unserer Ehe gelegt wurde, ist nachträglich schwer zu sagen. Zunächst ging ja alles gut, und als ich nach der Promotion im Jahre 1966 ein gut dotiertes Habilitandenstipendium von der Deutschen Forschungsgemeinschaft erhielt, waren auch die materiellen Bedingungen

so, daß wir endlich in eine größere Wohnung ziehen und uns –
ganz spießig – eine Schrankwand aus furnierter Spanplatte mit
einem beleuchteten Barfach und eine Sitzgruppe aus schwarzem
Leder leisten konnten. Und für eine monatliche Unterstützung
meiner Eltern reichte es auch noch.

8

ANTIAUTORITÄRER AUFBRUCH

Als im Juni 1967 mit der großen Demonstration gegen den
Schah-Besuch in Berlin für alle Welt sichtbar die Rebellion der
Studenten ausbrach, hatte ich mein Zweitstudium bereits abgeschlossen und bereitete mich, ausgestattet mit einem Stipendium
der Deutschen Forschungsgemeinschaft, auf die Habilitation im
Fach Philosophie vor. Auch das unterschied mich von der Mehrheit der Achtundsechziger, daß ich älter war als sie, daß ich die
gesellschaftskritische Literatur, die die meisten von ihnen erst
jetzt entdeckten, zum großen Teil schon kannte und eine gewisse
Erfahrung mit dem politischen Engagement mitbrachte. Entsprechend war ich bei aller Begeisterung für die neuen antiautoritären und radikaldemokratischen Ideen und Konzepte von Anfang an etwas skeptischer als viele meiner Mitstreiter bezüglich
der gesellschaftlichen Totalalternativen, die von den Emphatikern der Bewegung alsbald in Umlauf gebracht wurden.

In Mainz rührte sich der neue rebellische Geist, wie nicht
anders zu erwarten, mit provinzieller Verspätung. Erst als die
Bilder von demonstrierenden Studenten aus Berlin, Frankfurt,
München und Hamburg durch die Presse gingen – »Unter den
Talaren der Muff von tausend Jahren« –, kam es auch hier zu
Teach-ins auf dem Universitätsgelände und zu Demonstrationen
in der Innenstadt. Allerdings gab es eine Art Vorspiel der Rebellion, das – wie könnte es in einer Hochburg des Karnevals anders sein? – im Narrenkostüm aufgeführt wurde. Und das hatte
mit dem schon erwähnten Ehrenbürger der Universität und Her-
steller des Klopapiers Hakle, Konsul Klenk, zu tun. Der war, wie
ein Bericht des *Spiegel* aufgedeckt hatte, bei dem Versuch sich
eine protzige Gemäldesammlung mit holländischen Meistern zu-

zulegen, besonders plumpen Fälschern auf den Leim gegangen, und das, obwohl er von einem Sachverständigen der Mainzer Universität beraten worden war. Natürlich war dies ein Thema, das sich die Veranstalter des Rosenmontagszugs nicht entgehen lassen konnten. Aber bevor am 6. Februar 1967 der Rosenmontagszug sich in Bewegung setzte, wurde der Wagen, der sich mit der peinlichen Affäre um den Konsul befassen sollte, zurückgezogen. Es hieß, der Konsul habe mit einer größeren Geldspende an den Karnevalsverein nachgeholfen.

Natürlich sprach sich die Sache in Mainz herum, und eines Abends faßten einige Freunde und ich daraufhin den Plan zur ersten und letzten Fastnachtsdemonstration, die es meines Wissens in Mainz gegeben hat. Als der Rosenmontagszug von der Großen Bleiche kommend in die Schillerstraße einbog, drangen wir als Narren verkleidet in den Zug ein und entfalteten ein Transparent auf dem zu lesen war: »Hakle hält den Hintern reine, den Fastnachtszug des Konsuls Scheine«. Einige von uns hatten sich außerdem große Papptafeln umgehängt, auf denen in Anspielung auf den damals bekanntesten Fastnachtsschlager »Umsatz, Umsatz, Umsatz, täterä!« geschrieben stand. Natürlich versuchten die Ordner des Mainzer Karnevalvereins uns sofort abzudrängen, aber die Zuschauer, die unseren Auftritt begeistert beklatschten, verhinderten das. Auf der ganzen Strecke durch die Innenstadt wurden wir mit Jubel empfangen, von allen Seiten reichte man uns Weinflaschen und Bretzeln. Im Fernsehen und in der Presse wurde unsere Aktion wohlwollend kommentiert. Nie wieder habe ich bei den vielen Demonstrationen, an denen ich in den folgenden Jahren teilnahm, eine derart spontane und einhellige Zustimmung erlebt.

Ich erinnere mich, wie finster schweigend man uns Ostermarschierer Anfang der sechziger Jahre in den hessischen Dörfern und den Frankfurter Vororten empfing, wie skeptisch zurückhaltend die Bevölkerung auch auf die Demonstrationen anläßlich der *Spiegel*-Affäre reagierte, obwohl ein Großteil der Presse die Aktionen unterstützte. Und als im Sommer 1967 überall in den großen Städten die Studenten massenhaft auf die Straße gingen, im übrigen fast immer völlig friedlich, schlug ihnen nicht selten offene Feindschaft entgegen. Aber hier in Mainz war der Anfang verspielt und heiter, und womöglich wirkte sich das auch auf spätere Demonstrationen zu explizit politischen Anlässen aus. Denn zu gewaltsamen Auseinandersetzungen kam es, soviel ich weiß, in Mainz nicht, wohl auch, weil die Polizei, anders als in Berlin und Frankfurt, erkennbar auf Deeskalation setzte.

Das Stichwort der Epoche hieß APO, außerparlamentarische Opposition. Seit 1966 wurde die Bundesrepublik von einer Großen Koalition aus den Unionsparteien und der SPD regiert, was damals nahezu alle kritischen Geister in Alarmstimmung versetzte, besonders als das Thema der Notstandsgesetze wieder auf die Tagesordnung gesetzt wurde. Als Beate Klarsfeld, Journalistin und Vorkämpferin für die Verfolgung von NS-Verbrechen, dem ehemaligen Nazi Kiesinger, der nun auf einmal Bundeskanzler war, eine Ohrfeige verpaßte, tat sie das gewissermaßen auch in meinem Namen, und daß Franz Josef Strauß, der als Verteidigungsminister während der *Spiegel*-Affäre das Parlament belogen hatte, nun auf einmal wieder mitregieren durfte, machte in meinen Augen alles noch schlimmer. Im Rückblick auf jene Jahre neigen wir heute dazu, die Große Koalition viel milder zu beurteilen als damals. In der Tat war die Regierung Kiesinger/Brandt nicht nur für die schnelle wirtschaftliche Erholung nach dem Wachstumseinbruch von 1966 verantwortlich, sondern auch für einen vorsichtigen innenpolitischen Reformkurs und für eine erste außenpolitische Öffnung. Damals nahmen wir die positiven Seiten der Großen Koalition allerdings nicht wahr. Uns erschien es vielmehr so, als solle das Konzept der *formierten Gesellschaft*, das der kurzzeitige Kanzler Ludwig Erhard propagiert und das eigentlich niemand so recht begriffen hatte, nun im nachhinein doch noch Wirklichkeit werden: eine mehr oder weniger gleichgeschaltete Gesellschaft, in der alle Konflikte ruhiggestellt würden und die Opposition endgültig entmachtet wäre.

Die Auffassung, daß die Große Koalition die parlamentarische Demokratie endgültig ad absurdum führe und darum für

Demokraten nur noch der außerparlamentarische Weg der Opposition bleibe, war sicherlich eine grobe Fehleinschätzung. Aber die Große Koalition war nur der äußere Anlaß der nun einsetzenden Rebellion. Sie symbolisierte gewissermaßen das Kartell aus Lüge, Verdrängung und Heuchelei, gegen das sich die moralische Empörung der Jungen richtete. Inhaltlich ging es um weit mehr als um den Bedeutungsverlust des Parlaments, den Rollenwechsel der SPD oder die Notstandsgesetze. Für die Mehrheit der Aufbegehrenden ging es um den Bruch mit überlebten Konventionen, den Abbau autoritärer Strukturen in der Gesellschaft und die Durchsetzung der Demokratie als Lebensform, für eine Minderheit um die Überwindung des Kapitalismus und die Errichtung einer anderen, *sozialistischen* Demokratie, die von einer noch kleineren dogmatischen Minderheit alsbald zur *Diktatur des Proletariats* verengt und verzerrt wurde.

Einig war man sich im Kampf gegen das *Establishment,* ein Ausdruck, der wie so viele Schlüsselbegriffe der Bewegung aus den USA übernommen wurde und der sich deswegen so gut für eine Fundamentalkritik an der Gesellschaft eignete, weil er eine strategische Einheit zwischen den Spitzen aller gesellschaftlichen Institutionen und des Staates suggerierte. Wer vom Establishment sprach, meinte zumeist nicht nur die Regierung, das Parlament, die Gerichte, die Generalität und die Polizeiführung, sondern zugleich die Lehrstuhlinhaber an den Universitäten, die Bischöfe der christlichen Kirchen und die Funktionäre der Parteien, Unternehmerverbände und Gewerkschaften. In all diesen Bereichen, das war auch mein Eindruck, herrschte mehr oder weniger derselbe autoritäre Geist. Daß alle diese Bereiche aber ein arbeitsteilig operierendes einheitliches Unterdrückungssystem bildeten, wie die radikalen Teile der Bewegung alsbald unterstellten, hielt ich schon damals für Unsinn.

Über die Studentenbewegung und die Achtundsechziger ist unendlich viel geschrieben worden, das meiste über den zahlenmäßig eher unbedeutenden, aber wegen der spektakulären Aktionen und der martialischen Rhetorik besonders auffälligen Teil, der später dogmatische Kleinstparteien und sektiererische

Zirkel bildete oder in die Gewalt abdriftete. Zuweilen wird von ehemaligen Protagonisten der Bewegung der Eindruck erweckt, ein richtiger Achtundsechziger sei seinerzeit entweder Maoist oder Trotzkist oder Anarchist gewesen, habe Steine auf Polizisten geworfen, mit der RAF oder den Roten Zellen sympathisiert und bestenfalls Mitte der siebziger oder Anfang der achtziger Jahre gemerkt, daß er auf dem falschen Dampfer ist, habe sich dann flugs in einen braven Verfechter der parlamentarischen Demokratie verwandelt und damit das Recht erworben, jungen Leuten, die sich heute politisch engagieren wollen, schulterklopfend gute Ratschläge zu erteilen.

Ich halte von solchen legitimatorischen Legenden wenig, weil ich mich nur zu gut daran erinnere, daß Fehlentwicklungen und dogmatische Verengungen innerhalb der Bewegung selbst von Anfang an kontrovers diskutiert wurden. Jedenfalls kann keine Rede davon sein, daß die Achtundsechziger insgesamt, naiv und unerfahren wie sie waren, mehr oder weniger zwangsläufig zur Beute dogmatischer Heilslehren und eines simplen Freund-Feind-Denkens wurden. So gab es beispielsweise im Republikanischen Club in Mainz bereits Ende 1967 eine breit geführte Diskussion über die Frage, ob ein Rätesystem wirklich der parlamentarischen Demokratie vorzuziehen sei (was von der großen Mehrheit der Beteiligten bezweifelt wurde), es gab die sich an den Polizeieinsätzen in Frankfurt entzündende Diskussion über Vor- und Nachteile des *imperativen Mandats*. Und es gab, ebenfalls sehr früh, die Diskussion über die Frage, ob bei der Durchsetzung politischer Ziele unter demokratischen Verhältnissen wie in der Bundesrepublik Gewalt angewendet werden dürfe, bei der sich die überwiegende Mehrheit, die Jungsozialisten, die Gewerkschaftsjugend und die große Mehrheit der linken Studentenorganisationen, eindeutig für die Gewaltlosigkeit erklärten.

Die Argumente lagen also auf dem Tisch, und sie kamen nicht von außen, vom Establishment, sondern aus der Mitte der Bewegung selbst. Wer dennoch den Dogmatikern und Sektierern auf den Leim ging oder zur Gewalt griff, mag für sich mildernde Umstände anführen wie die, daß die Gewalt zunächst, wie der

Tod des Studenten Ohnesorg und ein Jahr später die Schüsse auf Rudi Dutschke belegen, von der Polizei oder vom politischen Gegner ausging, aber er sollte nicht den Eindruck erwecken, daß sein Verhalten und seine Sicht der Dinge damals in Kreisen der Linken unwidersprochen üblich gewesen sei. Zu einer ehrlichen Bilanz jener Jahre gehört es eben auch, sich der Tatsache zu stellen, daß kleine Gruppen selbsternannter Avantgardisten sich arrogant und nicht selten unter Verweigerung jeder ernsthaften Diskussion über die besseren Argumente der Mehrheit hinwegsetzten, sich in ihren Dogmengebäuden verbarrikadierten und, von der Umwelt abgeschlossen, einem Prozeß der kollektiven Verdummung und des Realitätsverlusts anheimfielen.

Die Studentenbewegung, die als breite antiautoritäre von moralischer Empörung getragene Bewegung begonnen hatte und dieser Grundmotivation auch ihre mitreißende Wirkung verdankte, spaltete sich schon sehr bald in viele verschiedene Gruppen, Strömungen und Parteien auf, die alle ihre eigenen Theorien, ihre eigenen Helden und ihre eigenen Organisationsrituale hatten und einander nicht selten bis aufs Messer bekämpften. Da die Auseinandersetzungen zwischen diesen meist dogmatischen Weltanschauungsgruppen eine Zeitlang die Aufmerksamkeit der Öffentlichkeit absorbierten, wurde eine sehr viel wichtigere Differenzierung innerhalb der Bewegung, die bei allen folgenden *neuen sozialen Bewegungen* ebenfalls eine zentrale Rolle spielte, oft übersehen: der Unterschied zwischen jenen, die vor allem an konkreten Veränderungen interessiert waren, und jenen, die vornehmlich auf Identitätsfindung ausgingen, sei es in der Pose des Berufsrevolutionärs, des gnadenlosen Gesellschaftsanalytikers oder des großen Verweigerers.

Diese Differenzierung, die sehr früh zu beobachten war, verlief zum Teil quer zu den organisatorischen Spaltungen der Bewegung. Es waren nach meiner Erfahrung nicht selten die aus betont bürgerlichen Elternhäusern stammenden Aktivisten, die sich in der angemaßten Rolle als Avantgarde des Proletariats zutiefst unsicher fühlten und daher in einem permanenten Identitätskonflikt befangen waren. Sie versuchten in der Regel durch übertriebenes revolutionäres Gehabe und durch besondere Militanz ihre Unsicherheit zu überspielen und neigten in Diskussionen dazu, alle anderen an Radikalität zu übertreffen. Sie waren es auch, die, nachdem die alten Autoritäten demontiert worden waren, alsbald Zuflucht bei neuen wie Lenin, Mao, Ho Chi Minh, Fidel Castro oder Enver Hodscha suchten und damit den Anfangsimpuls der Bewegung auf absurde Weise in sein Gegenteil verkehrten. Vor allem aber waren sie nicht ernsthaft daran interessiert, konkrete Veränderungen in der Gesellschaft durchzusetzen. Ihnen ging es um die Pose, um die Selbstfindung im revolutionären Akt, ums Rechthaben, um Identität.

Die amerikanische Essayistin Rebecca Solnit hat in ihrem Buch *Hoffnung in der Dunkelheit* dieses Phänomen auch für die amerikanische Linke ausgemacht. »Es gibt«, schreibt sie, »einen Aktivismus, dem es mehr um die Stärkung der eigenen Identität als um Ergebnisse geht...« Sie sieht in dieser Haltung – in den USA naheliegend – ein Erbe des Puritanismus. Die linken Identitätssucher seien Erben des Puritanismus »in dem Sinne, daß ihr Sinn und Zweck nicht das Erzielen bestimmter Ergebnisse, sondern die Darstellung der eigenen Tugend ist«. In der Tat, die Darstellung der eigenen Tugend, das scheint das Hauptanliegen eines gewissen Typus von Radikalen auch in der Achtundsechziger-Bewegung gewesen zu sein. Diesem asketischen Typus des Revolutionärs gereichte es zur Ehre, wenn er die aussichtsloseste Analyse und die schwärzeste Prognose in kämpferisch revolutionärer Haltung vortragen und gleichzeitig jeden, der trotz allem Ansatzpunkte zum Handeln erblickte, rücksichtslos als Kompromißler und Anpasser geißeln konnte.

Das ist meiner Überzeugung nach der Hauptgrund dafür, daß viele der Diskussionen auf studentischen Vollversammlungen oder bei den in Mode kommenden Teach-ins jener Zeit einer merkwürdigen Übertrumpfungslogik folgten. Wer, um ein Problem zu lösen, einen konkreten Aktions- oder Reformvorschlag machte, mußte oft erleben, daß der Vorschlag von einem der revolutionären Identitätssucher sogleich als völlig ungenügend oder gar systemstabilisierend gegeißelt wurde und durch Forderungen ersetzt wurde, die in ihrer Radikalität so abstrakt waren, daß es nicht die geringste Realisierungschance und damit auch keinerlei Verpflichtung zum ergebnisorientierten Handeln gab. Natürlich geschah dies immer im Namen der revolutionären *Konsequenz*, unterlegt mit einer angeblich wissenschaftlich stringenten Theorie. Auch ich habe manchmal, um nicht als lauer Kompromißler dazustehen, in einer solchen Atmosphäre für Formulierungen gestimmt, die meiner Überzeugung widersprachen. Aber je länger ich diesen Mechanismus der Übertrumpfung beobachtete, um so mehr verstärkte sich in mir der Eindruck, daß die berserkerhaften Theorien, mit denen die Identitätssucher hantierten, nur dem einen Zweck dienten, jede Aussicht auf praktische Veränderungen möglichst zuverlässig zu verbauen, damit man selbst nur ja nicht dem Praxistest unterzogen wurde.

Ich war wie die meisten der jungen Leute, die damals auf die Straße gingen, der Überzeugung, daß dieses Land, das nun auch offiziell mein Land war, von Grund auf verändert werden müsse, und ich war optimistisch, »ins Gelingen verliebt«, wie Ernst Bloch gesagt hätte. Aber im Gegensatz zu den Bewegungsromantikern glaubte ich nicht daran, daß die Veränderungen, die ich für notwendig hielt, durch Demonstrationen und direkte Aktionen allein oder, wie es meist vage raunend hieß, *im revolutionären Prozeß*, zu erreichen sein würden. Ich war älter als die meisten Achtundsechziger, hatte mein Studium abgeschlossen und trug Verantwortung für eine Familie; all das bewahrte mich wahrscheinlich vor den schlimmsten Auswüchsen romantischer Selbstüberschätzung. Mir wurde recht bald klar, daß Veränderungen sich nur schrittweise würden durchsetzen lassen, daß man sich organisieren müsse, und zwar in einer Partei, die die Chance hatte, an die Schalthebel der Macht im Staat zu gelangen. Mir war auch klar, daß eine parlamentarische Demokratie wie die Bundesrepublik weitaus günstigere Voraussetzungen für solche Veränderungen bot, als die vordemokratischen Gesellschaften, auf die jene revolutionären Strategien zugeschnitten waren, die der radikale Flügel des SDS und die Anhänger der dogmatischen Kleinstparteien propagierten. Anfang 1967 lernte ich Heidi Wieczorek-Zeul, damals Juso-Vorsitzende im südhessischen Rüsselsheim, und Frank von Auer, den Vorsitzenden des – inzwischen linksgewendeten – Liberalen Studentenbundes (LSD), kennen. Die beiden hatten wenig Mühe, mich davon zu überzeugen, daß es für jemanden wie mich am besten sei, auf die andere Rheinseite umzuziehen und im linken Bezirk Hessen-Süd den Jusos und der SPD beizutreten.

Im Sommer 1967 war es soweit. Ich zog mit der Familie ins hessische Mainz-Gustavsburg um und wurde Mitglied der SPD. Kurz zuvor hatte in Mainz eine große Demonstration gegen die Notstandsgesetze stattgefunden, deren Verlauf mir noch einmal die Richtigkeit meiner Entscheidung bestätigte. Die Demonstration war, wie in Mainz üblich, ohne gewaltsame Zwischenfälle verlaufen und sollte nach den Vorstellungen der Organisatoren, zu denen auch ich gehörte, vor dem Stadttheater mit einer kurzen Kundgebung enden. Als wir aber den Theaterplatz erreichten, machten sich einige aus Frankfurt hinzugestoßene Aktivisten daran, das Mainzer Stadttheater, in dem gerade Paul Linckes Operette *Frau Luna* gegeben wurde, zu stürmen. Die friedlich Gesonnenen bildeten eine Kette und versuchten die Randalierer daran zu hindern, die Türen des Theaters einzudrücken. Aber der ziemlich unsinnige Gedanke, das Theater zu stürmen, hatte offenbar für viele nach dem eher ereignislosen Verlauf der Demonstration auf einmal etwas Faszinierendes. Jedenfalls hätten wir dem Ansturm sicher nicht lange standgehalten. In diesem Augenblick trat der Intendant des Theaters auf den Plan und rief: »Diskussion!« Der Elan der Angreifer erlahmte augenblicklich, denn – so waren die Zeiten damals in Mainz – die Forderung nach Diskussion war schlechthin unabweisbar.

Also wurde diskutiert. Auf einem Podest, das noch von den Feiern zur Johannisnacht stehengeblieben war, standen die Organisatoren der Demonstration dem Intendanten gegenüber. Die Vorsitzende des Allgemeinen Studentenausschusses der Universität, die dem SDS angehörte, sprach zuerst. Mit scharfen Worten verlangte sie von dem Intendanten Rechenschaft für das verdummende und niveaulose Programm, das er seit Jahren dem Publikum vorsetze. Der Intendant hörte geduldig zu, nickte ein paar Mal, und als er endlich zu Wort kam, sagte er, daß er selbst auch lieber ein anspruchsvolleres Theaterprogramm bieten würde, ihm aber dafür das Publikum fehle. So habe sich der AStA der Universität, der seines Wissens von lauter kritischen Studentenorganisationen getragen werde, als Sondervorstellung für die Studentenschaft *Charleys Tante* gewünscht. Ich stellte daraufhin den Antrag, unter diesen Bedingungen doch lieber von der Erstürmung des Theaters abzusehen. Es kam dann tatsächlich zu einer gütlichen Einigung. Es wurde vereinbart, daß zehn Vertreter der Demonstranten nach der Aufführung auf die Bühne gehen sollten, um das Publikum über die Notstandsgesetzgebung zu informieren.

Als wir nach dem Schlußapplaus die Bühne betraten, blieb das überraschte Abbonnementspublikum sitzen und hörte sich geduldig an, was wir zu sagen hatten. Es gab keine Proteste, keine Fragen. Womöglich glaubten die Menschen da unten im Parkett, unser Auftritt gehöre noch zum Programm. Als sich nach zwanzig Minuten immer noch nichts tat, die Theaterbesucher immer nur verständnislos, aber freundlich zur Bühne blickten, traten wir einigermaßen irritiert ab. Irgend etwas, das war mir klar, war falsch gelaufen. Unsere Vorstellung von diesen Menschen, die soeben *Frau Luna* gesehen hatten und die wir partout über die von den Notstandsgesetzen ausgehende Gefahr für die Demokratie aufklären wollten, war offenbar völlig irrig gewesen. Was waren das für Menschen? Wie lebten sie? Konnte es sein, daß für sie ganz anderes wichtig war als das, was uns so dringlich erschien? Mir wurde schlagartig klar, daß wir nicht zu und mit den Menschen sprachen, sondern im Grunde ein Selbstgespräch führten. Und daß wir dieses Land nur würden verändern können, wenn wir das Raumschiff Universität verließen und uns zur Erkundung der Realität aufmachten.

9

Freunde und Genossen

Ich habe fast immer mit vielen Menschen unter einem Dach zu-
sammengelebt. Mit den Eltern und Geschwistern zunächst zu
siebt in zwei Zimmern, nach dem Tod der holländischen Großmutter, als auch noch der Großvater dazukam, sogar zu acht.
Später im Studium im Achtmannzimmer einer zum Studenten-
wohnheim umgebauten Kaserne, zwischendurch in Köln, später
dann viele Jahre in Berlin in Wohngemeinschaften, in den achtziger Jahren im Berliner Haus von Günter Grass mit meiner Frau
Franziska und eigenen sowie Grassschen Kindern und einer
unübersichtlichen Schar von Freunden, Besuchern und aus der
DDR vertriebenen Schriftstellern, die hier Aufnahme fanden,
und schließlich in einer großen kinderreichen Hausgemeinschaft
in einer alten Villa in Berg am Starnberger See.

Nicht daß ich es nicht ertragen könnte, allein zu sein. Im Gegenteil, ich habe es immer verstanden, mich den Ansprüchen der
Menschen, mit denen ich zusammenlebte, über weite Strecken
zu entziehen, um für mich zu sein, zu arbeiten, nachzudenken
oder einfach nichts zu tun. In einer kurzen Phase der Adoleszenz
habe ich mich sogar, wahrscheinlich zum Amüsement derjenigen, die mich genauer kannten, als *lonely wolf* inszeniert. Aber
wenn wir uns abends an den Tisch setzten, dann genoß ich es,
wenn wir viele waren und zu den vielen auch noch Gäste hinzu-
kamen. So bin ich es von Kindheit an gewöhnt; und heute, da
meine Kinder zum Studium nach Berlin gezogen sind und ihre
vielen Freunde uns nur noch selten besuchen, habe ich Schwierigkeiten, mich damit abzufinden, daß das Haus tagsüber meistens merkwürdig leer ist und Franziska und ich gelegentlich zu
zweit am Abendbrottisch sitzen.

Der Mensch ist ein geselliges Lebewesen – für mich deckt sich dieser Satz völlig mit der eigenen Lebenserfahrung. Bei allem früh sich entwickelnden Eigensinn war mir immer klar, daß das stolze europäische Individuum so unabhängig gar nicht ist, wie es sich zuweilen gibt. Daß wir alle in den ersten Lebensjahren fast vollkommen von unseren Mitmenschen, insbesondere von der Mutter, abhängig sind, wird kaum jemand leugnen. Daß wir auch als Erwachsene auf die Hilfe, die Zuwendung, auf den Widerspruch und den Widerstand der anderen existentiell angewiesen sind, liegt für mich ebenfalls auf der Hand. Vielleicht ist mir deshalb der heroische Individualismus der Existentialisten, der mich in jungen Jahren so sehr faszinierte, später fast ebenso suspekt erschienen wie der krämerhaft-egoistische der modernen Liberalen.

Ich erinnere mich, wie unglücklich ich war, als ich Ende der sechziger Jahre für einige Monate fern von der Familie und den Freunden in den Universitätsbibliotheken von Edinburgh, Aberdeen, Glasgow und Reading philosophische Manuskripte aus dem 18. Jahrhundert sichtete und abends, weil ich es in meinem Bed-and-Breakfast-Zimmer allein nicht aushielt, stundenlang bei Nieselregen durch die Straßen lief. Am schlimmsten waren die Sonntage, an denen damals im puritanisch geprägten Großbritannien das öffentliche Leben fast völlig erstarb, außer den Geschäften auch die Pubs und Restaurants geschlossen hatten und kaum ein Mensch auf der Straße zu sehen war. Manchmal hörte ich stundenlang, bloß um unter Menschen zu sein, den Sektenpredigern zu, die in Edinburgh von den Stufen eines Gebäudes herab, das wie ein griechischer Tempel aussah und hier oben im Norden merkwürdig deplaziert wirkte, auf die spärlichen Passanten einredeten: bleiche Jünglinge zumeist, denen man die lange Karriere als Hurenböcke und Säufer nicht abnahm, die sie vorgaben, hinter sich zu haben, um ihre Bekehrung dramatischer erscheinen zu lassen.

Ich hatte damals gerade Walter Benjamin und Hermann Kesten gelesen und die Figur des Flaneurs in ihrer großstädtischen Nonchalance und Distanziertheit durchaus attraktiv gefunden.

Nun aber merkte ich, daß mir die Anonymität der Existenz in fremden Städten und die bloße Oberflächenberührung mit anderen Menschen auf Dauer gar nicht bekam. Edinburgh im Winter, das war damals eine kulturelle Wüste. Die großen Theater, die in der sommerlichen Festspielzeit wunderbare Inszenierungen boten, waren entweder geschlossen oder hatten sich auf mittelmäßige Musical-Unterhaltung verlegt. Eine Studentenaufführung der *Kleinbürgerhochzeit* von Brecht, die ich in meiner Verzweiflung besuchte, war so grauenvoll schlecht, daß ich mich in der Pause davonstahl, um nur ja nicht gefragt zu werden, wie ich das Dargebotene fand. Schließlich entdeckte ich ein kleines Theater, wo ein Stück von John Osborne auf dem Spielplan stand. Aber hier hätte ich Clubmitglied werden und den Jahresbeitrag von vierzehn Pfund – damals eine Menge Geld – im voraus bezahlen müssen, um überhaupt eine Eintrittskarte erstehen zu können. Mir blieb nur das traurige Los des Flaneurs wider Willen.

Das Merkwürdige ist, daß ich es eigentlich liebe, allein, nur der eigenen Witterung folgend, durch fremde Städte zu streifen, den Blick über die Fassaden, die Straßen und Plätze mit all den mir unbekannten Menschen gleiten zu lassen, dann und wann einen Innenhof zu betreten, in ein offenes Tor zu spähen oder vor dem Schaufenster einer Buchhandlung oder eines Antiquariats stehenzubleiben, und, halb träumend, halb hellwach, die Atmosphäre einer Stadt in mich aufzunehmen. Auf meinen zahlreichen Vortrags- und Lesereisen habe ich mir fast alle deutschen Städte auf diese Weise erwandert. Aber ich nahm die Rolle des Flaneurs immer nur für ein paar Stunden an und immer in dem Bewußtsein, jederzeit in den sicheren Hafen menschlicher Nahbeziehungen zurückkehren zu können.

Ich bin ein Familienmensch. Allerdings keiner, der sein kleines Palisadenglück unter allen Umständen gegen eine feindliche Umwelt meint verteidigen zu müssen. Solange ich zurückdenken kann, gab es eine große Schar von Freunden, die so oft und so selbstverständlich in unserem Haus verkehrten, daß sie nicht mehr als bloße Gäste betrachtet werden konnten. Es waren Anlagerungen, die mit der Zeit so eng mit der Kernfamilie verschmolzen, daß sie davon gar nicht mehr zu trennen waren. Sie saßen mit uns am Tisch, ihre Sorgen waren unsere Sorgen, ihr Glück auch unser Glück. Zugleich knüpften wir durch sie Verbindungen zu fremden Binnenwelten, zu denen wir sonst keinen Zugang gehabt hätten. Für mich war die private Sphäre nie so rigoros von der sozialen Umwelt getrennt, wie dies bei vielen klassischen Kleinfamilien heute der Fall ist. Mein Zuhause war nie nur Schutz- und Rückzugsraum, sondern immer auch ein Ort, an dem sich die Binnenwelt der Familie mit der Außenwelt berührte, an dem – in privater Atmosphäre – sich eine Vorform der Öffentlichkeit konstituierte.

Freilich heißt dies nicht, daß damit die Unterscheidung zwischen dem Privaten und dem Öffentlichen aufgehoben würde. Zu den Totalitätsromantikern, die in den bewegten sechziger und siebziger Jahren der durchgängigen Politisierung des Privaten das Wort redeten, habe ich nie gehört. In den Wohngemeinschaften, in denen ich lebte, wurden die Türen nicht ausgehängt, um nur ja keine bürgerliche Privatheit aufkommen zu lassen, gab es nicht den Zwang, alles und jedes in der Gruppe zu bereden und die intimsten Dinge mit den anderen WG-Bewohnern zu teilen. Allerdings waren für mich die Sphären des Privaten und des Öffentlichen auch nicht hermetisch gegeneinander abgeschlossen. Es erschien mir immer ziemlich absurd, den Privatmenschen und den öffentlichen Menschen nach gänzlich verschiedenen Maßstäben zu bewerten. Bis heute bin ich entschieden der Meinung, daß die in der Privatsphäre generierten Lebensansprüche auch bei der Gestaltung der öffentlichen Sphäre zu berücksichtigen sind, daß es nicht angehen kann, der Privatmoral in der Politik jede Geltung abzusprechen. Die von Niklas Luhmann und seinen zahlreichen Anhängern vertretene Auffassung, daß die Politik ein gesellschaftliches Teilsystem unter anderen sei, das allein seiner Eigenlogik folge und somit den Bewertungen durch einen moralischen »Supercode« – gemeint ist die Privatmoral – entzogen sei, ist mir seit je als völlig lebensfremd erschienen.

Wer wie ich von Kindheit an in größeren familienartigen Verbänden gelebt hat, für den ist *Sozialismus* in einem vorpolitischen, lebenspraktischen Sinn fast eine Selbstverständlichkeit. Alle Theorien, die die Gesellschaft ausschließlich vom monadischen Individuum her zu konstruieren trachten, hatten für mich von vornherein etwas Künstliches, ja Absurdes. Es war für mich absolut selbstverständlich, daß man als Mensch nur in sozialen Bezügen, im Austausch und in der Reibung mit anderen Menschen leben konnte. Lange bevor ich Mitglied der SPD wurde, war ich in diesem Sinne *Sozialist*. Als ich dann in die SPD eintrat, kam es mir zugute, daß ich von Kindheit an gelernt hatte, mich mit vielen anderen zu arrangieren und die mit der Gemeinschaftlichkeit verbundenen Zwänge und Einschränkungen zu akzeptieren. Wahrscheinlich war dies auch der Grund dafür, daß ich unter der organisatorischen Disziplin und den prozeduralen Umständlichkeiten von Vereinen und Parteien weniger litt als viele andere aus meiner Generation, die denselben Weg gingen. Jedenfalls habe ich mich im Sportverein, in der SPD, später im Schriftstellerverband und im P. E. N.-Club stets verhältnismäßig leicht mit dem unvermeidlichen Minimum an Vereinsmeierei abfinden können. Daß, wo viele Menschen zu welchen Zwecken auch immer zusammenkommen, gewisse Regeln eingehalten werden müssen, daß Institutionen und Verbände ohne Rituale und Routinen nicht auskommen können, war mir bei aller friesischen Sturheit und Neigung zum Widerspruch immer geläufig. Nur endlose Geschäftsordnungsdebatten und die Messerwetzereien der Satzungsspezialisten konnte und kann ich bis heute nur schwer ertragen.

Als ich im Jahre 1967 von Mainz auf das gegenüberliegende hessische Ufer nach Mainz-Gustavsburg zog und dort, im linken Bezirk Hessen-Süd, in die SPD eintrat, war ich zwar, wie fast alle, die damals den langen Marsch durch die Institutionen antraten, vom äußeren Erscheinungsbild und von der Denkweise her in der neuen Umgebung eher ein Exot, aber mit der Versammlungsroutine der Partei hatte ich erstaunlich wenig Schwierigkeiten. Wenn ich mit den Genossen stritt, dann fast immer über inhaltliche Fragen der Politik. Das allerdings war von Anfang an oft der Fall; denn wir, die wir damals, aus der APO kommend, den Schritt in die SPD wagten, taten dies durchaus mit dem selbstbewußten – andere würden vielleicht sagen: arroganten – Anspruch, die SPD nach Jahrzehnten prokapitalistischer Verirrung endlich wieder auf den richtigen, den demokratisch-sozialistischen Weg zurückführen zu wollen.

Die Auseinandersetzungen innerhalb der SPD um die inhaltliche Ausrichtung ihrer Politik wurden damals – auch von mir – mit einer Heftigkeit und Härte geführt, die in der eher verschlafenen SPD von heute kaum noch vorstellbar ist. Nicht immer allerdings war der konfrontative Stil, in dem die damaligen Debatten geführt wurden, unseren aufklärerischen Zielen förderlich. Sicher, die Verkrustungen von Jahrzehnten konnten nur aufgebrochen, die kollektiv beschwiegenen Versäumnisse und Fehlleistungen nur ans Licht gebracht, die programmatische Erneuerung nur vorangetrieben werden, wenn man auch mit provokativen Techniken die eingeschliffenen Denk- und Handlungsroutinen durchbrach. Aber zugleich barg dieses Vorgehen die Gefahr, viele zu verprellen, die für unsere Argumente bei anderer Präsentation vielleicht aufgeschlossen gewesen wären.

Irgendwann im Spätsommer 1967 muß es gewesen sein, als ich zum ersten Mal an einer Versammlung eines SPD-Ortsvereins teilnahm. Das kleine Grüppchen der Jungsozialisten, zu dem ich gehörte, saß – aus einer Mischung aus Scheu und Arroganz – etwas abseits von den übrigen Genossen, in der großen Mehrheit Arbeiter und Arbeiterinnen bei Opel und bei INKA-Glanzstoff. Es ging um die Tagesordnung. Ich hatte den Antrag gestellt, als ersten Punkt über die Notstandsgesetze zu diskutieren. Der Vorsitzende, der die Versammlung leitete, lehnte dies mit der Begründung ab, der Ortsverein habe sich dazu auf einer früheren Versammlung bereits eine Meinung gebildet. Als ich daraufhin meinen Antrag ausführlich begründen wollte und dabei unvermeidlich in die inhaltliche Diskussion zu den Notstandsgesetzen gerict, wurde mir vom Vorsitzenden unter dem Beifall der großen Mehrheit der Anwesenden kurzerhand das Wort entzogen. Normalerweise wäre damit die Sache erledigt gewesen. Aber ich wollte und konnte nicht klein beigeben und verlangte eine formelle Abstimmung, und als diese verweigert wurde, rutschte es mir heraus: *faschistoide Methoden*.

Ich erinnere mich noch genau an die völlige Stille, die auf einmal herrschte. Mir war sofort klar, daß ich einen unverzeihlichen Fauxpas begangen hatte. Obwohl ich mich sonst immer gegen die leichtfertige Verwendung des Etiketts »faschistisch« verwahrte, war ich in der Erregung dem damals auf der Linken verbreiteten schlampigen Sprachgebrauch erlegen. Sich darauf herauszureden, daß ich »faschistoid« statt »faschistisch« gesagt hatte, wäre nur lächerlich gewesen. Als wäre es erst gestern gewesen, höre ich noch heute die Stimme des Vorsitzenden: Was weißt du schon vom Faschismus? Mehr sagte er nicht, und auch sonst hielt es niemand für nötig, ein weiteres Wort dazu zu sagen. Was mich anging, herrschte eisiges Schweigen. Erst einige Monate später erfuhr ich, daß der Mann, dem ich »faschistoide Methoden« vorgeworfen hatte, im Dritten Reich im Widerstand gewesen, von der Gestapo gefoltert und ins Konzentrationslager gesteckt worden war.

Ich bin dann eines Tages in die Werkssiedlung gegangen, wo er wohnte, habe bei ihm geklingelt und mich entschuldigt. Er hörte mich schweigend an, bat mich dann ins Wohnzimmer, stellte eine Flasche Bier vor mich hin und, als ich mich gesetzt hatte, fragte er: Was bist du für einer? Weil ich nicht gleich begriff, was er meinte, fügte er hinzu: Wo kommst du her, wer sind deine Eltern, was hast du bisher gemacht? Erst später, als ich mich in der SPD etwas genauer auskannte, wurde mir klar, welche alles entscheidende Bedeutung diese Fragen für jemanden mit seiner Biographie haben mußten. Als Gewerkschafter, als Widerständler im Dritten Reich, als typischer Vertreter der damals noch ganz realen Kleine-Leute-SPD war es für ihn ungeheuer wichtig zu wissen, auf welcher Seite ich stand. Als ich ihm von meinen Eltern erzählte und daß ich aus kleinsten Verhältnissen stammte, daß ich mir mein Studium selbst verdient hatte, anderthalb Jahre in der Entwicklungsabteilung der Ford-Werke gearbeitet hatte und schon vor Jahren der Gewerkschaft beigetreten war, war er sichtlich beruhigt. Für diesen traditionellen Sozialdemokraten waren die meiner Biographie entstammenden Indizien offenbar entscheidend, wenn es darum ging, festzustellen, ob man jemand vertrauen konnte oder nicht. Für ihn gehörte ich von diesem Zeitpunkt an dazu, obwohl wir auch weiterhin oft unterschiedlicher Meinung waren und ich mich immer mal wieder gegen seinen autoritären Führungsstil auflehnte.

Freiheit ohne Solidarität ist nicht viel wert – das war die Überzeugung dieser Menschen, die aus der Erfahrung lebten, daß sie eine Besserung ihres Loses immer nur hatten erreichen können, wenn sie wie Pech und Schwefel zusammenhielten. Auch wenn in allen Grundsatzprogrammen der SPD nach 1945 der gleiche Rang der drei Grundwerte Freiheit, Gerechtigkeit und Solidarität betont wurde, so ist doch zweifellos die Solidarität der sozialdemokratischste. Ganz besonders galt dies damals für das Innenleben der Partei. Manche, die aus gutbürgerlichem Hause stammten, über die Studentenbewegung politisiert worden waren und in den siebziger Jahren in die SPD eintraten, hatten erhebliche Schwierigkeiten, zu verstehen, warum dies so war. Das zeigte sich besonders, wenn es um Fragen der innerparteilichen Demokratie ging. Das radikal-individualistische Pathos der *Selbstverwirklichung*, das große Teile der Achtundsechziger, auch die, die sich verbal zum »Sozialismus« bekannten, prägte, vertrug sich schlecht mit den Disziplin- und Solidaritätsanforderungen, die in der Arbeiterbewegung damals noch ganz selbstverständlich erhoben wurden. Nur wenn man seine abweichende Auffassung aus dem gemeinsamen Grundinteresse der Partei oder der Gewerkschaft herleitete, hatte man eine Chance, bei diesen Menschen Gehör zu finden.

Natürlich war die SPD als ganze auch damals schon nicht mehr die Klassen- oder besser: die Milieupartei, die sie in der Weimarer Zeit noch gewesen war. Aber hier in dieser Ecke Süd-Hessens, die sich »Mainspitze« nannte, war die Verbindung zwischen Politik und alltäglichem Leben damals noch sehr eng. Die SPD, die hier ähnlich wie in den Ruhrgebietsstädten regelmäßig sechzigprozentige Wahlergebnisse erzielte, war eng vernetzt mit jenen zivilgesellschaftlichen Vereinigungen, für die Alexis de Tocqueville den Begriff der *pouvoirs intermédiaires* prägte. Ende der sechziger und die ganzen siebziger Jahre hindurch waren SPD, Gewerkschaft, die Betriebsräte der großen Werke am Ort, die freiwillige Feuerwehr, der Arbeitersamariterbund, der Karnevalsverein und – eine Besonderheit des einst vom Schwedenkönig Gustav zur Belagerung des katholischen Mainz gegründeten Gustavsburg – der *evangelische* Kirchenvorstand mehr oder weniger dasselbe. Natürlich barg diese Verfilzung Gefahren, und wir ließen keine Gelegenheit aus, sie als undemokratisch anzuprangern, aber für mich, der ich es gewöhnt war, in größeren familienähnlichen Verbänden zu leben, hatte sie auch etwas anheimelnd Vertrautes.

Die SPD war Ende der sechziger und Anfang der siebziger Jahre auf den Ansturm der rebellischen Jugend inhaltlich und organisatorisch überhaupt nicht vorbereitet. Heute wäre die SPD sicher froh, wenn sie junge Leute in größerer Zahl als Mitglieder gewinnen könnte. Aber die Schüler, Lehrlinge und Studenten, die damals so zahlreich in die SPD eintraten, wurden von den meisten Sozialdemokraten eher mit Argwohn betrachtet. Sie störten die Routine des Parteilebens, kamen zum größeren Teil aus einem vielen Sozialdemokraten fremden Milieu, komplizierten die Abläufe durch das ständige Diskussionsbegehren und weckten nicht selten Unterwanderungsängste. Dabei konnte von Unterwanderung gar keine Rede sein, denn alles geschah in völliger Offenheit: Die in der Partei auftretenden Konflikte wurden öffentlich ausgetragen, die von den Jusos in der Öffentlichkeit propagierten Ziele und Ansprüche deckten sich völlig mit denen, die sie tatsächlich verfolgten. Nur in einigen Ruhrgebietsstädten gab es später den wenig erfolgreichen Versuch einer kleinen trotzkistischen Gruppe, in der SPD mit der bei den Trotzkisten üblichen Unterwanderungsstrategie Fuß zu fassen.

Die Linkswendung der Jugendorganisation der SPD, die durch den Zustrom aus der Studentenbewegung erheblich beschleunigt wurde, machte die Jusos in diesen Jahren zum wichtigsten Faktor auf dem linken Flügel der Sozialdemokratie. Auf dem

Höhepunkt dieser Entwicklung, in den frühen siebziger Jahren, zählten die Jusos nahezu vierhunderttausend Mitglieder, von denen die allermeisten zugleich Mitglied der SPD waren. Auf allen Ebenen der Partei versuchten Juso-Gruppen durch Anträge und durch die Aufstellung eigener Kandidaten für Funktionen und Ämter Einfluß auf die Politik der SPD zu nehmen. Sogar in den Wahlkämpfen setzten die Jungsozialisten, weitgehend unabhängig von der Mutterpartei, ihre eigenen Akzente, was so gut wie immer zu Konflikten mit der Parteiführung führte.

Im Falle des Bundestagsabgeordneten der SPD, Hermann Schmitt-Vockenhausen, der von Freund und Feind nur HSV genannt wurde, nahmen die Auseinandersetzungen um die Wahlkampfführung besonders krasse Formen an. Schmitt-Vockenhausen war im linken Bezirk Hessen-Süd der SPD eindeutig der Rechtsaußen, ein klassischer Law-and-Order-Mann und – in der Partei eine skandalöse Ausnahme – Gegner der von den Gewerkschaften propagierten paritätischen Mitbestimmung. Und ausgerechnet so einer war der SPD-Abgeordnete in dem Wahlkreis, zu dem auch mein neuer Wohnort Mainz-Gustavsburg gehörte. Im Bundestagswahlkampf 1969 gab das natürlich Probleme. Wo immer HSV als Kandidat der SPD auftrat, war eine größere Gruppe von Jusos zugegen, die mit Zwischenrufen, Flugblättern und kritischen Fragen den Kandidaten der SPD in Schwierigkeiten brachte. Seine Wiederwahl verhinderten wir damit allerdings nicht. Erst vier Jahre später konnten wir bei der parteiinternen Kandidatenaufstellung genügend Unterstüzung mobilisieren, um einen Kandidaten des linken Flügels gegen ihn durchzusetzen.

Ich engagierte mich von Anfang an mit Elan bei den Jusos, arbeitete mit am programmatischen Profil der Organisation, sorgte mit dafür, daß die auch für meinen Geschmack allzu konservative Bundesführung durch eine linke abgelöst wurde und wurde schließlich selbst in den Bundesvorstand gewählt. Alles, was damals bei den Jusos geschah, jede Aktion, jeder Beschluß, jede Kontroverse, wurde von den Medien mit großem Interesse verfolgt. Auf einmal war auch ich wichtig, ein öffentlicher Mensch, der Reden hielt, Interviews gab und im Fernsehen auftrat. Natürlich schmeichelte das meiner Eitelkeit. Aber schon bald bemerkte ich auch die Kehrseite dieser Art von Medienprominenz. Ich wurde zum Markenzeichen bzw. zum Buhmann stilisiert, der *Spiegel* ernannte mich zum »Chefideologen« der Jusos, für manchen braven Bürger wurde ich, vielleicht vor allem wegen meines ziemlich wilden Haarschopfs, zum Inbegriff des theoretisierenden Radikalinskis, obwohl ich tatsächlich – öffentlich und intern – von Anfang an für einen gemäßigten Kurs der Reformen eingetreten bin.

Im Bundestagswahlkampf 1972 hielt es die CDU für eine gute Idee, mich in einem Wahlspot als Bürgerschreck zu verwenden. Zunächst wurde ich am Rednerpult auf einem Juso-Kongreß gezeigt, gleich danach Aufnahmen von einer Militärparade auf dem Roten Platz in Moskau, dann Panzer, die ihre Kanonenrohre direkt auf die Zuschauer richteten, und schließlich wieder Bilder von mir am Rednerpult. Der Text, der dieser Bildfolge unterlegt war, lautete sinngemäß: Die Jungsozialisten in der SPD wollen eine andere Republik. Der perfide Spot, dessen Machart durchaus an die Göbbelsche Hetzpropaganda erinnerte, lief nur einmal im Fernsehen. Dann wurde er aufgrund einer gerichtlichen Verfügung, die der Bundesvorstand der Jusos erwirkt hatte, zurückgezogen.

Aber das Buhmann-Image, das mir vom politischen Gegner und von einem Großteil der Presse angehängt wurde, war trotz oder vielleicht auch gerade wegen solcher Exzesse für mich eher ein Vorteil, denn ein Nachteil. Wenn einem ein schlechter Ruf vorauseilt, ist es bekanntlich leicht, einen verhältnismäßig guten Eindruck zu machen. Das hatte auch ein einsamer Juso in einem ostfriesischen Dorf begriffen, der mich im Bundestagswahlkampf des Jahres 1972 einlud, in seinem Heimatort Friedeburg einen Vortrag über die Politik der Jusos zu halten. Das war insofern ein kühnes Unternehmen, als der SPD-Parteivorstand des Bezirks Weser-Ems alle selbständigen Aktionen der Jusos im Wahlkampf und insbesondere die Einladung von Juso-Bundesvorstandsmitgliedern streng verboten hatte. Aber Egon Brinkmann, ein gebürtiger Ostfriese, mit weiß-blonder Mähne und dem landesüblichen Starrsinn gesegnet, ließ sich nicht ein-schüchtern. Und da ich an einem Samstagabend ohnehin an einer Podiumsdiskussion in Bremen teilzunehmen hatte, sagte ich für den Nachmittag desselben Tages zu.

Als ich am frühen Nachmittag mit dem Bus in Friedeburg ankam, sah ich, wie Egon meinen Auftritt angekündigt hatte: *BÜRGERSCHRECK NR. 1 JOHANO STRASSER KOMMT NACH FRIEDEBURG* war an jeder Ecke auf großen Plakaten zu lesen. Ganz wohl fühlte ich mich in der mir zugeschriebenen Rolle nicht, aber Egon, der einige Jahre zur See gefahren war und manchen Sturm überstanden hatte, war nicht aus der Ruhe zu bringen. Als wir kurz vor drei den Saal des Gasthofs *Oltmanns* betraten, war der tatsächlich überfüllt. Dorfvollversammlung sozusagen. Ich hielt meinen Vortrag, spulte das ganze Spektrum der Juso-Forderungen herunter, plädierte für mehr soziale Ge-rechtigkeit und die demokratische Kontrolle wirtschaftlicher Macht, sprach mich für verbesserte Bildungsmöglichkeiten für Arbeiterkinder und für die Menschen im ländlichen Raum aus, geißelte die Amerikaner wegen des Vietnamkriegs und die eigene Regierung, weil sie aus übertriebener Bündnistreue sich zum Komplizen des Verbrechens machen ließ. Als ich geendet hatte, herrschte minutenlanges Schweigen. Ich sah Egon an, der neben mir saß und sich keinerlei Nervosität anmerken ließ. Da schraubte sich in der ersten Reihe ein vierschrötiger Mann mitt-leren Alters in die Höhe, wohl so etwas wie der Leitbauer des Dorfes, und sagte: Ich wollte scha man bloß sagen, daß mir der Vortrach gut gefallen hat. Daraufhin ließ er sich wieder auf sei-nen Stuhl fallen, allgemeiner Beifall setzte ein, keine weiteren Fragen, keine Diskussion. Aber als am Wahltag ausgezählt wurde, hatte die SPD in Friedeburg 6 Prozent dazugewonnen, mehr als irgendwo sonst in Ostfriesland, woraufhin das bereits eingeleitete Parteiordnungsverfahren gegen Egon stillschwei-gend eingestellt wurde.

Egon Brinkmann ist bis heute einer meiner besten Freunde geblieben. Ende der siebziger Jahre, als ich längst dem Juso-Alter entwachsen war, gehörte auch er für einige Zeit dem Bundesvorstand der Jungsozialisten an, engagierte sich für die Opposition in Chile und für die Sandinisten in Nicaragua. Heute leitet er in Berlin eine gewerkschaftseigene Weiterbildungsgesellschaft, raucht gelegentlich eine teure kubanische Zigarre, trinkt inzwischen lieber Rotwein als Bier, aber ist immer noch derselbe liebenswerte Sturkopp, der er schon damals war.

Was ist wichtig im Leben? Ist allein das wichtig, was in den Medien, auf Versammlungen und Parteitagen abgehandelt wird? Wenn man sich, wie ich es in diesen Jahren tat, von der Politik in einem Übermaß vereinnahmen läßt, kann man leicht aus dem Blick verlieren, was neben und außerhalb der Politik sonst noch von Bedeutung ist. Immerhin hatte ich eine Familie, ich schrieb an einer Habilitationsarbeit über die *Philosophie des Common Sense*, die ich allerdings nie abschloß, verfaßte zwei Theaterstücke, von denen das eine, *Alpha & Omega*, im Unterhaus in Mainz mit mäßigem Erfolg aufgeführt wurde. Es gab die gelegentlichen Fluchtversuche, aber die Erwartungen meiner engeren politischen Freunde und die wachsenden Ansprüche, die die Partei an mich stellte, nicht zuletzt auch die eigene Eitelkeit und die Lust, an der Gestaltung der Verhältnisse mitzuwirken, hielten mich auf Kurs.

Im Rückblick bedauere ich trotz allem nicht, soviel Zeit und Energie auf die Politik verwandt zu haben. Auch wenn ich nie ein öffentliches Amt übernahm, war ich in der SPD seit den frühen siebziger Jahren an der Entwicklung der Programmatik beteiligt, hatte ich vielfältige Möglichkeiten, in öffentlicher Rede und in Publikationen politisch Einfluß zu nehmen. Mehr und mehr fand ich mich in die Rolle des öffentlich intervenierenden Intellektuellen hinein, betrachtete mich mehr als Citoyen denn als Politiker, und konnte mir so, obwohl ich an meiner Option für den demokratischen Sozialismus stets festhielt, dennoch eine unabhängige Position sichern, von der her ich gelegentlich auch scharfe Kritik am Kurs der eigenen Partei übte. Ich habe mit den Jahren gelernt, die SPD zu ertragen, nicht, mich mit allem abzufinden, was in ihrem Namen geschieht. Solidarität, so wie ich sie verstehe, gilt vor allem den Grundprinzipien und Grundwerten, die die Sozialdemokraten leiten oder leiten sollten, erst in zweiter Linie und in Abhängigkeit von der Haltung zu den Prinzipien und Werten auch dem Personal. Ich habe Freunde aus meinen Juso-Jahren, die immer noch meine Freunde sind. Manche von ihnen, wie Heidi Wieczorek-Zeul, Ottmar Schreiner, Michael Müller und Hermann Scheer, haben eine politische Karriere gemacht, andere nicht. Sie sind meine Freunde geblieben, weil sie ihrer Karriere nicht, wie manche andere, ihre Überzeugungen geopfert haben.

Freunde und Genossen sind nicht dasselbe. Die Gegenwart von Freunden ist einem angenehm, die von Genossen keineswegs immer. Auch eine Partei wie die SPD ist – zumindest teilweise und heute mehr denn je – ein nüchterner Zweckverband, in dem sich Menschen zusammenfinden, die in einigen wesentlichen Bereichen gleiche oder doch ähnliche Interessen haben und annähernd die gleichen politischen Ziele verfolgen. Außerhalb der Politik muß die Genossen nicht unbedingt viel verbinden; sie können in weltanschaulichen Fragen völlig verschiedene Ansichten haben, können unterschiedlichen sozialen und kulturellen Milieus angehören und in Bekannten- und Freundeskreisen verkehren, die sich nicht im geringsten überschneiden. Solidarität bedeutet unter solchen Bedingungen nicht viel mehr als ein Bündnis auf Zeit, das so lange bestehen bleibt, solange man zur Durchsetzung gemeinsamer Ziele aufeinander angewiesen ist.

Aber ich kenne auch eine andere SPD, eine Partei, in der über alle sozialen und kulturellen Unterschiede hinweg ein tiefes Gefühl der Verbundenheit existiert, das sich aus dem Bewußtsein speist, einem gemeinsamen historischen Erfahrungszusammenhang anzugehören und eine gemeinsame historische Mission zu verfolgen. Ende der sechziger und Anfang der siebziger Jahre, als die Flügelkämpfe in der Partei oft mit großer Härte ausgetragen wurden, war es dieses Bewußtsein, das die SPD davor bewahrte, auseinanderzubrechen. Ich erinnere mich, daß damals SPD-Parteitage im linken Bezirk Hessen-Süd immer mit dem Lied »Brüder, zur Sonne, zur Freiheit« beschlossen wurden. Der alte Schorsch Buch, Landtagspräsident und Ehrenvorsitzender

der Partei, stimmte gewöhnlich mit brüchiger Stimme das Lied an, und wenn dann die Stelle kam, wo es hieß: »Brüder, in eins nun die Hände«, standen alle auf und gaben sich die Hand und vorn auf dem Podium hatte der alte Schorsch Buch Tränen in den Augen.

Einmal, es muß 1968 oder 1969 gewesen sein, gab es bei diesem Ritual einen bemerkenswerten Zwischenfall. Als Schorsch Buch das Lied »Brüder, zur Sonne, zur Freiheit« anstimmte, sprang ein Delegierter auf, trat ans Saalmikrophon und protestierte heftig dagegen, daß in einer demokratischen Partei wie der SPD »kommunistische« Lieder gesungen würden. Der Protestierer war der Geschäftsführer der SPD-Stadtratsfraktion in Frankfurt am Main. Sein Name: Günter Guillaume.

10

Die Politik nicht den Politikern überlassen

Professionelle Politiker sind fast immer der Meinung, alles, was die Welt bewegt, werde auf der politischen Bühne, in den großen Haupt- und Staatsaktionen der Regierungschefs und der Minister, in den Aushandlungsprozessen zwischen Parteien und Verbänden, auf internationalen Konferenzen oder unter vier Augen am Kamin in einem Gästehaus der Regierung entschieden. Und das Publikum, das auf die Geschichtsbücher, die Zeitungslektüre und das Fernsehen angewiesen ist, kann kaum umhin, diese Sicht der Dinge für zutreffend zu halten. Tatsächlich aber fangen die wirklich wichtigen Veränderungen oft im Unscheinbaren und Abseitigen an, wachsen von den Medien und den Politikern unbemerkt in den Köpfen der Menschen und treten auf einmal zur Überraschung der politischen Klasse mit Macht auf die Bühne. Politik, das war stets meine Meinung, ist mehr als das, was die meisten Politiker und die meisten Medienvertreter dafür halten. Sie ist auf jeden Fall mehr als nur staatliche Politik, und wer grundlegende Veränderungen bewirken will, tut gut daran, nicht nur auf der staatlichen Ebene zu agieren.

Doppelstrategie lautete das Stichwort, mit dem wir seinerzeit bei den Jusos unsere Vorstellung einer nicht nur auf das Parlament und den Staat fixierten Politik – vielleicht nicht eben glücklich – benannten. Gemeint war aber nichts Zwielichtiges oder Doppelbödiges, sondern die aus der Tradition der Arbeiterbewegung und den Erfahrungen aller emanzipatorischen Strömungen heraus einleuchtende Auffassung, daß durchgreifende Reformen gegen die geballte Macht der beharrenden Kräfte nur durchsetzbar sind, wenn man an der gesellschaftlichen Basis für die Ziele

der Reformen mobilisiert und gleichzeitig auf der parlamentarischen Bühne entsprechende Initiativen ergreift, wenn man die
Köpfe der Menschen gewinnt und so mit der Zeit Gegenmacht-
positionen aufbaut und diese zugleich gesetzlich und institutio-
nell abzusichern trachtet.

Das Konzept der Doppelstrategie war der Versuch zwischen
zwei antagonistischen politischen Verfahrensweisen zu vermitteln, die beide ihre spezifischen Mängel und Einseitigkeiten
haben. Es wandte sich einmal gegen die traditionelle bürgerlich-
parlamentarische Stellvertreterpolitik, die den Bürgern außer
dem Gang zur Wahlurne keinerlei aktive politische Rolle zuge-
stand, und andererseits gegen die Vorstellungen der Bewegungs-
romantiker, die glaubten, grundlegende Veränderungen breite-
ten sich wie ein Flächenbrand an der gesellschaftlichen Basis aus
und bedürften der gesetzlichen und institutionellen Fixierung
nicht. Das Gesellschaftsverständnis, das dem Konzept der Doppelstrategie zugrunde lag, maß der gesellschaftlichen Eigenakti-
vität und Selbstverwaltung – heute wäre von der *Aktivierung der
Bürgergesellschaft* und von *Empowerment* die Rede – große Bedeutung bei. Aus diesem Grunde rieb es sich freilich an den traditionell stark staatsfixierten Ordnungsvorstellungen der deutschen Sozialdemokratie. Vielen eher technokratisch Denkenden
in der SPD galt so etwas damals als unrealistisch und unprofes-
sionell oder zumindest als unnötige Komplizierung der ohnehin
schwierigen Steuerungsprobleme in einer modernen arbeitsteiligen Gesellschaft.

Dennoch fand, als die SPD im Jahre 1975 auf ihrem Mann-
heimer Parteitag einen *Orientierungsrahmen* für die Politik der
nächsten zehn Jahre beschloß, der Kern dieses Konzepts, freilich
unter dem eingängigeren Namen »Vertrauensarbeit der Partei«
Eingang in die Programmatik der SPD. In diesem Dokument, an
dessen Ausarbeitung ich seit 1973 beteiligt war, finden sich überhaupt eine Reihe von Aussagen, die auf eine Abkehr von der
allzu etatistischen Politik der Nachkriegssozialdemokratie hof-
fen ließen. So ist darin hellsichtig von der Gefahr die Rede, »die
Leistungsfähigkeit des Staates zu überfordern und eine bürokra-

tische Ausweitung des Staatsapparates zu erzeugen, dessen Kosten unerträglich wachsen und dessen Effektivität doch immer weit hinter den gesellschaftlichen Anforderungen zurückbleibt«, und davon, daß es notwendig sei, »die Fähigkeit der Bürger zur selbstverantwortlichen Lösung gesellschaftlicher Probleme in ihrem eigenen Lebens- und Arbeitsbereich zu verbessern«. Aber, wie so oft bei programmatischen Dokumenten, für die praktische Regierungsarbeit blieben diese nahezu einstimmig verabschiedeten Aussagen weitgehend bedeutungslos. Und als Ende der neunziger Jahre die unübersehbare Haushaltskrise eine Wende erzwang, wurde nicht auf die von der Partei bereits erarbeiteten besseren Konzepte zurückgegriffen; vielmehr setzte nun auch die SPD auf die von allen Seiten propagierten neoliberalen Roßkuren.

Im Bundestagswahlkampf 1969, der mit der sozial-liberalen Koalition und einem sozialdemokratischen Bundeskanzler die erste große Wende in der deutschen Nachkriegsgeschichte herbeiführte, traten wir Jusos mit dem emanzipatorischen Slogan an: »Die Politik nicht den Politikern überlassen.« Wir wollten die erhöhte Aufmerksamkeit für Fragen der Politik in der Wahlkampfzeit nutzen, um einen zentralen Gedanken zu vermitteln: daß eine wirklich lebendige Demokratie nur entstehen könne, wenn die Menschen sich das Politische, das weitgehend Sache der Politiker geworden war, wieder aneigneten, wenn sie die Gestaltung der Geschicke wieder in die eigenen Hände nähmen. Natürlich war dieses Konzept bei den meisten professionellen Politikern nicht sehr beliebt, denn sie bezogen ihr Selbstwertgefühl in der Regel daraus, daß sie Politik *für* die Menschen, nicht *mit* ihnen machten. Manche Bundestagsabgeordneten jener Zeit gebärdeten sich in ihren Wahlkreisen wie mehr oder weniger aufgeklärte Potentaten; wenn sie fortschrittlicher waren, betrachteten sie sich zumeist als politische Dienstleister, die nach dem Motto verfuhren: »Geben Sie mir Ihre Stimme und ich löse Ihre Probleme.« Eine aktive politische Rolle für den Bürger war bei einem solchen Selbstverständnis der Politiker eigentlich nicht vorgesehen.

Aber, das war überall zu spüren, die Zeiten änderten sich, immer mehr, vor allem junge Menschen waren nicht mehr bereit, sich mit der weitgehend passiven Rolle des bloßen Wahlbürgers zu begnügen. Ihnen ging es darum, die Demokratie, die in der Bundesrepublik nach 1945 über die Köpfe einer mehrheitlich nach wie vor obrigkeitsfixierten Bevölkerung hinweg installiert worden war, endlich mit Leben zu erfüllen. Das Motto der ersten Regierungserklärung Willy Brandts griff dieses Anliegen auf: »Mehr Demokratie wagen!« Ich erinnere mich, welchen Mut und welche Zuversicht dieser Satz bei uns auslöste, die wir angetreten waren, das Demokratieversprechen des Grundgesetzes endlich einzulösen. Die Aufbruchstimmung war ungeheuer: Wir waren fest davon überzeugt, daß es nun erst richtig losgehe mit der Demokratie, und daß, was jetzt begann, nur im Sozialismus, im richtigen, demokratischen und humanen, versteht sich, enden würde, in jenem Sozialismus mit menschlichem Antlitz, den es in der ČSSR nicht geben durfte, weil er die Herrschaft der alten Männer im Kreml und in Ost-Berlin gefährdet hätte.

So wie wir Willy Brandt verstanden, sollte es in der Bundesrepublik nun darum gehen, die Demokratie als Lebensform durchzusetzen, und zwar in allen gesellschaftlichen Bereichen von der Schule und Hochschule und den sonstigen öffentlichen Einrichtungen über die Zeitungsredaktionen und Rundfunkanstalten bis zu den Betrieben und Unternehmen. »Partizipation« lautete eines der neuen Zauberwörter, die auf einmal in Broschüren, Reden und Parteitagsanträgen auftauchten. Den Bürger zum Aktivbürger machen, ihm Möglichkeiten der Mitsprache und der Mitbestimmung in allen Lebensbereichen eröffnen, das war es, was die Forderung, mehr Demokratie zu wagen, für uns besagte. Worin dabei das *Wagnis* liegen könnte, verstanden wir allerdings nicht. Unverdrossen und mit typisch deutscher Gründlichkeit bastelten wir an komplizierten Mitbestimmungsmodellen; vor allem an den Universitäten taten sich die jungen Assistenten, der damals sogenannte Mittelbau, mit Vorschlägen zur Drittel- oder Viertelparität hervor, die sich allerdings schon bald als wenig praktikabel erwiesen.

Erst als ich das 1970 auf Englisch erschienene Buch des amerikanischen Politologen Robert A. Dahl, *After the Revolution. Authority in a good Society* (*Und nach der Revolution? Herrschaft in einer Gesellschaft freier Menschen*), in die Hände bekam, begriff ich, daß wir im antiautoritären Eifer drauf und dran waren, folgenreiche Fehler zu begehen. Dahl stellte so einfache Fragen wie die nach den zeitökonomischen Grenzen von Mitsprache und Mitbestimmung, er erinnerte daran, daß auch der Losentscheid und die Zufallsauswahl demokratische Verfahrensweisen sein könnten und nötigte den Leser, darüber nachzudenken, ob die von Entscheidungen *Betroffenen* immer zugleich die zu den Entscheidungen *Befähigten* seien. Ein wichtiges Buch, und es erschien, was selten genug passiert, zum richtigen Zeitpunkt. Allerdings nur auf Englisch. Erst fünf Jahre später gab es eine deutsche Ausgabe, die dann allerdings von den Emphatikern der direkten oder Basisdemokratie, die die Lektüre vielleicht vor manchem Irrweg hätte bewahren können, auch nicht gelesen wurde.

Was ist privat, was ist öffentlich? Was ist Gegenstand der Politik, was sollte dem Zugriff der Politik entzogen bleiben? Wenn Politik mehr ist als staatliche Politik, wie tief soll, darf sie dann in das Leben der Menschen eingreifen? Die Fragen sind von großer Bedeutung für jeden, der über das nachdenkt, was seit der Antike *das gute Leben* und in der geisteswissenschaftlich orientierten Soziologie unserer Tage *die gute Gesellschaft* genannt wird. Für mich waren die Fragen auch persönlich von großer Dringlichkeit, denn je mehr die Politik mein Leben bestimmte, um so stärker meldete sich in mir das Bedürfnis, einen Teil meiner Person und meines Lebens vor dem Zugriff des Politischen zu schützen, mir private und öffentliche Aktionsfelder zu sichern, die nicht der Logik des Politischen unterworfen waren. Die Beschäftigung mit Philosophie war etwas, das weit über den Bereich des Politischen hinausführte, ebenso die Literatur, die Kunst, die Musik und in gewisser Weise auch immer noch der Sport. Meine Familie bot das notwendige Gegengewicht nicht mehr in dem Maße und so zuverlässig wie früher, denn die Überbeanspruchung durch die Politik und die wissenschaftliche Arbeit hatten die Grundlage meiner Ehe bereits bröckeln lassen.

Die Politik nicht den Politikern überlassen, das hieß für uns zuallererst, daß wir uns selbst um tausend Dinge zu kümmern hatten, die der biedere Bürger allzugern dem Staat und den Politikern zuschob. Im Prinzip hatte ich damit wenig Schwierigkeiten, weil ich von Kindheit an dazu angehalten worden war, die Lösung von Problemen selbst in die Hand zu nehmen, statt darauf zu warten, daß andere das für mich erledigten. Und im Prinzip konnte das ja durchaus stimulierend sein, sogar Spaß machen. Da es in Gustavsburg keinen angemessenen Treffpunkt für junge Leute gab, besetzte unsere Juso-Gruppe ein seit Jahren leerstehendes Haus, das der Gemeinde gehörte. Wir renovierten es in Eigenarbeit, legten Leitungen, ersetzten zerbrochene Fensterscheiben, zogen die Fußböden ab und versiegelten sie und erklärten das Ganze zum Jugendzentrum. Später, in Berlin, gründete ich wie viele andere auch mit Freunden einen Kinderladen, weil wir unsere Kinder nicht den »autoritären« Erzieherinnen in den städtischen Kindergärten ausliefern wollten. Als die Novellierung des Hochschulrahmengesetzes anstand, gehörte ich zu einer Autorengruppe, die eine fast zweihundert Seiten starke Broschüre mit einer detaillierten Kritik der Gesetzesvorlage und Gegenvorschlägen erarbeitete. Und natürlich gingen wir gegen den Krieg in Vietnam auf die Straße, war der Kampf gegen das Apartheid-Regime in Südafrika unsere Sache. Da wir uns im Prinzip für jedes politische Problem, das es auf der Welt gab, zuständig fühlten, gab es für unser Engagement keine legitime Grenze. Wer nicht den Mut aufbrachte, dann und wann einfach nein zu sagen und sich den gefräßigen Ansprüchen des Politischen zu entziehen, konnte leicht zum Sozialfall werden. Ich kenne einige, denen es so ging, und noch mehr, die irgendwann, weil sie die Selbstüberforderung nicht mehr aushielten, die Notbremse zogen, ausstiegen und der Politik ganz den Rücken kehrten.

Die Maßlosigkeit, die so typisch ist für unsere moderne Lebensweise, das Pathos der Grenzüberschreitung, des Immermehr – ein Großteil der Achtundsechziger war diesem Wahn auf ihre Weise genauso ausgeliefert wie die kapitalistische Gesellschaft, gegen die sie Sturm liefen. Die zeitökonomischen Grenzen des Engagements, von denen Robert Dahl sprach, auch für sich selbst anzuerkennen, war offenbar für viele schwierig. »Wenn solche wie du«, sang Wolf Biermann in der »Ballade für einen wirklich tief besorgten Freund«, »entschieden zu kurz gehen, dann gehen eben andre ein bißchen zu weit!« So einfach war das. Die anderen, das waren wir. Zu weit gehen, keine Grenzen akzeptieren, sich selbst und anderen dies und das und immer noch ein bißchen mehr abfordern – viele von uns, die sich immer wieder gern über die Arbeitswut des deutschen Spießers und seine Unfähigkeit zum Lebensgenuß mokierten, waren ihm wohl doch ähnlicher, als sie je zugegeben hätten. Vor allem aber neigten wir dazu, alle Probleme auszublenden, für die es keine politischen Lösungen gab.

Ich weiß es noch, als wäre es erst gestern passiert, wie mir die Einseitigkeit und Kärglichkeit unseres bloß politischen Lebensverständnisses durch eine merkwürdige Koinzidenz mit einem Schlag klar wurde. Es war am späten Abend des 4. April 1968, Barbara und ich hatten soeben im Radio die Nachricht von der Ermordung Martin Luther Kings in Memphis gehört und saßen schweigend da, noch nicht in der Lage, unserer Empörung Ausdruck zu geben, als das Telefon läutete. Ich nahm ab, am anderen Ende ein Arzt einer Klinik in Wiesbaden, der mir mitteilte, daß unsere Freundin Ilona vor ein paar Minuten gestorben sei. Der Tod des einen war ein politisches Ereignis, der Tod unserer Freundin, deren Kampf gegen den Krebs wir über viele Wochen begleitet hatten, ein privates. Oder doch nicht? Für den Mord an Martin Luther King stand uns, auch wenn sie uns in der ersten Bestürzung nicht über die Lippen kam, eine Sprache zur Verfügung, eine Sprache der Empörung und der politischen Anklage, der Tod unserer Freundin machte uns stumm. Aber vielleicht, dachte ich in den Tagen danach immer wieder, war das Schweigen, das der Tod unserer Freundin in uns auslöste, die adäquatere Reaktion als all die Worte der Empörung, die über den Tod des anderen gesprochen und geschrieben wurden.

Der analytische Gestus des politisch Engagierten, mit dem wir uns und anderen die Welt erklärten, der ganze Aufwand an Theorie, der getrieben wurde, um hinter die wohlgehüteten Geheimnisse der kapitalistischen Gesellschaft zu kommen, konnte es sein, daß wir damit nicht nur Licht in das Dunkel von Ausbeutung und illegitimer Herrschaft brachten, sondern auch wichtige Lebenstatsachen verschütteten, vielleicht gar das vor uns selbst verbargen, was am Leben das Wichtigste war? Der Verdacht hat mich seitdem nicht mehr losgelassen, und als wenig später in der Bewegung 2. Juni, in der RAF, in den Roten Zellen junge Menschen auftraten, die so erschreckend leichtfertig mit dem Leben anderer und mit ihrem eigenen Leben umgingen und die Irrsinnstaten, die sie verübten, in eben jener dürren Politsprache rechtfertigten, der wir gemeinhin eine unvergleichliche kritisch-aufklärerische Funktion beimaßen, da wurde der Verdacht für mich zur Gewißheit. Vielleicht war dies der Hauptgrund dafür, daß ich mich auch in der Folgezeit bei allem Engagement nie so vollständig und ausschließlich auf die Politik eingelassen habe, wie es viele um mich herum von mir erwarteten.

Ich erinnere mich noch genau, auf welches Unverständnis ich stieß, als ich meinen Juso-Genossen im Herbst 1968 erklärte, ich werde mich für zwei Monate in schottische und englische Universitätsbibliotheken zurückziehen, um dort lagernde Manuskripte aus dem 18. Jahrhundert einzusehen und auszuwerten. Es gebe doch weiß Gott Wichtigeres zu tun, als in alten Papieren zu wühlen. Was ich mir von der Beschäftigung mit solchen veralteten Texten verspräche? Ob ich denn immer noch nicht begriffen hätte, daß die Rituale der Ordinarienuniversität der Vergangenheit angehörten? Erst als ich darauf hinwies, daß ich unter anderem auch im British Museum forschen würde, eben dort, wo Karl Marx Jahre zugebracht hatte, als er am *Kapital* schrieb, legte sich die Empörung ein wenig. In der Übersetzerabteilung der Ford-Werke war es seinerzeit leichter gewesen, zwischendurch ein paar Tage unter einem Vorwand auszusteigen, als nun bei den Jusos.

Heute, aus dem zeitlichen Abstand von fast vierzig Jahren, kommt mir dies alles recht seltsam vor. Aber damals hatte ich tatsächlich ein schlechtes Gewissen, als ich nach London abflog, und zwar, weil ich, wie es schien, meine politischen Pflichten vernachlässigte und meine politischen Mitstreiter im Stich ließ, nicht so sehr, weil ich so lange der Familie fernbleiben würde. Jenseits des Kanals änderte sich das dann bald, denn die Atmosphäre, in die ich nun eintauchte, war von den politischen Aufregungen der Zeit so gut wie unberührt. Zwar war London das *teeming London* der Carnaby Street und des Musicals *Hair*, und in Liverpool hätte man womöglich an jeder Ecke den Geist der Beatles und der Stones atmen können, aber die Universitäten in Edinburgh, Aberdeen, Glasgow und Reading, die ich besuchte, machten den Eindruck, als hätte der Aufbruch der rebellischen Jugend von Berkeley über Paris und Berlin bis nach Tokio gar nicht stattgefunden.

Die Professoren, mit denen ich, eher flüchtig, in Kontakt geriet, unterhielten sich, wenn nicht über Probleme ihres Fachs, am liebsten über das Alter des Portweins, der in ihrem College zu festlichen Anlässen gereicht wurde. Einmal, während meines einwöchigen Aufenthalts in Reading, lud mich einer dieser Professoren zu einem Abendessen in sein Haus ein. Am Tisch lauter Kollegen, männliche Kollegen, die sich nach zwei, drei höflichen Fragen zum Zweck meines Aufenthalts auf der Insel den wirklich wichtigen Themen zuwandten: Portwein und Cricket. Immerhin war das junge Mädchen, das uns bei Tisch bediente, eine strahlende Schönheit in Minirock und Minischürze und mit Beinen, die mir den Atem verschlugen. Das Merkwürdige aber war, daß während ich alle Mühe hatte, meinen Blick von der jungen Schönen zu wenden, die anderen Herren sie gar nicht wahrzunehmen schienen. Erst als sie sich an der Tür verabschiedeten, hörte ich, wie einige von ihnen den Gastgeber fragten, wie er denn an diese ausnehmend hübsche Person gekommen sei, die uns bei Tisch bedient habe, und ob er ihnen ihre Telefonnummer geben könne. Natürlich nur, damit sie sie als Bedienung engagieren konnten.

Kurz vor Weihnachten war ich wieder in Deutschland, wo mich gleich auf dem Flughafen in Frankfurt die Schlagzeile empfing: ANSCHLAGSPLÄNE DER STADTGUERILLA AUFGEDECKT. Für mich war es, als wäre ich endlich wieder in der Realität angekommen, obwohl keineswegs sicher war, was an dieser Meldung auf Tatsachen beruhte und was der von vielen Medien geschürten Hysterie geschuldet war. Das Manuskript, in das die Forschungsergebnisse meiner Reise Eingang fanden, liegt noch unter anderem Unveröffentlichten in einem Regal in meinem Arbeitszimmer: *Die Philosophie des Common Sense. Ein Beitrag zur Geschichte der englischen Philosophie des 18. Jahrhunderts, Teil I*, dreihundertundzwanzig eng beschriebene Seiten mit einer Unzahl von Fußnoten. Den zweiten Teil habe ich nicht mehr fertiggestellt, weil mein Interesse mehr und mehr von anderen Dingen in Beschlag genommen wurde und weil man in dieser Zeit, da der Bildungssektor rasch expandierte, auch ohne formelle Habilitation Hochschullehrer werden konnte.

9. Oktober 1970, ein Freitag. Im ersten Stock des Amtsgerichts in Mainz findet eine Gerichtsverhandlung wegen Beleidigung statt, genauer: wegen Beleidigung *auf sexueller Grundlage*, ein Delikt, das es nach Auskunft von Rechtskennern, die ich befrage, gar nicht gibt. Ich sitze auf der Anklagebank. Barbara und viele meiner Juso-Genossen sind mitgekommen, um der Verhandlung beizuwohnen. Der Fall ist – nicht nur für uns – ein Politikum. Als Barbara während der Verhandlung einmal die Toilette aufsucht, hört sie auf dem Flur vor dem Saal, wie ein Kriminalbeamter in Zivil zwei Frauen, die als Zeuginnen auftreten sollen, präpariert: Das sagen Sie lieber nicht! Sie sagen, Sie haben das Wort gehört: zweifelsfrei! Als der Richter sein Urteil verkündet – ein paar hundert Mark, die ich an die Caritas zahlen soll – stürzt Barbara nach vorn. Ich kann sie gerade noch davon abhalten, den Richter zu ohrfeigen. Wir stehen vor der Richterbank, ich halte sie fest umschlungen, von den hohen Fenstern her fällt ein Lichtstrahl auf ihr wunderschönes vor Empörung flammendes Gesicht. Vielleicht habe ich sie nie so geliebt wie in diesem Augenblick.

Die Sache hatte zunächst keine weiteren Folgen, für uns war sie ohnehin nur ein weiterer Beleg dafür, daß von der behaupteten Unabhängigkeit der Gerichte keine Rede sein konnte. Erst zwei Jahre später wurde die Angelegenheit von Teilen der Presse aufgegriffen, gab sie einer Kampagne politischer Gegner Nahrung und veranlaßte auch manchen meiner Genossen in der SPD zu kleinen verdruckten oder hämischen Kommentaren. Ich nahm im Frühjahr 1971 einen Lehrauftrag im Fachbereich Gesellschaftswissenschaften an der Fachhochschule in Darmstadt an, und ein Jahr später – inzwischen war ich im Bundesvorstand der Jusos – folgte ich einem Ruf auf einen Lehrstuhl für Systematische Pädagogik an der Pädgogischen Hochschule in Berlin-Lankwitz.

Der Umzug mit der Familie nach Berlin markiert einen Wendepunkt in meinem Leben. Berlin war das Zentrum, wo die wichtigen Dinge sich ereigneten, die erst mit erheblicher Verspätung in der Provinz ankamen. Berlin, genauer West-Berlin, war damals so etwas wie ein Laboratorium der Zukunft an der Nahtstelle zwischen den sich feindlich gegenüberstehenden Systemen, eine von einer Mauer umgebene gesellschaftspolitische Versuchsanordnung, in der neue und alte Ideen, kühne Innovationen und nostalgische Remakes auf ihre Tauglichkeit für die Gesellschaft von morgen getestet wurden. Frankfurt, München, vielleicht auch Hamburg hatten jeweils ihr eigenes Gewicht, München war sogar im Jahr der Olympiade vom *Spiegel* zur »heimlichen Hauptstadt« der Bundesrepublik ausgerufen worden. Aber wer die Nase im Wind haben und mitmischen wollte, davon war ich damals überzeugt, der mußte nach Berlin.

11

FLÜGELKÄMPFE UND RECHTHABEREIEN

Nach Berlin fuhren wir zu dritt in unserem Opel Kadett, Barbara hinten mit der achtjährigen Maritta, neben ihnen, auf dem Beifahrersitz und im Kofferraum der leichter zu transportierende Teil unserer Habe, ich vorn am Steuer. Zwei Freunde hatten schon am Tag zuvor die schwarzlederne Sitzgruppe und die Betten mit einem Kleinlaster nach Berlin gebracht und auf einem Speicher untergestellt. Die Schrankwand mit dem Barfach blieb als geschmackliche Verirrung zurück. In der Metropole Berlin, glaubten wir, hätten wir uns damit lächerlich gemacht. Auch Betten, Couch und Sessel brauchten wir in Berlin zunächst nicht, denn wir zogen in die fertig eingerichtete Wohnung eines Bekannten ein, der für ein Jahr ein Stipendium an einer amerikanischen Universität bekommen hatte. Die Wohnung lag im Süden Berlins, in der Gropius-Stadt, war also für Berliner Verhältnisse günstig zu meinem neuen Arbeitsplatz in der Pädagogischen Hochschule in Lankwitz gelegen.

Montag, Dienstag, Mittwoch: Vorlesungen, Übungen und Seminare, Sprechstunde, Sitzungen im Fachbereichsrat. Den Rest der Woche Politik: Vorstands- und Kommissionssitzungen, Reisen zu Vorträgen, Kongressen, Parteitagen. Die Themen meiner Lehrveranstaltungen finde ich in einer alten Mappe auf vergilbtem Papier; sie zeigen, was uns damals, im »pädagogischen Zeitalter«, umtrieb: *Probleme der Didaktik, Methodik und Organisation eines ideologiereduktiven Gegenunterrichts; Die Ideologie der sozialen Marktwirtschaft im Sozialkundeunterricht; Grundzüge der Wissenschaftstheorie; Positivistische Bildungsökonomie oder gesellschaftspolitisch engagierte Pädagogik? Zur Diskussion um technokratische und emanzipatorische Bildungskonzeptionen;*

Mit Wolfgang Roth auf einem Juso-Kongreß 1972

Die Krise der bürgerlichen Ideologie und die Gegenreform im Ausbildungssektor. So ziemlich alle Schlüsselbegriffe der gesellschaftskritischen Pädagogik sind hier versammelt. Fehlt nur das damals so überaus beliebte *dysfunktional*. Positivistische Bildungsökonomie oder *dysfunktionale* Pädagogik – das wäre auch gegangen. Die Schüler sollten nach unseren Vorstellungen nicht funktionieren, schon eher sollten sie Sand im Getriebe sein. Daß dem Schulsenator ein solches Lehrprogramm ein Dorn im Auge sein mußte, ist leicht einzusehen. Aber genau dafür hatte mich die Hochschule ja haben wollen.

Manchmal flog ich dreimal in der Woche vom damals einzigen Berliner Zivilflughafen Tempelhof nach Bonn, Frankfurt, München, Hamburg, Stuttgart oder Düsseldorf. Morgens früh standen die Flugzeuge aufgereiht, die Nasen unter dem riesigen Vordach des Nazi-Baus, und man ging, wenn man die Kontrolle passiert hatte, quer über die Betonfläche zu Fuß zur Gangway. Wenn die Flugzeuge nicht ausgebucht waren, konnte es passieren, daß man erst in der Luft bemerkte, daß man ins falsche Flugzeug gestiegen war. »Hier spricht der Kapitän. Wir begrüßen Sie auf unserem Flug nach Frankfurt.« Noch heute spüre ich den Schrecken, der mir in die Glieder fuhr, als ich die Ansage hörte. Ich wurde in Bonn am Flughafen erwartet, um von dort mit dem Auto weiter nach Siegen gebracht zu werden, wo ich vor Metallern über die Politik der Jusos zu sprechen hatte.

Es war die Zeit der Flügel- und Fraktionskämpfe. Die Jusos selbst zerfielen in drei miteinander streitende Flügel: die (reformistische) *Bundesvorstandslinie*, die auch ich vertrat, die *Stamokap-Gruppe* und die *Antirevisionisten*. Die Subtilitäten der damaligen Auseinandersetzungen interessieren heute zu Recht niemand mehr, und der Stil, in dem sie in der Regel ausgetragen wurden, war sicher auch nicht gerade vorbildlich. Dennoch glaube ich, daß sie notwendig waren, um zu verhindern, daß die Jungsozialisten und damit womöglich viele junge Menschen, die sich an ihnen orientierten, in einen dürren und demokratisch fragwürdigen Dogmatismus (Staatsmonopolistischer Kapitalismus) abglitten oder sich von der verbreiteten revolutionären Bewegungsromantik (Antirevisionismus) anstecken ließen. Besonders die ständigen Versuche der Vertreter der Stamokap-Gruppe, die Jungsozialisten in ein Bündnis mit der von der DDR ausgehaltenen DKP zu treiben, die sich als die eigentliche Avantgarde der Arbeiterklasse aufspielte, galt es meiner Meinung nach abzuwehren. Zu diesem Zweck verfaßte ich eine Streitschrift unter dem Titel *Zur Theorie und Praxis der ›Stamokap‹-Gruppe bei den Jungsozialisten*, die im Januar 1973 vom Bundesvorstand der Jungsozialisten veröffentlicht wurde und sofort für erhebliche Aufregung sorgte.

Viele der jungen Anhänger der Stamokap-Theorie waren wohl tatsächlich ehrlich der Meinung, es gehe nur um die korrekte Analyse der kapitalistischen Wirklichkeit und eine darauf fußende politische Strategie. Weder erkannten sie die antidemokratischen Implikationen dieser Theorie, noch begriffen sie, daß im Hintergrund einige Drahtzieher die Absicht verfolgten, die Jungsozialisten als Rekrutierungsbasis für die Ende der sechziger Jahre gegründete DKP zu nutzen. Erst als aufgrund heftiger Auseinandersetzungen eine größere Gruppe von Stamokap-

Jusos in Frankfurt am Main sich der DKP anschloß, wurde ihnen klar, was hier wirklich gespielt wurde. Nach 1989 stellte sich anhand der Stasiakten dann zudem heraus, daß einige der hartnäckigsten Vertreter der Stamokap-Theorie bei den Jusos für die Staatssicherheit der DDR gearbeitet hatten. Aber da spielten die Kontroversen der siebziger Jahre längst keine Rolle mehr.

In meinem letzten Jahr im Bundesvorstand der Jusos habe ich in einer Broschüre darzulegen versucht, was meiner Ansicht nach unter demokratischem Sozialismus zu verstehen sei. Diese Schrift unter dem Titel *Was ist demokratischer Sozialismus?* hob sich auch sprachlich deutlich von der Diktion ab, in der die Theoriepapiere der dogmatischen Gruppen verfaßt waren. Gleich im ersten Kapitel wird Sozialismus als radikaler Humanismus definiert, wobei die doppelte Frontstellung gegen den kapitalistischen Ökonomismus und gegen jede Form der bolschewistischen Entwicklungsdiktatur deutlich wird:»Der Mensch muß den Mittelpunkt sozialistischer Politik bilden. Wo er zum Sklaven des Hungers und der Not, zum Anhängsel der Maschine, zum ›Faktor Arbeit‹, zum Manipulationsobjekt der Werbetechniker und Propagandisten, zum Gegenstand bürokratischer Planung und Verwaltung, zur Nummer auf den Listen der politischen Polizei, zur kalkulierten, verschobenen, ge- und benutzten Figur auf dem Schachbrett der Macht degradiert wird, dort wird er in seiner Menschlichkeit vergewaltigt, ist er sich selbst entfremdet, fremd in einer Welt, die keinen anderen Sinn hat, als von ihm angeeignet, durchdrungen, mit Bewußtsein gestaltet zu werden.« Gegen den Avantgardedünkel der akademischen Revolutionsstrategen besteht der Text auf einem Freiheitsverständnis, das die positiven Seiten des politischen Liberalismus aufgreift, seine Beschränkungen aber vermeidet. Gegenüber dem sogenannten realen Sozialismus der Sowjetunion und der DDR betont er die universelle Bedeutung der Menschenrechte, der Demokratie und der Rechtsstaatlichkeit, gegenüber dem verkürzten Individualismus der Liberalen und Konservativen die soziale Dimension menschlicher Freiheit:»Der demokratische Sozialismus will ohne volkserzieherische Anmaßung die Voraussetzungen dafür schaffen, daß alle Menschen möglichst frei von Angst, Einsamkeit und Konkurrenzdruck in solidarischem Zusammenwirken ihr Leben gestalten können. Nicht als Einzelkämpfer in einer feindlichen Umwelt, sondern in Kommunikation und Kooperation mit seinen Mitmenschen entfaltet der Mensch den ganzen Reichtum seiner Persönlichkeit.« Die Schrift wurde vom Bundesvorstand der Jungsozialisten in großer Auflage herausgegeben und wurde vielfach nachgedruckt. Sie hat wohl einen nicht geringen Anteil daran gehabt, daß die große Mehrheit der Jungsozialisten auch dann an einem freiheitlichen Sozialismusverständnis festhielt, als unter dem Juso-Vorsitz Gerhard Schröders, der selbst damals eher den *Antirevisionisten* zuneigte, Vertreter der Stamokap-Gruppe vorübergehend dem Bundesvorstand angehörten.

In seinen Memoiren unter dem Titel *Entscheidungen. Mein Leben in der Politik* hat Gerhard Schröder seine damalige Rolle anders dargestellt. Daß er einige Jahre lang als Sprecher der Antirevisionisten auftrat, die den pragmatisch reformorientierten Kurs des Bundesvorstandes im Namen eines vermeintlich reinen Marxismus kritisierten und schließlich von einem Bündnis von Antirevisionisten und Stamokap-Jusos zum Bundesvorsitzenden gewählt wurde, erwähnt er nicht. Den damaligen Auseinandersetzungen zwischen den verschiedenen Juso-Fraktionen widmet er nur wenige Sätze, wobei er sich auf seinen Studienort Göttingen beschränkt: »Es gab dort zu jener Zeit zwei Gruppierungen. Politisch links waren beide. Der Meinungsstreit zwischen den Vertretern der reinen Theorie, die auf die selbständige Aktivität der Massen und nicht auf Parteien setzten, und einer eher pragmatisch orientierten Gruppe. Es ging um die Frage, ob der als notwendig angesehene grundlegende gesellschaftliche Wandel noch mit und in der SPD oder nur durch eine veränderungsbereite Massenbewegung außerhalb der Partei zu bewerkstelligen sei. Ich gehörte zum pragmatischen Flügel.« Ich bin ziemlich sicher, daß mir meine Erinnerung keinen Streich spielt, zumal alle damaligen Mitstreiter, die ich dazu befragt habe, meine Version bestätigen. Andererseits liegen diese Dinge lange zurück, und es mag schon sein, daß wir alle, wenn wir älter werden, dazu neigen, unserem Leben im Rückblick eine größere Konsequenz und Geradlinigkeit zu geben, als ihm tatsächlich zukommt.

Ich war in den siebziger Jahren so etwas wie ein reisender Agitator, der kreuz und quer durch die Bundesrepublik fuhr, Vorträge hielt und auf Podien diskutierte, mal mit Gewerkschaftern, mal mit Studenten, mit Vertretern konservativer Parteien und Jugendorganisationen und mit linken Sektierern aller Schattierungen, gelegentlich auch mit viel zu laut sprechenden Offizieren der Bundeswehr oder mit vornehm näselnden Herren der Hamburger oder Düsseldorfer Handelskammer. Manchmal hatte ich zwei oder drei Auftritte am Tag zu absolvieren, und zuweilen kam es vor, daß ich in einer Stadt, in der ich einen Vortrag zu halten hatte, zunächst an einer Litfaßsäule die Plakate studierte, um herauszufinden, wie mein Thema lautete. Dann setzte ich mich in ein Café, machte mir ein paar Notizen und verließ mich ansonsten auf die allmähliche Verfertigung der Gedanken beim Reden.

Die Rolle, die ich damals bei den Jungsozialisten und in der SPD einübte, war in keinem Organisationsstatut und in keiner Satzung vorgesehen. Es ergab sich einfach so, daß wo immer über Grundfragen linker Politik diskutiert wurde, man mich einlud, die Position *der* Jungsozialisten, die es nicht gab, oder die Position *der* Linken in der SPD, die es ebensowenig gab, zu vertreten. Ich tat das, was ich ehrlicherweise tun konnte: Ich vertrat meine eigene Meinung. *Ohne Auftrag*, wie mein Freund Klaus Staeck es später nannte, als er sein eigenes Engagement für die gleiche Sache in der Rückschau beschrieb. Ohne mit Kritik an den Jungsozialisten und der SPD zu sparen, wo sie mir notwendig erschien, aber in einer grundsätzlichen Solidarität mit den Werten und dem Grundanliegen des demokratischen Sozialismus.

Die Routine. Zu wissen, wann man die Stimme erheben, wann man sie senken mußte, auf welchen Redebeitrag man genauer einzugehen hatte, welchen anderen man getrost übergehen konnte. Einen hartnäckigen Widersacher hinten im Saal ins Auge fassen, ihn aus der Anonymität der Gruppe herauslösen, ihm die Entgegnung mit dem Zeigefinger auf die Stirn zeichnen. Oder scheinbar absichtslos, mit leiser Stimme, aber übers Mikrophon natürlich gut hörbar, eine die eigene Position ironisch relativierende Bemerkung machen, die einem die Sympathie der neutralen Zuhörer sicherte. Man konnte es lernen, und ich lernte es beängstigend schnell. Aber ich spürte auch, daß die Fertigkeit und Geistesgegenwart im Reden und Diskutieren, die mich auch schwierige Situationen bestehen ließ, eine *Technik* war, daß sie den lebendigen Gedanken funktionalisierte, ihn in ein festes Bett zwang und damit, zum Teil zumindest, entstellte. Es war wichtig zu gewinnen, auf alles eine treffende Antwort parat zu haben. Besonders wenn der Saal voller politischer Gegner war, lief ich, der *agonale* Typ, zu großer Form auf: ein Wortkämpfer, ein *Argumentationsgangster*. Aber nachts im Hotelbett oder auf der Matratze in irgendeiner WG liefen die Diskussionen in meinem Kopf weiter. Schnappende Stimmen, die mich bedrängten, Worte, halbe Sätze, aus dem Zusammenhang gerissen, jagten wie Geschosse durch meinen Kopf. Oft schlief ich erst im Morgengrauen ein und wachte nach einigen Stunden betäubten Schlafs mit einem unbestimmten Gefühl der Trauer und der Leere auf.

Unser Leben sollte leicht sein, leicht und frei, nicht umstellt von tausend grimmigen Verboten wie bei unseren Eltern und Großeltern. Aber dann gelang es uns doch viel zu selten, dieses Schweben, dieser selbstvergessene Taumel des Glücks. Manche halfen nach mit Alkohol, Haschisch, LSD, Meskalin. Wenn schon die Revolution nicht so recht vorankam, dann gab es vielleicht eine Hintertür ins Paradies. *Bewußtseinserweiterung* – auch das eine Hoffnung, die von jenseits des Atlantik herüberkam. Wie es gehen sollte, schilderten Bücher von Timothy Leary und Carlos Castañeda, die in der Szene von Hand zu Hand gingen. Drogenkonsum, machten sie glauben, war eine antibürgerliche, subversive Tat. Man betäubte sich nicht, um für ein, zwei Stunden die schlechte Realität zu vergessen und danach wieder als Rädchen im Getriebe zu funktionieren, man erweiterte sein Bewußtsein, das neue revolutionäre Subjekt, die halluzinierende subversive Kraft eilte der realen Entwicklung voraus in jenen utopischen Raum, der die Heimat des Neuen sein würde.

Ich war immun gegen diese Verführung, aus einer tiefsitzenden Abneigung gegen alle Formen der Selbstmanipulation heraus, vielleicht auch, weil ich wußte, wie grausam sich schon im 19. und zu Anfang des 20. Jahrhunderts romantische Morphinisten in diesem Punkte getäuscht hatten. Schreiben, Malen, unvergleichliche Kunstwerke schaffen unter Drogeneinfluß, im Rausch zu sich selbst, zum tiefsten Wesen der Dinge und der Existenz vordringen, das hatte noch nie geklappt. Aber die Sehnsucht, die solche Selbstexperimente antrieb, die kannte auch ich. Ich erinnere mich, daß mich manchmal mitten in einer Sitzung oder auf der Fahrt mit dem Auto zu einer der unzähligen Veranstaltungen wie aus dem Nichts schwarze Trauer überfiel. Einmal gegen Abend auf einem kahlen Hügel in der Eifel. Ich habe das Auto am Straßenrand geparkt, blicke in das weite Land, das im violetten Dunst unter mir liegt, und mir laufen die Tränen herunter, einfach so. Ein andermal stehe ich an einer zugigen Straßenecke in einer Telefonzelle, rufe zu Haus in Berlin an, und als Barbara sich meldet, weiß ich nicht, was ich sagen soll, höre ihren Atem am anderen Ende und sage schließlich etwas, von dem ich weiß, daß es unsinnig ist:

Ist die Kleine da?

Um diese Zeit? Du weißt doch, daß sie um diese Zeit in der Schule ist.

Ja, natürlich. Ich dachte nur...

Was dachtest du?

Ich weiß nicht, was ich dachte...

Einige Jahre später, als ich den wunderbaren Roman von Per Olov Enquist *Auszug der Musikanten* las, erkannte ich mich in dem Agitator Elmblad wieder, der Anfang des 20. Jahrhunderts durch die schwedische Provinz Norbotten reist, um den Sägewerks- und Grubenarbeitern die frohe Botschaft des Sozialismus zu bringen. Am Ende steht auch er auf einem Hügel, schaut in das karge Land und weiß keine Antwort auf die Frage, wer er ist. Ich glaube nicht, daß irgend jemand von den vielen Menschen, die ich auf meinen Reisen traf, die Melancholie bemerkte, die mich zuweilen umfing. Ich hielt Reden, diskutierte, saß hinterher in einer Kneipe mit Gleichgesinnten zusammen, trank Bier oder Wein, flirtete, gab mich geistreich. Man hätte schon ein besonders feines Gespür haben müssen, um zu erkennen, daß hinter der glatten Fassade noch etwas ganz anderes zu finden war.

In den Bundesvorständen der Jungsozialisten, denen ich in den siebziger Jahren angehörte, betrug die Scheidungsrate nahezu 100 Prozent. Nicht daß wir in Liebesdingen leichtfertiger gewesen wären als andere. Wir waren nur meistens nicht da, wenn unsere Kinder und unsere Partner uns brauchten, weil es immer etwas Wichtigeres zu tun gab. Über die Weihnachtstage war eine große Strategieklausur angesetzt, zu der auch die Ehepartner und die Kinder eingeladen wurden. In Großgmain bei Salzburg zum Beispiel oder in Romanshorn auf dem Schweizerischen Ufer des Bodensees. Eine gutgemeinte Veranstaltung, die den Zusammenhalt der Familien stärken sollte. Aber wenn nach stundenlangen Diskussionen über die Strategie der Jungsozialisten zum Abendessen auch die Frauen, Freundinnen, Ehemänner und Kinder dazukamen, gab es so gut wie immer zwischen einem der Paare Streit. Die Anlässe waren nichtig. Ein unbedachtes Wort, eine mißdeutete Geste, schon gab es Tränen, beleidigte Gesichter, Türenschlagen und die Drohung, am nächsten Tag abzureisen. Beim Frühstück mußte immer irgend jemand überredet werden, doch noch dazubleiben.

Der Versuch, das Politische mit dem Privaten zu verbinden, war viel schwieriger, als wir geglaubt hatten. Das Politische war gefräßig, wer sich mit ihm einließ, konnte leicht mit Haut und Haaren verschlungen werden. Es gab immer sehr gute Gründe, warum dies und auch dies noch besprochen werden mußte, wenn die Partner spazierengehen, die Kinder Spiele spielen, Schlittschuh laufen oder Schlitten fahren wollten. Ich erinnere mich, wie einmal die gerade zehnjährige Maritta allein aufs Eis ging, weil ich wieder einmal keine Zeit für sie hatte. Auf einmal stand sie in der Tür des Sitzungsraums, triefend naß und vor

Kälte zitternd. Papa, ich bin eingebrochen, das war alles, was sie herausbrachte. Ich sprang auf, nahm sie auf den Arm, rannte mit ihr die Treppe hinauf zu unserem Zimmer. Dort ließen Barbara und ich ihr sofort ein heißes Bad ein, wickelten Maritta in ein großes Handtuch und legten sie ins Bett. Und dann saßen wir auf der Bettkante, hätschelten das Kind, redeten miteinander, wie wir lange nicht mehr miteinander geredet hatten, und ich dachte mit keinem Gedanken an all die wichtigen Dinge, die unten im Sitzungszimmer besprochen wurden.

»Glück«, heißt es bei Walter Benjamin, »ist seiner selbst ohne Schrecken innewerden können.« Konnte ich das in jenen Jahren? Konnte ich in den Spiegel sehen und sagen: So wie du lebst, bist du ein ganzer Mensch? Ich zweifelte nicht daran, daß die Sache, die wir verfochten, gut und richtig war. Auch heute noch glaube ich, daß es sich lohnt, sich für den demokratischen Sozialismus zu engagieren. Aber war es richtig, diesem Engagement soviel anderes zu opfern, das nicht weniger wichtig war? Ich brauchte Zeit, Zeit für mich, für die Familie, für die Dinge, um deretwillen wir doch eigentlich Politik machten, die Gesellschaft verändern wollten. Dann und wann versuchte ich mich zu entziehen, ließ mich am Telefon verleugnen, gab die Ferienadresse nicht an, war für einige Tage unauffindbar. Einmal, als eine Veranstaltung, an der Heidi Wieczorek-Zeul und ich gemeinsam hätten teilnehmen sollen, kurzfristig abgesagt wurde, bestellte ich kurzerhand zwei Karten für ein Haydn-Konzert, das an diesem Abend in der Bonner Beethoven-Halle stattfand. Wie Schulschwänzer stahlen wir uns aus dem Juso-Büro davon, weil wir keine Lust hatten, uns womöglich für unseren bürgerlich-privatistischen Eskapismus rechtfertigen zu müssen. Als wir dann aber unter all den festlich gekleideten Menschen saßen und gebannt dem Streichquartett lauschten, freuten wir uns diebisch, als hätten wir für einen Moment die ganze Welt ausgetrickst.

Aber natürlich war mit solchen eruptiven Aktionen das Problem der Selbstüberforderung nicht zu lösen. Vor allem, weil neben der politischen Arbeit auch die Arbeit als Hochschullehrer mich erheblich beanspruchte. Sie war wichtig, war Teil des politischen Engagements. Wer dieses Land nachhaltig verändern wollte, brauchte Lehrer, die die ihnen anvertrauten jungen Menschen zu kritischen Demokraten erzogen. Die Schule galt damals allen politischen Gruppen neben Hochschule und Betrieb als wichtiger Ansatzpunkt. Kein Wunder also, daß auch an der Pädagogischen Hochschule die zermürbenden Fraktionskämpfe tobten. In Lankwitz waren die Maoisten vom Kommunistischen Studentenverband (KSV) besonders aktiv, ihre Flugblätter, in denen sie unter anderem zur »allgemeinen Volksbewaffnung« aufriefen, lagen in der Mensa auf jedem Tisch. Zeitweilig beherrschten sie sogar weitgehend die studentischen Vollversammlungen, weil viele, die anders dachten, sich nicht länger die Tiraden der Maoisten anhören mochten und deswegen fernblieben. Ich hatte mir ihre besondere Feindschaft zugezogen, weil ich in einer Diskussion darauf hingewiesen hatte, daß ihre Forderung nach allgemeiner Volksbewaffnung bisher nur in einem Land der Erde verwirklicht worden sei, nämlich in den USA.

Trotzdem machte mir die Arbeit an der Pädagogischen Hochschule Spaß, weil die meisten der angehenden Lehrer, die in meine Lehrveranstaltungen kamen, mit großer Begeisterung bei der Sache waren. Aber der Schulsenator zögerte meine Verbeamtung hinaus. Das Urteil im Mainzer Beleidigungsprozeß kam als Argument gelegen, die Sache auf die lange Bank zu schieben. Der Fachbereichsrat protestierte, der Rektor verwendete sich mehrmals für mich. Es bewegte sich aber nichts. In dieser Situation erreichte mich die Anfrage von Professoren und Studenten der Fachhochschule für Sozialpolitik und Sozialpädagogik (FHSS), ob ich bereit wäre, dort zum Rektor zu kandidieren. Ich sagte zu und wurde nahezu einstimmig gewählt. Aber der Senat zögerte auch diesmal, die Entscheidung der Hochschule zu bestätigen. Stattdessen brach nun ein geradezu hysterischer Konflikt aus, mit Großen Anfragen der CDU im Abgeordnetenhaus und einer unsäglichen Kampagne der Springer-Presse gegen den sittlich verwahrlosten Radikalinski, den man auf keinen Fall zum Rektor einer Berliner Hochschule machen dürfe. Der Senat knickte erwartungsgemäß ein und bestellte einen kommissarischen Rektor, der an der Fachhochschule alle Gremien gegen sich hatte, die Hochschule selbst hielt an ihrer Wahlentscheidung fest – eine auf Dauer für alle Beteiligten unerträgliche Situation. Auf dem Höhepunkt dieser Auseinandersetzung rief mich eines Tages Günter Grass an: Du hast Ärger? Ich hab Rotwein. Komm doch mal zu mir in die Niedstraße, dann können wir uns ein bißchen unterhalten. Ich hatte Günter Grass vor gut einem Jahr kennengelernt. Wir saßen im Flugzeug zufällig nebeneinander, und er fragte mich nach den kulturpolitischen Positionen der Jusos. Aber da gab es nicht viel zu berichten, wie ich beschämt einräumen mußte. Danach hatte ich ihn noch ein- oder zweimal im Bonner Büro der SPD-Wählerinitiative gesehen. Nun saßen wir uns in seinem Haus in der Niedstraße 13 in Friedenau an einem großen französischen Bauerntisch gegenüber, tranken eine Menge Rotwein, sprachen am Ende gar nicht viel über das politische Hickhack um meine Wahl zum Rektor, sondern vor allem über Literatur, über August Bebels *Die Frau und der Sozialismus*, über Alfred Döblin, den er vor einigen Jahren in einem Aufsatz für die Literaturzeitschrift *Akzente* »seinen Lehrer« genannt hatte, und vor allem über Camus: er über den *Mythos von Sisyphos*, ich über *Der Mensch in der Revolte*. Als ich mich spät in der Nacht von ihm verabschiedete, zitierte er den Schlußsatz des Camusschen *Sisyphos*, den ich später noch so oft aus seinem Munde hörte. Vergiß nicht, sagte er, »wir müssen uns Sisyphos als einen glücklichen Menschen vorstellen«.

Der Rektoratsstreit zog sich ein ganzes Jahr hin, fast ebensolange wie das quälende Ende meiner Ehe mit Barbara. Wir hatten die Wohnung in der Gropius-Stadt nach einem Dreivierteljahr verlassen und waren zu Freunden in eine WG im Stadtteil Britz gezogen. Immer häufiger, wenn ich von meinen Reisen nach Haus kam, fand ich hier außer den mir bekannten WG-Genossen einen jungen Mann vor, den Mitinhaber einer Kneipe, in der damals viele Schauspieler und Filmleute verkehrten. Es war nicht zu übersehen, daß er Barbaras Liebhaber war. Auch ich war nicht immer treu gewesen, in jenen Jahren der sexuellen Befreiung und der Antibabypille, als wir von Aids noch nichts wußten, fast eine Selbstverständlichkeit. Aber als ich merkte, daß es Barbara diesmal ernst war, traf es mich doch wie ein Schock. Ich klammerte mich an eine Ehe, die schon lange keine mehr war. Es gab »klärende Gespräche«, die gar nichts klärten, weil sie nur eine Fortsetzung des Streits mit sinnlosen Vorwürfen und Gegenvorwürfen waren, und als ich schließlich, um die für die Hochschule unerträgliche Pattsituation aufzuheben und die Neuwahl eines Rektors zu ermöglichen, meinen Verzicht erklärte, war auch der Zeitpunkt gekommen, da ich meine Sachen packte und aus der WG auszog, in der ich die letzten Jahre mit der Familie gewohnt hatte.

Freunde nahmen mich in ihre WG auf, am anderen Ende der Stadt nahe dem S-Bahnhof Schmargendorf: eine Doppelhaushälfte mit Garten und einer Hängematte zwischen zwei Birnbäumen. Ich bezog ein Zimmer unter dem Dach, mit einer schrägen Wand und einem Gaubenfenster, von dem aus man direkt in die Kronen der Linden blickte, die die Hanauer Straße säumten. Hier saß ich, wenn ich nicht gerade mal wieder in Sachen Sozialismus unterwegs war, an einem großen Schreibtisch und schrieb, ausgestattet mit einem Forschungsstipendium des Instituts für Sozialgeschichte in Amsterdam, an einer kritischen Bilanz der sozial-liberalen Reformpolitik. Meine Eltern waren inzwischen in die USA ausgewandert, lebten in Kalifornien bei meinen beiden älteren Brüdern, meine Schwester war Lehrerin im Hessischen und mein jüngerer Bruder lebte in einem kleinen Nest in der Nähe von Hannover und arbeitete an seiner Karriere als Unternehmer. Fast sechs Jahre lang waren sie meine Familie: Bettina, Mona, Jan, Rainer, Ibo und Rolf. Bettina war Richterin, Mona und Ibo studierten, Jan und Rainer arbeiteten als Biochemiker an der FU, Rolf war Elektriker. Die meisten von ihnen hatten wie ich eine Ehe oder eine jahrelange Beziehung hinter sich, wußten aus Erfahrung, daß Zerwürfnisse zwischen Menschen oft aus kleinen Mißverständnissen und Nachlässigkeiten erwachsen. Entsprechend behutsam gingen wir miteinander um.

12

IN DIPLOMATISCHER MISSION

Bei allen Konflikten, die es zwischen den Jusos und der SPD gab, bestand in einem Punkte eine fast totale Übereinstimmung: in der Ost- und Entspannungspolitik. Schon als Egon Bahr am 15. Juli 1963 in der Evangelischen Akademie Tutzing seinen berühmten Vortrag »Wandel durch Annäherung« gehalten hatte, hatte mich das Konzept der neuen Ostpolitik fasziniert, und als nach der Bildung der sozial-liberalen Koalition im Jahre 1969 endlich ernst gemacht wurde mit einer Politik der Gespräche und Verträge, war für mich klar, daß wir Jusos die Ost- und Entspannungspolitik von Willy Brandt und Egon Bahr, wo immer sich uns dazu Gelegenheit bot, zu unterstützen hatten, weil ich davon überzeugt war, daß nur so für die Menschen im geteilten Deutschland und im geteilten Europa Erleichterungen herbeigeführt werden konnten und die Gefahr einer kriegerischen Entladung der Ost-West-Spannung zu bannen war.

Als Schüler waren wir in den fünfziger Jahren in offiziellen Broschüren der Bundesregierung und in den Erläuterungen unserer Lehrer dringend davor gewarnt worden, uns mit Kommunisten in Diskussionen einzulassen. Diese seien, hieß es, »dialektisch geschult« und drehten einem so lange das Wort im Munde herum, bis man ihnen schließlich auf den Leim gehe. Es ist nicht schwer zu erkennen, daß hier die christliche Vorstellung vom Teufel als dem trickreichen Verführer Pate gestanden hatte. Mit dem Teufel diskutiert man nicht, ihm geht man aus dem Weg oder, wenn dies nicht möglich ist, streckt man ihm das Kruzifix entgegen und ruft: »Weiche, Satan!« Aber das »Weiche, Satan!« unserer christlichen Politiker führte nur dazu, daß mit dem Bau der Mauer in Berlin die Lage für die Menschen auf beiden Seiten der Grenze nur noch schlimmer wurde. Wer einen halbwegs kühlen Kopf bewahrte, dem war spätestens seit August 1961 klar, daß man, um aus der festgefahrenen Situation herauszukommen, etwas anderes versuchen müsse.

Aber als im Jahre 1966 die SPD den ersten Versuch eines Dialogs mit der SED unternahm, wurden in konservativen Kreisen und in der Springer-Presse sofort die altbekannten Ängste mobilisiert. Gespräche mit Vertretern des Gänsefüßchenstaats, der sogenannten DDR, das konnte in der Vorstellungswelt der meisten christlichen Politiker nur darauf hinauslaufen, daß der Westen seine demokratischen Überzeugungen preisgab. Mich hat dieses mangelnde Selbstbewußtsein eines Teils unserer Politiker immer gewundert. Trauten sie der Überzeugungskraft ihrer eigenen Argumente so wenig? Glaubten sie tatsächlich, die dialektisch geschulten SED-Kader verfügten über diabolische Fähigkeiten, denen wir Westler nicht gewachsen waren? Oder war ihnen trotz allen anders lautenden Beteuerungen der west-östliche Status quo im ganzen doch nicht gar so unbequem?

Ich habe bei den vielen Gesprächen und Diskussionen mit Vertretern der DKP, der SED und der KPdSU nie das Gefühl gehabt, ich könnte in argumentative Atemnot geraten. Die ängstliche Beflissenheit, mit der die kommunistischen Gesprächspartner zumeist versuchten sich auf einer von oben dogmatisch festgelegten Linie zu bewegen, schränkte ihre argumentativen Möglichkeiten von vornherein so sehr ein, daß sie so gut wie nie zu überzeugen wußten. In all den Jahren, in denen die Jusos begleitend zur Ost- und Entspannungspolitik der Partei Kontakte zur FDJ und zum Komsomol unterhielten, habe ich es nie erlebt, daß ein Mitglied einer Juso-Delegation von den Argumenten der anderen Seite sonderlich beeindruckt worden wäre. Im Gegenteil, die beste Methode, Jusos, die theoretisch den Positionen der DKP zuneigten, auf den Weg des demokratischen Sozialismus zurückzuführen, bestand darin, sie zu einer der offiziellen Delegationsreisen in die DDR oder, noch besser, in die Sowjetunion mitzunehmen. Der Anschauungsunterricht war in aller Regel heilsam.

Probleme gab es eher bei den Gegenbesuchen, vor allem, wenn Delegationen des Komsomol in die Bundesrepublik kamen. Es war für uns nicht ganz einfach, Landesverbände oder Bezirke der Jusos zu finden, die bereit waren, als Gastgeber für die ausländischen Gäste zu fungieren, weil sich sehr bald herumsprach, daß diese in der Regel an politischen Diskussionen völlig desinteressiert waren. Was die Freunde vom Komsomol vor allem interessierte, waren Kaufhäuser und pornographische Zeitschriften. Bei Diskussionen über marxistische Theorie, über die unterschiedlichen Vorstellungen von Sozialismus, über Fragen der Abrüstung oder der Hilfe für die Dritte Welt blieben sie entweder stumm oder steuerten nur die bekannten Propagandaphrasen bei. Und nach einer solchen Diskussion kam meist prompt am nächsten Tag der Wunsch nach einer Programmänderung: weniger Diskussionen und mehr Zeit zum Besuch von Kaufhäusern.

Das Jugendaustauschprogramm, das wir in unserer Begeisterung für die neue Ost- und Entspannungspolitik Anfang der siebziger Jahre vereinbart hatten, sah neben regelmäßigen Delegationsbesuchen auch die Teilnahme von offiziellen Vertretern der Jugendverbände an den Kongressen der jeweils anderen Seite vor. Für die Vertreter des Komsomol waren Juso-Kongresse stets eine harte Prüfung. Was wir für eine ganz normale lebhafte Diskussion hielten, war für sie, die nur die ritualisierten Parteitage und Kongresse der KPdSU kannten, ein unbegreifliches Pandämonium. Das Problem war aber, daß die Sendboten der Sowjetjugend bei ihrer Rückkehr eine den strengen marxistisch-leninistischen Maßstäben genügende *wissenschaftliche* Einschätzung des Juso-Kongresses zur Auswertung durch die Partei abzuliefern hatten. Da die meisten von ihnen, selbst wenn sie perfekt deutsch sprachen und nicht auf einen Dolmetscher angewiesen waren, so gut wie nichts von dem begriffen, was da vor ihren Augen ablief, ihre weitere Karriere in der Partei aber davon abhing, daß sie die geforderte Analyse zustande brachten, ergab sich ein Dilemma.

Ich erinnere mich, daß nach einem solchen Kongreß ein Vertreter des Komsomol mir auf die Toilette folgte, eine Zeitlang herumdruckste und dann die Bitte äußerte, ich möge mir doch einmal seinen Bericht über unseren Kongreß ansehen, weil er fürchte, nicht alles richtig verstanden zu haben. Am nächsten Tag ließ ich mir den Bericht zeigen. Er hatte tatsächlich überhaupt nicht verstanden, worum es in den Diskussionen des Kongresses gegangen war. Als ich es ihm erklären wollte, winkte er ab. Bitte schreiben Sie, sagte er. Ich habe dann tatsächlich auf vier Seiten eine Darstellung der Verhandlungen und Entscheidungen unseres Kongresses zu Papier gebracht, die vermutlich ohne Änderungen als die einzig wissenschaftliche marxistisch-leninistische Einschätzung in die Archive der KPdSU eingegangen ist.

Ich bin in meiner Juso-Zeit viermal in der Sowjetunion und zweimal in der DDR gewesen. Hätte ich je Illusionen über das System des *realen Sozialismus* gehabt, nach diesen Reisen wären sie sicherlich verflogen gewesen. Dabei wurde uns selbstverständlich stets nur die Schokoladenseite oder, was die Gastgeber dafür hielten, vorgeführt. Wir wurden in luxuriösen Hotels und Gästehäusern untergebracht, opulent bewirtet und auch sonst in jeder Hinsicht bevorzugt behandelt.

Wie es wirklich im Land aussah, was die Menschen wirklich dachten, erfuhren wir bei diesen Gelegenheiten zumeist nicht. Nur einmal, als wir in Usbekistan einen Baumwollkolchos besuchten, passierte etwas, das sehr aufschlußreich war. Es war im Herbst 1973, kurz nachdem Walter Ulbricht gestorben war. Der Kolchosvorsitzende, ein hageres Männchen mit der landesüblichen Djubeteka, einem runden Käppi mit silbrigen Verzierungen auf schwarzem Grund, auf dem Kopf, kam auf mich zu, legte sein Gesicht in pietätvolle Falten, ergriff meine Hand, hielt sie lange fest und sagte dann auf deutsch: Ulbricht tot. Mein Beileid. Sofort sprang der offizielle Dolmetscher hinzu und flüsterte ihm ins Ohr, daß wir nicht aus der DDR, sondern aus der Bundesrepublik kämen. Das Männchen stutzte einen Augenblick, sah mich dann in plötzlicher Erkenntnis an und rief entzückt: Willy Brandt! Willy Brandt! Immer wieder nur diesen Namen. Er hüpfte vor Freude herum, lief dann ins Haus, kam gleich darauf mit den Küchenfrauen wieder heraus, zeigte auf uns und rief wieder: Willy Brandt! Willy Brandt! Unseren Gastgebern war das alles sehr peinlich. Es sind sehr einfache Leute, sagte der Dolmetscher zu mir in einem Ton, aus dem die Verachtung für das gemeine Volk herauszuhören war. Er meinte das wohl als Entschuldigung. Aber ich war dankbar, daß ich auf diese Weise erfahren hatte, welche Hoffnungen die Politik von Willy Brandt bei den einfachen Leuten im fernen asiatischen Teil der Sowjetunion weckte.

Das Anstrengendste an den Delegationsreisen in die Sowjetunion war der viele Wodka, den man trinken mußte. Immer wenn einer unserer Gastgeber einen Toast auf den Weltfrieden, auf die deutsch-sowjetische oder die Völkerfreundschaft im allgemeinen, in vorgerückter Stunde auch immer häufiger auf die Frauen und die Liebe ausgebracht hatte, wurde von uns erwartet, daß wir das randvolle Zahnputzglas mit Wodka leerten, das vor uns stand. Ich versuchte mich, so gut es ging, zu drücken, aber auch wenn ich aus Höflichkeit nur einen Schluck nahm, war ich am Ende eines solchen Abends doch ziemlich erledigt. Bei meinem dritten Besuch in der Sowjetunion schien in dieser Hinsicht alles anders zu sein. Gleich am Moskauer Flughafen Scheremetjewo empfing uns die *Komsomolskaja Prawda* mit der Schlagzeile KAMPF DEM ALKOHOLISMUS! Mein alter Freund aus Germersheimer Tagen, Klaus Hähnel, den wir diesmal als unseren Dolmetscher mitgenommen hatten, übersetzte uns das Wichtigste aus dem dazugehörigen Artikel, während wir auf unser Gepäck warteten. Alle Jugendverbände der Sowjetunion, stand da, hätten sich zusammengetan, um in einer großen Kampagne dem übermäßigen Alkoholkonsum zu Leibe zu rücken. Ich schöpfte Hoffnung, zumindest diesmal, was das Wodkatrinken anging, geschont zu werden. Aber bereits am ersten Abend zeigte sich, daß die Hoffnung trog. Die Jungkommunisten dachten gar nicht daran, die Mäßigung, die sie den Sowjetmenschen predigten, selbst zu üben. Im Gegenteil, die Gelage waren strapaziöser denn je.

Eine ernsthafte Diskussion über politische Grundsatzfragen habe ich in der Sowjetunion nur einmal geführt, und zwar in der

Deutschlandabteilung der KPdSU. Es war 1972, unmittelbar nach der Verabschiedung des Grundlagenvertrags zwischen der Bundesrepublik und der DDR. Kurz vor unserer Abreise zu einer der üblichen Delegationsreisen erreichte uns die Bitte, an einem wissenschaftlichen Symposium der Deutschlandabteilung der KPdSU zum Thema *Das bürgerliche und das marxistisch-leninistische Staatsverständnis* teilzunehmen. Das Thema war insofern heikel für die Veranstalter, weil wichtige Auffassungen von Marx zu diesem Thema, so zum Beispiel das von ihm vorausgesagte Absterben des Staates im fortgeschrittenen Sozialismus, in der Sowjetunion weitgehend ein Tabu waren. Ich hatte mich gut präpariert und belegte mit vielen Marx-Zitaten, daß die gängige marxistisch-leninistische Staatstheorie keineswegs mit den Ansichten von Marx selbst zur Deckung zu bringen sei, daß die Marxsche Kennzeichnung des bürgerlichen Staats als *ideellen Gesamtkapitalisten* etwas ganz anderes bedeute, als die von der KPdSU gern verwendete Floskel vom Staat als dem *Instrument der Monopole*, und daß sowohl Marx als auch Engels, anders als Lenin, unter den Bedingungen der Demokratie, explizit für England, die Niederlande und die USA, eine reformistische Strategie keineswegs von vornherein ausgeschlossen hatten.

Ich war nach den Erfahrungen mit Diskussionen innerhalb der bundesrepublikanischen Linken auf heftige Erwiderungen eingestellt. Aber das Interessante war, daß in der nachfolgenden Diskussion so gut wie kein Widerspruch geäußert wurde. Die anwesenden Parteifunktionäre und Wissenschaftler beschränkten sich im wesentlichen auf Fragen, vor allem nach dem Kontext und den genauen Belegstellen für meine Zitate, die ihnen offenbar zum großen Teil unbekannt waren. Als wir hinterher vor dem Gebäude der KPdSU standen und auf das Auto warteten, das uns zum Hotel bringen sollte, kam ein Teilnehmer des Symposiums, ein junger Mann von vielleicht dreißig Jahren, auf mich zu. Was Sie gesagt haben, war für mich und meine Kollegen sehr wichtig, sagte er. Sie müssen nämlich wissen, daß die meisten Schriften von Marx und Engels uns gar nicht zugänglich sind. Den jungen Mann habe ich viele Jahre später, als es die

Sowjetunion schon nicht mehr gab, auf einer Tagung in Moskau wieder getroffen. Er war in den achtziger Jahren einer der engsten Mitarbeiter von Michail Gorbatschow gewesen und hatte wesentlichen Anteil daran gehabt, daß die dramatischen Veränderungen in der zweiten Hälfte des Jahrzehnts möglich geworden waren.

Die zehnten Weltjugendfestspiele, oder wie sie offiziell hießen: die *Weltfestspiele der Jugend und Studenten*, fanden im Jahre 1973 in Ost-Berlin statt, zu einem Zeitpunkt also, da überall in Europa und in der ganzen Welt die Menschen neue Hoffnung schöpften, der Kalte Krieg könne überwunden und eine stabile Friedensordnung in Europa geschaffen werden. Die Verträge von Moskau und Warschau zwischen der Bundesrepublik einerseits und der Sowjetunion beziehungsweise der Volksrepublik Polen andererseits waren abgeschlossen, der Grundlagenvertrag zwischen der Bundesrepublik und der DDR unter Dach und Fach, Amerikaner und Sowjets hatten Gespräche über die Begrenzung der Rüstung begonnen und der Helsinki-Prozeß war in Gang gekommen. Kein Wunder, daß die vielen Tausende junger Menschen aus fast allen Ländern der Erde, die sich in Ost-Berlin trafen – allein aus der Bundesrepublik waren es achthundert – in Aufbruchstimmung waren.

Genau das aber bereitete der SED-Spitze Sorgen. Sie fürchtete, in diesem Klima könnte das Festival ideologisch und auch sonst außer Kontrolle geraten. Dabei war die sich abzeichnende Beteiligung zahlreicher Jugendorganisationen aus der Bundesrepublik, die nicht den Direktiven aus Ost-Berlin gehorchten, für sie ein besonderes Problem. Die Jugend- und Studentenorganisationen der DKP versuchten zwar im Vorbereitungskomitee alle Fäden in der Hand zu behalten, aber weder die Jungsozialisten noch die Gewerkschaftsjugend hatten Lust, sich von den Kommunisten majorisieren zu lassen. Also gründeten wir ein eigenes Vorbereitungskomitee, die *Koordinierungsgruppe X. Weltfestspiele*, der fünfzehn demokratische Jugendorganisationen angehörten, neben den Jusos und der Gewerkschaftsjugend die Falken, die evangelische Jugend, der Bund der katholischen Jugend, der Bund deutscher Pfadfinder, die Christlichen Pfadfinder, die Naturfreundejugend, die Jungdemokraten, die Beamtenbund-Jugend, Die Jugend der DAG, die Jungen Europäischen Föderalisten, die Deutsche Esperanto-Jugend, die Schreber-Jugend und die Solidaritätsjugend. Am Ende entschloß sich sogar die Junge Union, die anfänglich gegen die Teilnahme am Festival polemisiert hatte, dazu, nach Ost-Berlin zu fahren.

Was die SED-Spitze befürchtet hatte, trat ein: Vom ersten Tag an war sie trotz des massiven Einsatzes von Spitzeln und Sicherheitskräften nicht in der Lage, die Kontakte zwischen der eigenen Jugend und den Sendboten des Klassenfeindes zu kontrollieren. Zwar setzte die Partei alles daran, nur ideologisch zuverlässige Kader der Feindberührung auszusetzen und Jugendliche aus anderen Teilen der DDR, von deren Linientreue sie nicht überzeugt war, möglichst gar nicht erst nach Ost-Berlin hereinzulassen, aber die Dynamik der Situation war selbst für Mielkes fleißige Mannen zuviel. Uns Jungsozialisten hatte man als Hauptquartier für die Zeit des Festivals ein Haus weitab vom Zentrum in Treptow zugewiesen. Als wir auf dem Alexanderplatz mit Flugblättern für eine Informationsveranstaltung der Jungsozialisten werben wollten, waren wir plötzlich umringt von diskreten Herren, die sich anboten, das Verteilen der Flugblätter für uns zu übernehmen. Natürlich wußten wir, mit wem wir es zu tun hatten. Wir bestanden darauf, wie im Vorfeld von uns ausgehandelt, ungehindert informieren zu dürfen. Es kam zu einem Gerangel mit den Stasi-Leuten, die aber, als immer mehr junge Leute, unter ihnen auch Angehörige der FDJ, für uns Partei ergriffen, schließlich nachgaben und uns nur noch aus der Ferne mißtrauisch beobachteten.

Die Veranstaltung selbst war ein voller Erfolg. Zwar hatte die SED versucht, den Saal frühzeitig mit zuverlässigen Leuten zu besetzen, aber der Andrang war so groß, daß das Vorhaben mißlang. Außerdem waren die westdeutschen Fernsehsender und viele westliche Journalisten anwesend, denen gegenüber die SED einen halbwegs gesitteten Eindruck machen wollte. Ich hielt einen dreißigminütigen Einführungvortrag über die Grundprinzipien des demokratischen Sozialismus, dann stellten Wolfgang Roth, der damalige Vorsitzende der Jusos, Karsten Voigt, wie ich stellvertretender Vorsitzender, und ich uns der Diskussion, die sich für die SED-Kontrolleure zum Fiasko entwickelte. Der erste Redner im typischen SED-blauen Anzug und mit Parteiabzeichen am Revers erntete schallendes Gelächter, als er behauptete, meine Forderung nach Meinungsfreiheit sei im realen Sozialismus längst vorbildlich erfüllt, weil Zeitungen und Bücher in der DDR so billig seien, daß jedermann sie sich leisten könne. Schließlich meldeten sich Mitglieder der FDJ und SED-Mitglieder zu Wort, die meinen Thesen vorbehaltlos zustimmten. Das Schlimmste aus der Sicht der SED aber war, daß das ARD-Magazin *Panorama* zwei Tage später eine ausführliche Dokumentation der Veranstaltung brachte und damit Millionen von DDR-Bürgern die Blamage der SED vor Augen geführt wurde.

Die Verunsicherung in der politischen Führung der DDR wuchs noch, als während des Festivals Walter Ulbricht starb. Von seinem Nachfolger, Erich Honecker, wurde allgemein eine vorsichtige Liberalisierung erwartet, und zunächst konnte man auch den Eindruck gewinnen, daß dies der Fall war. Zwar erkannte Honecker die Gefahren für das Regime, die mit der Politik der Entspannung und der damit verbundenen Gesprächsdiplomatie verbunden waren. Aber inzwischen war etwas in Gang gekommen, was so leicht nicht mehr gestoppt werden konnte. Hand in Hand mit der diplomatischen Annäherung beider deutschen Staaten entwickelte sich in der DDR eine literarische und musikalische Subkultur, die der SED-Führung immer größere Probleme bereitete. Schließlich zog die SED die Notbremse. Im Jahr 1976 wurde Wolf Biermann, der sich auf Einladung der IG-Metall-Jugend und der Jungsozialisten zu einem Konzert in Köln befand, ausgebürgert, Jürgen Fuchs und zwei Mitglieder der berühmten Klaus Renft Combo, die während der Weltjugendfestspiele noch gefeiert worden war, wurden verhaftet. Die Hoffnung auf substanzielle Veränderungen, die Tausende von jungen Menschen während des Festivals in Euphorie versetzt hatte, war verflogen.

Vorn Heidi Wieczorek-Zeul und Gennadi Iwanowitsch
Janajew, dahinter in der Mitte J. S. und Klaus-Uwe Benneter

Natürlich kann man sich fragen, ob die Reisediplomatie, die wir als Jusos entfalteten, den ganzen Aufwand wirklich lohnte. Andererseits, in der Politik ist es so gut wie nie möglich, einigermaßen zuverlässig Kosten und Nutzen abzuwägen. Ich bin mir sicher, daß die neue Ost- und Entspannungspolitik der SPD allein dadurch, daß sie Feindbilder abbauen half und erweiterte Kontaktmöglichkeiten schuf, mit dazu beigetragen hat, die erstarrten Gesellschaften in den Ländern des Ostblocks in Bewegung zu bringen. Und der Helsinki-Prozeß als seine unmittelbare Konsequenz hat nachweislich überall im Machtbereich der Sowjetunion die Opposition ermuntert, indem er ihr mit dem berühmten *Korb drei* eine Rechtsgrundlage lieferte, auch wenn diese in der Praxis von den regierenden Kommunisten nicht anerkannt wurde. Eine ganze Reihe unserer damaligen Gesprächspartner habe ich nach Jahren wiedergesehen, und einige gehörten, wie der junge Mann aus der Deutschlandabteilung der KPdSU, später zu den Reformkräften um Gorbatschow, denen die Welt soviel verdankt.

Einen unserer Gesprächspartner haben wir allerdings ganz offensichtlich nicht in seinem Glauben an die Sowjetideologie erschüttern können. Er hieß Gennadi Iwanowitsch Janajew, war, damals schon fünfzigjährig, der Vorsitzende aller sowjetischen Jugendverbände. Mit ihm hatten wir in meinem letzten Juso-Jahr, als Heidi Wieczorek-Zeul schon Bundesvorsitzende der Jusos war, in Moskau einen Vertrag über den Austausch von Fachdelegationen abgeschlossen. Das Foto mit ihm und Heidi sitzend, dahinter Klaus-Uwe Benneter, später für kurze Zeit Generalsekretär der SPD, und ich sowie zwei weitere Sowjetjugendliche in fortgeschrittenem Alter stehend, hat sich erhalten. Was man auf dem Foto nicht sieht, ist das hängende Augenlid des großen Vorsitzenden Janajew, den unser Juso-Pressesprecher Klaus-Detlef Funke, ein Berliner mit frecher Schnauze, »Olle Klappauge« getauft hatte. Am 18. August 1991 sah ich *Olle Klappauge* wieder, und zwar in den abendlichen Fernsehnachrichten. Er war es, der mit zwei anderen stümperhaften Hardlinern den Putsch gegen Michail Gorbatschow anführte und damit den Weg für den Hasardeur Boris Jelzin frei machte.

13

HANAUER STRASSE 60

In meinem Tagebuch stoße ich für die Zeit in der Hanauer Straße immer wieder auf Eintragungen, die zeigen, daß mir die Trennung von Barbara und vor allem von Maritta doch wohl mehr zusetzte, als ich bisher gedacht hatte. Barbara sah ich nur noch selten, meist dann, wenn es etwas zu regeln gab, was unsere Tochter oder die Scheidung betraf. Maritta kam mich gelegentlich nach der Schule oder am Wochenende besuchen, übernachtete auch manchmal in unserem winzigen Gästezimmer, das gleich neben meinem Zimmer lag. Ich ging dann mit ihr ins Hallenbad oder in die Sauna, oder wir machten einen Ausflug in den Grunewald oder zum Wannsee. Ein paar Mal nahm ich sie auch auf eine kleinere oder größere Reise mit. Dennoch hatte ich den Eindruck, daß sie mir mehr und mehr entglitt. Die selbstverständliche Vertrautheit, die aus dem täglichen Miteinanderleben erwächst, stellt sich unter solchen Umständen eben doch nicht ein.

Dennoch waren die Jahre in der Wohngemeinschaft in der Hanauer Straße für mich eine glückliche Zeit. Nachts im Bett hörte man von den Geleisen her, die gleich hinter dem Garten verliefen, den singenden Ton der S-Bahnen, und wenn die schweren Kohlenzüge für das große Kraftwerk in Ruhleben vorbeifuhren, bebte das ganze Haus. Die Geräusche und das Beben haben sich meinem Gedächtnis eingegraben; sobald ich an die Wohngemeinschaft in der Hanauer Straße denke, sind sie wieder da, auch das Gefühl der Sicherheit und der Zugehörigkeit, das sie vermittelten. Immer wenn ich von einer meiner immer noch zahlreichen Reisen zurückkam, freute ich mich, *nach Haus* zu kommen, immer wenn ich tagsüber allein im Haus an meinem Schreibtisch saß, freute ich mich darauf, am Abend im sogenannten Gemeinschaftszimmer mit den anderen zu essen, danach vielleicht zusammen ins Kino, ins Theater oder in ein Konzert zu gehen oder einfach nur durch die Berliner Kneipen zu ziehen. Außer den gemeinsamen Abendessen, dem wöchentlich wechselnden Küchendienst, dem gelegentlichen Großreinemachen und den meist am Sonntagnachmittag stattfindenden Besprechungen der anstehenden Aufgaben gab es so gut wie keine die Mitglieder der Wohngemeinschaft bindenden Verpflichtungen. Vor allem machten wir nicht, wie wir das von anderen WGs kannten, den Versuch, unsere im linken Spektrum variierenden politischen Positionen durch Dauerdiskussionen möglichst zu vereinheitlichen. Wir waren Individualisten, die aus Erfahrung wußten, daß man ohne das Zusammenleben mit anderen Menschen verkümmert, aber genügend Eigensinn besaßen, um sich den Zwängen des Gemeinschaftlichen dennoch nicht mit Haut und Haaren zu unterwerfen.

Darf ich vorstellen?

Bettina: eine kleine Person, Schuhgröße 35, Absätze so hoch, wie die Schuhe lang. Sie hatte einen schwarzen Lockenkopf, der die Perücke jedes englischen Lord Justice locker in den Schatten stellte. Ihren Richterberuf nahm sie sehr ernst. Manchmal saß sie noch mit einem Glas Wein über ihren Akten, wenn wir in der Nacht von einer Kneipentour heimkamen. Aber wenn sie ihre kleinen ironischen Bemerkungen machte, blitzten ihre Augen vor Vergnügen.

Mona: norddeutsch, blond, von ansteckender Fröhlichkeit. Sie hatte eine Großmutter, die die einzige Leuchtturmwärterin Deutschlands war. »Geht nicht, gibt's nicht«, war ihre Devise. Als wir uns lange nicht entschließen konnten, die Küche zu renovieren, erledigte sie das im Alleingang, und wir mußten uns damit abfinden, daß die Küche hinfort aussah wie der Leuchtturm ihrer Großmutter: rot und weiß.

Jan: gründlich und ein wenig umständlich in allem, was er anpackte. Er neigte dazu, Dinge auch dann noch *auszudiskutieren*, wenn es für alle anderen längst nichts mehr zu diskutieren gab. Die Gemeinschaftskasse verwaltete er akribisch. Spontaneität war seine Stärke nicht. Wenn wir anderen abends spät noch zu einem Rundgang durch die Kneipen aufbrachen, mußte er meist mühsam überredet werden, mitzukommen.

Rainer: korrekt im Beruf, von chaotischer Umtriebigkeit in der Freizeit. Ihm konnte man schwer widerstehen, wenn er einen abends spät vom Schreibtisch weglockte, um, wie er sich ausdrückte, »noch mal kurz um die Häuser zu gehen«. Er war ein leidenschaftlicher Flipperspieler und ein ebenso leidenschaftlicher Vater. Wenn sein Sohn Sven zu Besuch kam, war der Zehnjährige der unbestrittene Mittelpunkt der WG.

Ibo: ein zartes, freundliches Wesen, das sich urplötzlich in einen unberechenbaren Kobold verwandeln konnte. Wenn sie unglücklich verliebt war – und sie war oft unglücklich verliebt –, spielte sie im Zimmer neben meinem elegische Weisen auf der Querflöte.

Rolf: klein, drahtig, gelegentlich aufbrausend. Er war den ganzen Tag mit seinem kleinen Renault-Lieferwagen unterwegs. Eigentlich wollte er auf dem Berlin-Kolleg das Abitur nachmachen, kam aber nicht recht dazu, weil er immer zuviel anderes zu tun hatte.

In den letzten Jahren habe ich die meisten von ihnen weitgehend aus den Augen verloren. Rainer lebt in Paris, Ibo irgendwo südlich von Sydney in Australien, Bettina, Mona und Jan in Berlin. Rolf, von dem ich schon seit mehr als dreißig Jahren nichts mehr gehört habe, wahrscheinlich auch. Ich habe keine Ahnung, ob sie noch so sind, wie ich sie in Erinnerung habe. Vielleicht sind sie in Wirklichkeit auch nie so gewesen. Oft nimmt man ja gerade die Menschen seiner nächsten Umgebung sehr ungenau oder verzerrt wahr. Rainer hat mich vor einigen Jahren mit seiner zwanzig Jahre jüngeren französischen Frau und den beiden gemeinsamen Söhnen besucht. Wir haben uns lange über die alten Zeiten unterhalten – weißt du noch, damals in der Hanauer Straße? –, er wußte noch alles, alle Details. Vor allem aber konnte er sich an Dinge erinnern, die ich getan und gesagt hatte, die mir selbst entfallen waren und von denen ich mir auch gar nicht mehr vorstellen konnte, daß ich sie je getan oder gesagt hätte.

Mit Bettina und Mona im Garten der Wohngemeinschaft
Hanauer Straße 60

Die Leichtigkeit des Lebens. Darin waren wir uns einig, Rainer und ich, daß wir damals so unbeschwert in den Tag hineinlebten wie niemals zuvor und niemals danach.

Weißt du noch, dieser Typ mit dem Fetendienst?

Den gab es tatsächlich, Klaus hieß er, wurde von allen nur »Feten-Klaus« genannt. Der sammelte alle Informationen, die er bekommen konnte, über Feste, die irgendwo in Berlin in einer der zahllosen WGs stattfanden. Man brauchte ihn nur anzurufen, dann gab er einem – ohne Gebühr selbstverständlich – die Adressen durch: in Kreuzberg, in Schöneberg, in Moabit. »I Can't Get No Satisfaction« dröhnte es aus den Lautsprecherboxen oder »Cecilia« oder »Sittin' On The Dock Of The Bay«; meist konnte man schon von weitem hören, in welchem Haus die Fete stattfand. Und mindestens zweimal im Jahr fand ein großes Fest in unserer WG in der Hanauer Straße statt. Dann drängten sich bis zu zweihundert Personen im unteren Stockwerk, die meisten davon in der Küche, und die Polizei kam kurz vor zwölf zum ersten Mal und um halb zwei ein zweites Mal, dann wurde die

Musik für zehn Minuten leiser gedreht, und danach ging es weiter wie vorher.

Viele meiner Freunde besuchten mich in der Hanauer Straße, blieben ein paar Tage, schliefen im Gästezimmer oder auf einer Luftmatratze in einem der anderen Zimmer. Egon war da, ließ seinen Ostfriesencharme spielen und sorgte dafür, daß Ibo nach seiner Abreise wieder einmal elegische Weisen auf der Querflöte spielen mußte. Einmal im Jahr kam mein alter Freund Hartmut Palmer, damals noch bei der *Süddeutschen Zeitung*, später dann für den *Spiegel* in Berlin, blieb meist eine Woche, während der wir aus dem Feiern nicht herauskamen. Flipperturniere wurden durchgeführt, ein Symposium *Dichtung und Narrheit*. Am Ende der Woche wurde ein Kommuniqué aufgesetzt und über Fernschreiber den Journalistenkollegen in Bonn zugeleitet: »Die Teilnehmer der Berliner Festspiele verurteilen auf das schärfste den Versuch gewisser Flipper-Industriekreise, durch die Einführung neuer Techniken Frieden und Freispiel in aller Welt zu gefährden ...«

Mitte dreißig, Vater einer Tochter, eine gescheiterte Ehe hinter sich und immer noch nicht erwachsen? Von heute aus gesehen, erscheinen unsere Späße von damals reichlich albern und pennälerhaft. »Postadoleszenz« würden Psychologen und Soziologen vielleicht sagen, das typische Verhalten einer Generation, die nicht erwachsen werden wollte. Aber müßte man dann nicht auch jedem spleenigen englischen Lord postadoleszentes Verhalten bescheinigen? Vielleicht, denke ich manchmal, war es nur unsere Art, uns ein wenig von dem niederdrückenden Ernst all jener politischen Probleme zu entlasten, für deren Lösung unsere Generation sich zuständig fühlte und die uns doch immer deutlicher überforderten.

Manchmal, wenn ich an diese Jahre zurückdenke, kommen sie mir vor wie ein einziges großes, ausgelassenes Fest. Aber das ist eine Täuschung. Ich habe während der Zeit in der Hanauer Straße nicht weniger gearbeitet als vorher, habe mehrere Bücher geschrieben, bin immer noch viel herumgereist, habe Vorträge gehalten, in der Grundwerte-Kommission der SPD an Papieren mitgearbeitet, die den künftigen Kurs der Partei mitbestimmten, und mich schließlich an der Freien Universität im Fach Politische Wissenschaft habilitiert. Aber das alles empfand ich nicht als Last; ich war frei, konnte weitgehend tun und lassen, was ich wollte, hatte kein schlechtes Gewissen, weil ich meine Familie vernachlässigte. Niemals hörte ich von meinen Mitbewohnern, daß ich zuviel auf Reisen sei, daß ich mich nicht genügend um sie oder um die Angelegenheiten der WG kümmere, bei diesem oder jenem Ereignis nicht hätte fehlen dürfen. Und auch ich stellte keine Ansprüche, die über das hinausgingen, was jeder der anderen ohnehin zu geben bereit war.

Und warum blieb es nicht dabei, bei dieser für alle Beteiligten so überaus beglückenden Form des Zusammenlebens? Ich war der erste, der unsere Gemeinschaft – nicht ohne Trennungsschmerzen – verließ, als ich Anfang 1979 Franziska kennenlernte. Bald schon löste sich die Wohngemeinschaft ganz auf, weil auch alle anderen feste Zweierbeziehungen eingingen, heirateten, eine Familie gründeten. Offenbar fehlte uns zu unserem Glück doch noch etwas, die Leichtigkeit, so verführerisch sie war, war vielleicht doch nicht das, was wir wirklich suchten. Vielleicht suchten wir alle insgeheim nach größerer Verbindlichkeit, nach einer Beziehung zwischen Menschen, deren Qualität nicht zuletzt in ihrer Ausschließlichkeit besteht.

In meiner Erinnerung freilich bleibt die Wohngemeinschaft in der Hanauer Straße ein besonnter Fleck, ein freundlich lockendes Arkadien. Und so ganz falsch kann meine Erinnerung nicht sein, denn auch auf Außenstehende konnte dieser Ort eine merkwürdige Attraktion entfalten. Die Frauen aus dem Altersheim schräg gegenüber kamen gelegentlich an unseren Gartenzaun, um sich mit einem von uns zu unterhalten, wenn wir im Garten oder auf der Terrasse saßen. Und wenn wir sie dann hereinbaten zu einer Tasse Tee oder Kaffee, erzählten sie von ihren Kindern und Enkeln, die sie so selten besuchten, obwohl sie es vom Wedding oder von Zehlendorf doch gar nicht so weit hätten. Unser Nachbar Herr Schmidt, der die andere Haushälfte allein bewohnte, seitdem seine Frau gestorben war, kam jeden zweiten Sonntag, wenn seine Haushälterin frei hatte, zum Essen zu uns. Seine politischen Ansichten waren offen reaktionär, und wenn wir dem alten Herrn gelegentlich sanft widersprachen, sah er uns verwundert an, als könne er gar nicht begreifen, daß so nette junge Leute in politischen Dingen so gänzlich anderer Meinung waren als er.

Iris, eine Nachbarin, die wir gelegentlich mit ihrem abgehärmten Gesicht vorüberhuschen sahen, stand eines Tages vor der Tür. Sie habe von der Straße in unser Fenster gesehen, wie wir beim Essen zusammengesessen hätten, sagte sie. Das habe so friedlich ausgesehen. Ob sie einmal hereinkommen dürfe? Wir baten sie herein, sie blieb, kam wieder. Und dann erzählte sie uns, daß ihr Mann sie verlassen habe, weil sie keine Kinder bekommen könne. Eine Fehlgeburt nach der anderen habe sie gehabt. Im ganzen acht. Wir feilschten mit ihr um die Zahl der Fehlgeburten: Sagen wir, es waren vier. – Sieben. – Fünf. Schließlich einigten wir uns darauf, daß es sechs gewesen waren. Sie lachte, trank Wein, fühlte sich sichtlich wohl. Immer häufiger kam sie abends bei uns vorbei, blieb eine Weile, trank ein Glas. Wir hielten uns etwas darauf zugute, daß wir sie mit unserer flapsigen Art aus ihrer dumpfen Trauer herausgeholt hatten.

Eine Zeitlang aß Iris fast jeden zweiten Tag bei uns zu Abend, sie nahm an unseren Festen teil, gehörte einfach dazu. Sie habe schon zweimal versucht, sich das Leben zu nehmen, erzählte sie eines Abends beim Essen. Aber jedes Mal habe man sie noch rechtzeitig gefunden, ihr den Magen ausgepumpt und sie ins Leben zurückgeholt. Sie erzählte es beiläufig, so beiläufig, wie sie von ihren vielen Fehlgeburten erzählt hatte. Wir nahmen sie auch diesmal nicht ganz ernst. Wahrscheinlich, dachten wir, hat sie es von vornherein so arrangiert, daß sie gefunden werden mußte. Aber dann, eines schönen klaren Wintertages, fanden Spaziergänger sie auf einem Parkplatz im Grunewald, zwei leere Röhrchen Schlaftabletten neben sich auf dem Beifahrersitz. Sie hatte es getan, hatte diesmal dafür gesorgt, daß sie nicht rechtzeitig gefunden wurde. Und uns, die wir noch zwei Tage zuvor mit ihr zusammengesessen hatten, war gar nicht aufgefallen, daß die schwarzen Träume immer mehr von ihr Besitz ergriffen hatten.

14

Netzwerk Selbsthilfe

Eines Tages kam Joseph Huber, damals Assistent für Politische Wissenschaft an der FU, heute Professor für Wirtschafts- und Umweltsoziologie in Halle, in die Hanauer Straße. Er hatte eine Idee: eine *Berufsverboteversicherung*. Funktionieren sollte sie im Prinzip wie eine Arbeitslosenversicherung: Studenten, Assistenten, Professoren, Lehrer, Journalisten, Rechtsanwälte etc. sollten gewonnen werden, jeweils einen monatlichen Beitrag in einen Topf einzuzahlen, aus dem dann diejenigen von ihnen alimentiert werden konnten, die mit Berufsverbot belegt wurden. Die Idee erschien einleuchtend. Da die Praxis der Berufsverbote von so vielen als schreiendes Unrecht empfunden wurde, konnte es nicht schwer sein, ein paar tausend Menschen zu gewinnen, die im Monat zehn oder zwanzig Mark in die gemeinsame Kasse einzahlten. Davon könne man leicht, meinte Joseph, allen Berufsverboteopfern eine den Lebensunterhalt sichernde Unterstützung zahlen.

Machst du mit, fragte er.

Wir saßen auf dem Flokati-Teppich in meinem Zimmer und tranken Tee. Ich zögerte, weil mir etwas im Kopf herumging.

Und was machen die mit dem Geld, das wir den braven Bürgern aus der Tasche ziehen?

Das ist ihre Sache, antwortete Joseph.

Natürlich. Das war großzügig gedacht und ausgesprochen liberal. Aber würde es auf Dauer auch denen einleuchten, die das Geld aufbrachten?

Meinst du, die Leute zahlen Monat für Monat in eine solche Versicherung ein, wenn damit lauter maoistische Berufsrevolutionäre finanziert werden?

Joseph stutzte.

Dann, sagte er schließlich, fördern wir eben Projekte. Wer Geld haben will, stellt einen Antrag, in dem er erklärt, was er damit machen will, und wenn uns sein Projekt sinnvoll erscheint, kriegt er das Geld. Auf diese Weise behalten wir eine gewisse Kontrolle darüber, was mit den Beiträgen der Einzahler geschieht.

Ende 1975 oder Anfang 1976 muß das gewesen sein. Es war der Beginn des *Netzwerks Selbsthilfe*, einer gemeinnützigen Organisation, die in den siebziger und achtziger Jahren eine große Zahl von Initiativen, sozialen und kulturellen Einrichtungen und Start-up-Unternehmen der Alternativbewegung unterstützte. Viele Einrichtungen und Unternehmen, die noch heute existieren, unter ihnen auch die *taz*, haben vom Netzwerk Selbsthilfe eine erste Anschubfinanzierung erhalten. Das Netzwerk Selbsthilfe gibt es immer noch, vor allem, weil der ersten Generation der Netzwerker, bevor sie abtrat und die Vorstands- und Beiratsarbeit Jüngeren übergab, ein Coup gelang. Wir kauften mit einem Bankkredit das guterhaltene Gebäude einer stillgelegten Fabrik an der Ecke Mehringdamm/Gneisenaustraße für den Spottpreis von 1,2 Millionen Mark. In dem Gebäude wurden eine Schule für Erwachsenenbildung, ein Theater, eine Kneipe und die Büros vieler Initiativen, auch des Netzwerks selbst, untergebracht. Der Kredit war schnell durch die Mieteinnahmen abgezahlt. Heute, nachdem dieser Teil Berlins wieder in die Mitte gerückt ist, ist das Grundstück, auf dem sich der Mehringhof befindet, glatt das Zwanzig- bis Dreißigfache wert und eine Garantie dafür, daß das Netzwerk Selbsthilfe weiterbestehen kann, auch wenn die Zahl der Mitglieder inzwischen drastisch zurückgegangen ist.

Wenn ich mir heute diese Zeit ins Gedächtnis zurückrufe, so bin ich selbst erstaunt über das Selbstvertrauen und die Zuversicht, mit der wir zu Werke gingen. »Nichts ist unmöglich«, der Werbespruch, der heute von der Innovationsfreude einer großen Automobilfirma kündet, hätte damals ebensogut unser Motto sein können. Jeden zweiten Tag kam jemand mit einer auf den ersten Blick verrückt erscheinenden Idee, die wurde diskutiert, hin und her gewendet – was bringt das politisch? wem nützt das? – und am Ende fanden sich fast immer ein paar Leute, die es einfach mal versuchten. Nichts ist unmöglich, und auf die Nase fallen kann man auch, wenn man immer nur den ausgetretenen Pfaden folgt. Während ein Großteil der akademischen Linken sich nach dem Ausklingen der Studentenbewegung geradezu lustvoll der Analyse der Niederlage hingab, begann in der buntscheckigen Alternativbewegung Berlins so etwas wie eine linke Gründerzeit.

Ich habe einige Jahre im Beirat des Netzwerks Selbsthilfe, der die Projektanträge prüfte und Zuschüsse bzw. Darlehen vergab, mitgearbeitet. In den besten Jahren konnten wir aus den regelmäßig eingehenden Mitgliedsbeiträgen und Spenden monatlich immerhin zwischen sechzig- und achtzigtausend Mark an Fördergeldern vergeben, viele kleine Summen zumeist, mit denen nicht selten Erstaunliches bewirkt werden konnte. Wir unterschieden zwischen ökonomischen Projekten, die allenfalls ein Darlehen als Anschubfinanzierung erwarten durften, sich dann aber auf dem Markt behaupten mußten, und sozialen, politischen und kulturellen Projekten, von denen nicht zu erwarten war, daß sie sich irgendwann selbst trugen und die darum in der einen oder anderen Form dauerhaft gefördert werden mußten. Da mit der Zeit immer mehr Projekte entstanden, die auf eine dauerhafte Förderung angewiesen waren, hätten diese bald die ganze Finanzkraft des Netzwerks gebunden, wenn wir uns nicht um andere Fördermöglichkeiten bemüht hätten. Also versuchten wir, wenn sich die Projekte einmal etabliert und in der Öffentlichkeit als nützlich erwiesen hatten, den Senat von Berlin als Förderer oder Mitförderer zu gewinnen, was eine heftige Diskussion um das Für und Wider der Inanspruchnahme von *Staatsknete* auslöste.

Die Diskussion um die Staatsknete war insofern interessant, als sie zeigte, daß ein Teil des linken und alternativen Milieus sich mittlerweile in eine Dämonisierung des Staates hineingesteigert hatte, die eine halbwegs rationale Diskussion fast unmöglich machte. Wer Geld vom Staat in Anspruch nehme, so die Gegner der Staatsknete, werde zwangsläufig zu einem Anhängsel des *Systems*, verliere jede Möglichkeit, autonom und damit gesellschaftsverändernd zu handeln. Es komme aber gerade darauf an, alle Verbindungen zum Bestehenden zu kappen und eine radikale Gegenwelt zu etablieren. Nur wenn der Bruch mit der bürgerlich-kapitalistischen Gesellschaft konsequent vollzogen werde, könne überhaupt von einer *Alternativ*bewegung die Rede sein. Es war im Kern eine Neuauflage der alten Debatte um Reform oder Revolution, die Teile der Linken schon im Kaiserreich und in der Weimarer Republik mit großer Hingabe geführt hatten, bis die Nazis auch dieser Diskussion ein Ende bereiteten. Dabei waren die Autarkievorstellungen, die manche in der Alternativszene pflegten, von vornherein völlig illusorisch. In Berlin lebten auch die radikalsten Alternativen natürlich nicht so wie Henry David Thoreau am Walden-See; auch wenn sie sich völlig unabhängig vom »Staat« wähnten, benutzten sie selbstverständlich alle Infrastrukturen, die ihnen dieser »Staat« zur Verfügung stellte, fuhren mit Bus oder U-Bahn, benutzten Strom, Gas, Wasser aus dem Leitungssystem der Stadtwerke, arbeiteten mit Werkzeug und mit Maschinen, die nicht in der Alternativökonomie hergestellt wurden.

Bei nicht wenigen von ihnen verdeckte die radikale Rhetorik auch die Tatsache, daß sie längst am Tropf des Sozialstaats hingen oder dauerhaft von Zuwendungen sympathisierender Dritter abhängig waren. Als Joseph Huber 1980 in dem Buch *Wer soll das alles ändern?* eine erste nüchterne Bilanz unserer Arbeit zog, schrieb er: »Man kann also sagen, daß gegenwärtig ungefähr nur ein Viertel der Projektaktivisten auch wirtschaftlich von ihren Projekten leben, und dies in der Regel mehr schlecht als recht, während drei Viertel ökonomisch aus ganz anderen Kanälen versorgt werden – und zwar *nicht* aus dem legendären und praktisch nicht vorhandenen Naturaltausch zwischen der Kreuzberger Wohngemeinschaft und der fränkischen Landkommune, sondern aus den Töpfen des Sozialstaats und den Geldbeuteln der Sympathisanten ...« Für jeden, der die Szene einigermaßen realistisch betrachtete, war also völlig klar, daß das Pathos des vollständigen Bruchs mit der Normalgesellschaft hohl war. So war es denn nicht weiter verwunderlich, daß sich am Ende im Netzwerk Selbsthilfe auch in der Debatte über die Staatsknete diejenigen durchsetzten, denen pragmatische Erfolge wichtiger waren als eine vermeintlich reine Lehre.

Heute mutet die damals geführte Debatte um die Staatsknete auch deswegen so kurios an, weil bei der gegenwärtig herrschenden öffentlichen Sparwut sich für die allermeisten kulturellen und sozialen Projekte die Frage gar nicht stellt, ob sie vom Weg des Heils abwichen, wenn sie öffentliche Fördergelder annähmen. Die öffentliche Armut hat inzwischen längst dazu geführt, daß auch der Staat sich mehr und mehr auf das zurückzieht, was nach neoliberaler Terminologie und Überzeugung sein *Kerngeschäft* ist. Und dazu gehört die finanzielle Förderung eines bunten Reigens zivilgesellschaftlicher Initiativen und Projekte nun einmal nicht.

Bei den ökonomischen Projekten waren die Entscheidungen im Beirat des Netzwerks aus anderen Gründen oft schwierig und umstritten. Denn natürlich war das Netzwerk Selbsthilfe nicht einfach eine Bank, die Darlehen vergab. Es ging uns darum, alternative Formen des Wirtschaftens auf den Weg zu bringen. Möglichst gleiche Entlohnung für alle, die Integration von Behinderten im Betrieb, Teamarbeit, ökologisch verantwortliches Wirtschaften, Arbeiterselbstverwaltung und Kapitalneutralisierung durch Stiftungsmodelle, das waren einige der Eigenschaften, die einen vom Netzwerk geförderten Betrieb nach Möglichkeit auszeichnen sollten. Eine Metallwerkstatt oder eine Bäckerei, die vom Netzwerk einige tausend Mark als zinsloses Anschubdarlehen bekam, sollte eben nicht ein üblicher Handwerksbetrieb sein mit einem Chef, dem das Ganze gehörte und der die unternehmerischen Entscheidungen traf, und Angestellten, die die Entscheidungen ausführten und dafür ihren Lohn bekamen. Auch wenn die ökonomischen Projekte sich schließlich am Markt zu behaupten hatten, sollten sie sich doch bezüglich der Arbeitsorganisation, der Besitzverhältnisse, der Lohnstruktur und der Berücksichtigung ökologischer Belange deutlich von kapitalistischen Unternehmen unterscheiden. Und in der Tat entstanden, gefördert vom Netzwerk, eine nicht unerhebliche Anzahl genossenschaftlicher Betriebe, die kritischen und idealistischen jungen Leuten eine sinnvolle Berufs- und Lebensperspektive boten.

Allerdings stellte sich bald heraus, daß jugendliche Begeisterung allein nicht ausreichte, um ein Unternehmen zu starten und über längere Zeit erfolgreich zu führen. Schon bald erwies es sich als notwendig, als Dienstleistung für die geförderten Unternehmen Hilfe bei Buchführung und Vermarktung, bei finanziellen und rechtlichen Angelegenheiten anzubieten. Es lag in der Konsequenz unserer Arbeit, daß das Netzwerk Selbsthilfe sich im Laufe der Zeit mehr und mehr auch zu einer Art Agentur für alternative Unternehmensberatung entwickelte. Freilich ließen sich durchaus nicht alle Projekte auf das uns unvermeidlich erscheinende Maß an Professionalisierung ein. Viele verweigerten sich der Beratung und gingen prompt nach kurzer Zeit ein oder existierten nur deswegen fort, weil sie in der einen oder anderen Form subventioniert wurden.

Im Rückblick erscheinen mir die Erfahrungen im Netzwerk Selbsthilfe heute vor allem deswegen von Bedeutung zu sein, weil hier eine Frage, mit der ich mich damals und seitdem immer wieder theoretisch beschäftigt habe, in der Praxis getestet wurde, die Frage nämlich, in welchem Umfang staatliche und großgesellschaftliche Versorgungs- und Leistungssysteme durch zivilgesellschaftliche Initiativen ergänzt oder ersetzt werden können. Mein Buch *Grenzen des Sozialstaats? Soziale Sicherung in der Wachstumskrise*, das im Jahre 1979 erschien, war auch eine Frucht dieser Erfahrungen. Als Grenzgänger zwischen der Alternativbewegung und der SPD stellte ich mit einer gewissen Verwunderung fest, daß in der deutschen Arbeiterbewegung mit ihrer reichen Tradition selbstorganisierter Daseinsvorsorge, mit ihren Genossenschaften und Kooperativen, ihren Sport- und Bildungsvereinen, ihrem einst umfassenden Netz an solidarischen Unterstützungskassen das Verständnis für zivilgesellschaftliche Lösungen politischer Probleme im ganzen gesehen kaum noch lebendig war. Offenbar hatte sich nach 1945 mehr und mehr die Lassallesche Fixierung auf den Staat und eine eher konsumistische Haltung gegenüber staatlichen Leistungen durchgesetzt. In ihrer Praxis war die SPD, wie ich sie damals vorfand, ausgesprochen etatistisch, weshalb auch mein Sozialstaatsbuch, in dem ich für eine Abkehr von der allzu staatsfixierten Politik der SPD plädierte, außerhalb der Partei viel mehr Beachtung fand als innerhalb. Erst heute, mit mehr als zwanzigjähriger Verspätung, wird das darin enthaltende Konzept des *aktivierenden* und *vorsorgenden* Sozialstaats von der SPD in den Entwürfen für ihr neues Grundsatzprogramm – leider zum Teil neoliberal verzerrt – aufgegriffen.

Die Versuche, die wir in den siebziger und achtziger Jahren unternahmen, anknüpfend an die genossenschaftliche Tradition der Arbeiterbewegung, die Aufmerksamkeit der Sozialdemokraten auf neue zivilgesellschaftliche Möglichkeiten der Problembearbeitung zu lenken, waren insgesamt wenig erfolgreich, wohl auch, weil zur selben Zeit der Niedergang der gewerkschaftlichen Gemeinwirtschaft den Genossenschaftsgedanken nachhaltig beschädigte. Erst als die Finanzkrise der öffentlichen Haushalte immer offensichtlicher wurde und Politiker aller Parteien von der Kommune bis zum Bund verzweifelt nach Möglichkeiten suchten, die ständig wachsenden Ausgaben der öffentlichen Hände zu begrenzen, wurde das Thema »Aktivierung der Bürger- beziehungsweise der Zivilgesellschaft« plötzlich auch für die SPD interessant. Inzwischen war aber nicht mehr der alte Etatismus der SPD das entscheidende Problem, sondern die Dominanz neoliberaler Gesellschaftsvorstellungen, in denen für einen öffentlichen Sektor zwischen Markt und Staat ebenfalls kein Platz vorgesehen ist. In der Grundwerte-Kommission der SPD, der ich seit den frühen siebziger Jahren angehöre, versuchten wir nach 1998 erneut die Sozialdemokratie für das Thema der Aktivierung der Bürgergesellschaft zu gewinnen. Aber statt die Ideen aufzugreifen, die wir in einem Papier dazu niedergeschrieben hatten, folgten fast überall auch sozialdemokratische Politiker dem Privatisierungsdogma der Neoliberalen, die die

Zivilgesellschaft schlicht mit der Gesamtheit der Wirtschaftssubjekte gleichsetzten und für den Bürger nur zwei Rollen vorsahen: die des selbständigen oder lohnabhängigen Erwerbstätigen und die des Konsumenten.

Was noch schlimmer ist, auch Sozialdemokraten übernahmen oft – unbewußt oder bewußt – das neoliberale Menschenbild, nach dem der Mensch nichts anderes ist als ein egoistischer Nutzenkalkulierer. Entsprechend ging man beim Umbau der öffentlichen Institutionen und Leistungssysteme fast überall von der Prämisse aus, daß man es mit einem Volk von potentiellen Sozialbetrügern zu tun habe. Geradezu besessen wurde daran gearbeitet, jeden möglichen Mißbrauch zu verhindern, mit dem Ergebnis, daß die Bürger heute in einer Flut von Formularen ertrinken und der Aufwand für die Überwachungs- und Kontrollbürokratien nahezu überall die erhofften Einspareffekte übertrifft. Dabei verhalten sich die meisten Politiker heute ausgesprochen schizophren: Dieselben Reformer, die beim Zuschnitt ihrer Reformmodelle davon ausgehen, daß sie es stets und überall nur mit egoistischen Teufeln zu tun haben, appellieren, wenn es darum geht, ebendiese Modelle durchzusetzen, an den Gemeinsinn und die Opferbereitschaft der Menschen.

»Vertrauen ist gut, Kontrolle ist besser« – dieser Lenin zugeschriebene Satz leuchtet heute auch vielen Menschen ein, die ansonsten mit Lenin wenig anfangen können. Gewiß, wer allzu vertrauensselig ist, kann böse Überraschungen erleben, und wer öffentliche Gelder vergibt, sollte ein Auge darauf haben, ob die Verwendung nach Recht und Gesetz erfolgt. Dennoch glaube ich, daß das Mißtrauen, mit dem der Staat heute seinen Bürgern begegnet, weit übertrieben ist. Kontrolle mag ja gut sein, aber wenn man von vornherein damit rechnet, daß jeder jederzeit nichts anderes im Sinn hat, als den Staat zu betrügen und sich Leistungen zu erschleichen, dann vergiftet man das Verhältnis des Bürgers zum Staat und gerät auf eine Bahn, die schließlich alle Kontrollbemühungen kontraproduktiv werden läßt. Im Prinzip ist es hier nicht anders als im Privatleben. Wer seinen Mitmenschen stets mit Mißtrauen begegnet, wird seinerseits von diesen eher reserviert und zugeknöpft behandelt werden und dies womöglich als weiteres Indiz dafür nehmen, daß sein Mißtrauen berechtigt ist. Wenn man aber anderen Menschen offen und vertrauensvoll begegnet, wird einem dieser Vertrauensvorschuß in der Regel großzügig vergolten. Jedenfalls ist das die Erfahrung, die ich selbst immer wieder gemacht habe; und die wenigen Male, bei denen ich getäuscht, ausgenutzt oder übervorteilt wurde, weil ich allzu vertrauensselig war, nehme ich angesichts der vielen positiven Erfahrungen gern in Kauf.

Dadurch daß ich zugleich in der SPD und im Netzwerk Selbsthilfe aktiv war, lag es für mich nahe, die Funktion eines Vermittlers zwischen der Alternativbewegung und der Sozialdemokratie einzunehmen. Das war besonders bei den sich verschärfenden Konflikten um die zahlreichen Hausbesetzungen in Berlin notwendig. Der SPD-Senat stellte sich zunächst auf den Standpunkt, daß es sich bei den Hausbesetzungen schlicht um kriminelle Akte handele, auf die es nur eine Antwort geben könne: gewaltsame Räumung und juristische Verfolgung der Hausbesetzer. Daß die Hausbesetzungen selbst Reaktionen auf Mißstände waren, daß die Vertreibung von Mietern und der Abriß gut erhaltener Altbauten, daß jahrelanger Leerstand zum Zwecke der Spekulation viele Menschen zu Recht empörten, wurde kaum zur Kenntnis genommen. Erst als die Auseinandersetzungen eskalierten, sich immer mehr Intellektuelle, Künstler, Schriftsteller mit den Anliegen der Hausbesetzer solidarisierten, hier und da Hausbesetzer ihrerseits dazu übergingen, sich den Räumungskommandos gewaltsam zu widersetzen und das Klima in der Stadt immer aggressiver wurde, kam es zu einem Umdenken.

Ich habe damals viele Versuche unternommen, SPD-Politiker mit den gesprächsfähigen Teilen der Hausbesetzerbewegung, vor allem mit den jugendlichen *Instandbesetzern*, zusammenzubringen, um der Eskalation der Gewalt entgegenzuwirken und eine friedliche Lösung des Konflikts herbeizuführen. Das erwies sich als ausgesprochen schwierig. Der Durchbruch gelang erst, als Hans-Jochen Vogel als Nachfolger des zurückgetretenen Dietrich Stobbe Regierender Bürgermeister von Berlin wurde.

Ich erinnere mich an ein Gespräch zwischen Jugendlichen aus der Hausbesetzerszene und Hans-Jochen Vogel, das ich im Haus von Günter Grass arrangiert hatte. Es hatte wohl einen Anteil daran, daß der Senat seine harte Haltung überdachte und Hausbesetzern langfristige Mietverträge anbot, bei denen die in Eigenarbeit geleistete Renovierung und Instandsetzung angerechnet wurde. Diese *Berliner Linie* genannte Strategie wurde dann später auch von Vogels Nachfolger Richard von Weizsäcker übernommen.

Auch als der Bundestag Anfang 1981 eine Enquete-Kommission zum Thema »Jugendprotest im demokratischen Staat« einberief und ich als Sachverständiger der SPD-Fraktion hinzugezogen wurde, fiel mir die Rolle eines Vermittlers zwischen der rebellischen Jugend und der Politik zu. In dieser Kommission traf ich übrigens auf einen jungen Abgeordneten der SPD, den ich aus meiner Juso-Zeit gut kannte, als er als Vertreter des Landesverbands Niedersachsen uns im Bundesvorstand durch allerhand taktische Winkelzüge das Leben schwermachte: Gerhard Schröder. Später war er für kurze Zeit selbst Bundesvorsitzender der Jusos gewesen und inzwischen war er Bundestagsabgeordneter mit erkennbar höheren Ambitionen. In der Enquete-Kommission, die von dem CDU-Abgeordneten Matthias Wissmann geleitet wurde, arbeiteten wir gut zusammen. Beide hatten wir nicht nur die unruhige Achtundsechzigerzeit mitgemacht, sondern auch an den Demonstrationen gegen den Bau des Atomkraftwerks in Brokdorf teilgenommen, verfügten also über Kenntnisse bezüglich des Gegenstands der Enquete, die die übrigen Mitglieder in der Regel nicht hatten.

Während der Arbeit in der Enquete-Kommission gelang es mir, die Kommission zu einem Besuch eines besetzten Hauses in Berlin zu überreden. Die Sache war mir wichtig, da ein Teil der Presse die protestierenden Jugendlichen und insbesondere die Hausbesetzer pauschal verteufelte und nicht wenige Abgeordnete sich diese Sicht zu eigen machten. Aber so einfach, wie ich es mir gedacht hatte, war es dann doch nicht. In den meisten besetzten Häusern war die Neigung gering, sich, wie es hieß, von

Politikern *begaffen* zu lassen. Besonders die Tatsache, daß unter den Politikern auch solche der CDU und CSU sein würden, wirkte offenbar auf viele Hausbesetzer abschreckend. Aber schließlich gelang es mir, eine Gruppe von jungen Instandbesetzern davon zu überzeugen, daß eine solche Begegnung auch für sie nützlich sein könne.

Die Besichtigung des besetzten Hauses im Berliner Stadtteil Kreuzberg verlief ganz nach Plan. Die Kommissionsmitglieder wurden durch die zum Teil fertig renovierten Räume geführt, auf dem Dachboden erklärte ein junger Architekt, der den Instand-besetzern unentgeltlich seine Dienste angeboten hatte, wie der Ausbau des Dachstuhls und der Einbau der in den alten Plänen des Hauses ohnehin vorgesehenen Dachgauben vor sich gehen solle. Besonderen Eindruck machte die Sorgfalt, mit der die jungen Leute das schöne geschwungene Treppengeländer und die Kasettendecke in einem saalartigen Zimmer des ersten Stocks repariert und restauriert hatten. Anschließend wurden die Kom-missionsmitglieder hier, im »Salon«, mit Tee und Keksen bewir-tet. Nach fast zwei Stunden Diskussion war auch Herr Sauter von der CSU, der als Jurist Hausbesetzungen ansonsten »prin-zipiell« ablehnte, vom Sachverstand und dem Engagement der jungen Leute beeindruckt.

Nicht ganz so glücklich lief es, als wir danach noch dem Netzwerk Selbsthilfe einen Besuch abstatteten. Wir hatten kaum die Ufa-Fabrik in Tempelhof, wo das Netzwerk damals noch untergebracht war, betreten, als sich ein Gerangel mit einigen Jugendlichen aus der Anarcho-Szene entwickelte, bei dem einer der Abgeordneten, ich glaube, es war Rudolf Hauck von der SPD, einen Schlag ins Gesicht abbekam. Einen Augenblick lang sah es so aus, als könne die Situation außer Kontrolle geraten, aber dann gelang es, die Krawallmacher zu isolieren. Das Ge-spräch in den Räumen des Netzwerks selbst, bei dem auch die Presse anwesend war, verlief ruhig und sachlich. Die Abgeord-neten stellten Fragen, die Netzwerker antworteten, und am Ende machten alle den Eindruck, etwas dazugelernt zu haben. Jeden-falls zeugte der Abschlußbericht der Enquete-Kommission von viel größerem Verständnis für die Anliegen der protestierenden Jugend, als die Äußerungen der meisten Politiker bisher zu erkennen gegeben hatten. »Die Enquete-Kommission«, hieß es am Ende des Berichts, »hat versucht, offen für alle Probleme und Meinungen zu sein. Das erfreulichste Ergebnis für sie war, daß – bis auf wenige Ausnahmen – auch die protestierenden Jugendlichen zum Gespräch bereit waren. Es liegt an den verantwortlich Handelnden in Politik, Wirtschaft und Gesellschaft, diese Bereitschaft positiv aufzunehmen.«

15

WELCHER FORTSCHRITT?

Schon in meinen ersten Juso-Jahren hatten wir uns gelegentlich gegen einen allzu gewalttätigen Fortschritt wehren müssen, um ein Stück Natur vor der rücksichtslosen Vernichtung durch Industrieansiedlung zu retten, um, wie in Bremen, die Zerstörung eines gewachsenen Stadtviertels durch eine überflüssige Hochstraße oder, wie in Wiesbaden und Frankfurt, den Abriß von gut erhaltenen Gründerzeithäusern und die Errichtung gesichtsloser Hochhaustürme zu verhindern. Aber diese Konflikte stellten unseren Fortschrittsglauben nicht grundsätzlich in Frage. Unsere eigentlichen Gegner blieben die Kräfte der Beharrung und des Rückschritts, unser Pathos war das Pathos der Befreiung, des Abwerfens aller Fesseln und Beschränkungen, um so endlich zu den in uns und in den Produktivkräften schlummernden menschlichen Möglichkeiten vorzudringen. Daß die Forderung, Maß zu halten, auch einen anderen Sinn haben könne als den, Benachteiligten ihren Anteil am gesellschaftlichen Reichtum vorzuenthalten, daß es Grenzen geben könne, die zu überschreiten, Rückschritt bedeutet, das waren Gedanken, die wir uns in der Aufbruchstimmung der späten sechziger und frühen siebziger Jahre noch nicht gestatteten.

Erst die Veröffentlichung des Buches *Die Grenzen des Wachstums* im Jahre 1972 ließ den Fortschritt selbst zum Problem werden. Das Buch beruhte auf einer Studie, die Dennis L. Meadows und seine Frau Donella am Massachusetts Institute of Technology (MIT) im Auftrag des Club of Rome erstellt hatten. In der Grundwerte-Kommission der SPD, der ich damals schon angehörte, wurde sie heftig und kontrovers diskutiert. Jochen Steffen, der die Kommission leitete, war selbst gerade

erst auf dem Weg, von einem gläubigen Befürworter der Kernenergie zu ihrem Kritiker zu werden, und schwankte entsprechend in seiner Beurteilung der wachstumskritischen Positionen
der Studie. In der Tat waren die Berechnungen und Aussagen,
die die Meadows angestellt hatten, angreifbar. Außerdem war
die ausschließliche Konzentration auf den Ressourcenverbrauch
eine unzulässige Engführung des Ökologiethemas, die es den
Gegnern leicht machte, den Eindruck zu erwecken, hier würden
Probleme und Gefahren herbeigeredet, die in Wahrheit gar nicht
bestünden oder allenfalls in hundert oder zweihundert Jahren
akut werden würden. Dann aber, so beruhigte man sich, würden
uns gewiß die technischen Mittel zur Verfügung stehen, um die
Gefahren abzuwenden.

Schon bald zeigte sich freilich, daß allen abwiegelnden Kommentaren zum Trotz der Schock doch tiefer saß, als die meisten
zugeben mochten. Den ersten Weckruf Anfang der sechziger
Jahre, Rachel Carsons großartiges Buch *Der stumme Frühling*,
hatte ich noch verschlafen. Aber jetzt, nach der Veröffentlichung
der Meadows-Studie, wurde mir schlagartig klar, daß dem, was
wir gemeinhin unter Fortschritt verstanden, ein technisch-öko-
nomischer Expansionsprozeß zugrunde lag, dessen Steigerungs-
logik auf Dauer mit einer begrenzten Biosphäre nicht vereinbar
war. Zugleich dämmerte mir, daß diese Einsicht für Programmatik und Strategie der Linken höchst folgenreich sein mußte. Aber
es hätte womöglich noch einige Zeit gedauert, bis ich die Konsequenzen aus dieser Einsicht gezogen hätte, wenn nicht Freimut
Duve, damals Herausgeber der Taschenbuchreihe rororo aktuell, eine kleine Gruppe wachstumskritischer Linker in Hamburg zusammengeholt hätte, um darüber zu diskutieren, was der
Einbruch des ökologischen Denkens für die Linke bedeutete.

Es muß Ende 1973 oder Anfang 1974 gewesen sein, als das
Treffen in Hamburg zustande kam. André Gorz aus Frankreich
war dabei, Ivan Illich aus Mexiko beziehungsweise Kalifornien,
Robert Jungk aus Wien, Wolfgang Harich aus Ost-Berlin und
aus der Bundesrepublik Erhard Eppler, Jochen Steffen und ich.
Zwei Tage lang wurde von morgens bis abends diskutiert. Ivan

Illich entwickelte seine unkonventionellen Ansichten zur Krise des Industriesystems und des Expertentums, Robert Jungk sprach über ethische Probleme der Technikentwicklung, Wolfgang Harich entfaltete seine düstere Vision eines ökologisch korrekten Armutskommunismus und André Gorz versuchte den Nachweis zu erbringen, daß das, was uns anderen verstörend neu erschien, in der marxistischen Theorie, wenn nicht längst bedacht, so doch stringent auf den Begriff zu bringen sei. Freimut, unser Gastgeber, tat das, worin er ein unübertroffener Meister war, er half uns mit präzisen Fragen und gelegentlichen Einwürfen zu begreifen, was wir eigentlich meinten, und am Ende hatte jeder von uns den Plan eines Buches im Kopf, der zur Hälfte auf Freimuts sokratische Anregungen zurückging.

Dieses zweitägige Treffen war auch die Geburtsstunde der Zeitschrift *Technologie und Politik*, die Freimut Duve ab 1975 im Rahmen von rororo aktuell herausgab. Die beiden Begriffe, die der Titel der Zeitschrift miteinander verband, standen für einen neuen Typus politischer Konflikte, von denen die Auseinandersetzung um die Kernkraft nur der spektakulärste war. *Technologie und Politik* – das war eine Kampfansage an die technokratische Auffassung von einer neutralen, politischer Kritik und politischer Gestaltung prinzipiell entzogenen Technikentwicklung. Die Zeitschrift hat nur einige Jahre existiert, aber in der kurzen Zeit ihrer Existenz hat sie enorm zur Klärung aller Fragen beigetragen, die die Auswirkungen technischer Systeme und der kapitalistisch-industrialistischen Dynamik insgesamt auf die Natur und die Lebenswelt der Menschen betrafen. Im dritten Heft der Zeitschrift veröffentlichte ich im Dezember 1975, unter anderem in kritischer Auseinandersetzung mit der Harichschen Position, den Aufsatz *Grenzen des Wachstums – Grenzen der Freiheit?*, der thesenhaft vorwegnahm, was ich dann anderthalb Jahre später in dem Buch *Die Zukunft der Demokratie* genauer ausführte. Es ging mir darum, deutlich zu machen, daß die Entdeckung der Grenzen des Wachstums keineswegs, wie der konservative Ökologe Herbert Gruhl und der dissidente Kommunist Wolfgang Harich übereinstimmend behaupteten, unvermeidlich auf eine rigide Regulierung der Gesellschaft und die Unterwerfung der Menschen unter ein asketisches Regime hinauslaufen müsse. Ich glaubte vielmehr zeigen zu können, daß auf der Basis einer anderen, ökologisch vernünftigen Reichtumsproduktion auch eine neue Kultur der Freiheit erwachsen könne, ein Thema, das ich dann einige Jahre später zusammen mit dem Atomkraftkritiker Klaus Traube in dem Buch *Die Zukunft des Fortschritts* systematisch entfaltete.

Ich erinnere mich, daß wir, das kleine Grüppchen von Sozialdemokraten, die damals – viele Jahre, bevor es eine Grüne Partei gab – die wachstums- und industrialismuskritischen Themen aufgriffen, bezüglich der Möglichkeiten, die eigene Partei und die Öffentlichkeit zu überzeugen, nicht besonders optimistisch waren. Wir rechneten damit, daß wir uns in einer Gesellschaft und in einer Partei, in der der traditionelle Fortschrittsglaube noch ziemlich ungebrochen war, auf Jahre isolieren würden. Aber dann kam es zu unserer Überraschung ganz anders. Überall im Land bildeten sich Bürgerinitiativen, die sich gegen die Umweltzerstörung wandten, der mutige und erfolgreiche Kampf gegen das geplante Atomkraftwerk in Whyl am Kaiserstuhl ermutigte weiteren Widerstand, die Medien griffen verstärkt die neuen ökologischen Themen auf und trugen dazu bei, daß bald in jedem Dorf und in jeder Stadt Politiker mit Fragen über den Sinn neuer Straßen und Autobahnen, über ihre Haltung zur Kernenergie und zum Umweltschutz konfrontiert wurden. In der Grundwerte-Kommission der SPD entstanden Papiere, die den Versuch unternahmen, die ökologischen Fragen mit der Programmatik der Partei zu verbinden. Bald schon gab es kein Wahlprogramm mehr, in dem nicht, zumindest verbal, der Ökologieproblematik Tribut gezollt wurde.

Was vielleicht das Wichtigste war: Die Umweltbewegung, die wie alle modernen Protestbewegungen in kleinen Zirkeln kritischer Wissenschaftler und Intellektueller ihren Anfang genommen hatte, erfaßte bald auch Teile der Bevölkerung, die die Achtundsechziger so gut wie nie hatten erreichen können. Ein Hauptgrund dafür war wohl, daß die neuen Konfliktthemen zumeist anschaulicher, die Gefahren, die es abzuwenden galt, zumeist hautnäher waren. Fernsehbilder, die Winzer vom Kaiserstuhl und Fischer von der Unterelbe Arm in Arm mit Studenten und Intellektuellen zeigten, machten es jedenfalls jenen Politikern schwer, die den Protest gern als das Werk einer gelangweilten oder hysterischen, in jedem Fall aber lebensfernen Minderheit von Akademikern darstellten. Offenbar waren die sogenannten einfachen Leute doch nicht ganz so unerschütterlich und auf Gedeih und Verderb dem industrialistischen Fortschrittsmodell verpflichtet, wie es auf den ersten Blick erscheinen mochte.

Mir wurde dies blitzartig klar, als ich in diesen Jahren, es muß 1974 oder 1975 gewesen sein, einen Vortrag in einem SPD-Ortsverein in Herne hielt, dessen Mitglieder mehrheitlich aus einer alten, inzwischen abgerissenen Zechensiedlung in neu errichtete zehn- bis zwölfstöckige Neubauten umgezogen waren. Worüber ich sprach, weiß ich nicht mehr, aber es kann nicht übermäßig mitreißend gewesen sein, denn, als ich geendet hatte, herrschte im Saal mehr oder weniger betretenes Schweigen. Niemand fühlte sich gedrängt, eine Frage zu stellen. Nun hatte ich mir am Nachmittag im nahen Bochum eine noch bewohnte Zechensiedlung angesehen, und da mich der Ortsvereinsvorsitzende unmittelbar vor Beginn der Veranstaltung stolz durch die neue Wohnanlage geführt hatte, fragte ich, um ein Gespräch anzuzetteln, wie die Anwesenden denn ihre neue Wohnsituation beurteilten. Alle schienen ausgesprochen zufrieden zu sein. Die Häuser seien viel moderner, sogar Müllschlucker gebe es. Und den Lift nicht zu vergessen. Allgemeines Nicken und zustimmendes Gemurmel.

Hätte ich an diesem Punkt meine Erkundung beendet, wäre das Ergebnis eindeutig ausgefallen: Nahezu alle Anwesenden betrachteten den Umzug aus der alten Zechensiedlung in die neue Wohnanlage als Fortschritt. Aber dann erzählte ich, daß ich am Nachmittag eine Zechensiedlung in Bochum besichtigt hätte, und daß mir die Bewohner dort übereinstimmend berichtet hätten, daß sie sich gegen den Abriß ihrer Häuser und die auch für sie geplante Umsiedlung wehren würden. Und nun geschah etwas Seltsames. Zuerst meldete sich eine Frau, die einräumte, daß ihr das Gärtchen vor dem Haus und der Gemüsegarten hinter dem Haus, die es in der Zechensiedlung gegeben habe, hier doch sehr fehle. Jetzt müsse sie jede Karotte und jede Stange Lauch im Supermarkt kaufen, und das mache sich im Portemonnaie schmerzlich bemerkbar. Eine andere Frau beklagte, daß sie ihre dreijährige Tochter nicht mehr vor dem Haus allein spielen lassen könne, da sie im neunten Stock wohne und das Kind unten außer Rufweite sei. Es war, als sei ein Bann gebrochen. Ich habe früher Tauben gezüchtet, erzählte ein älterer Mann, aber das habe ich aufgeben müssen, weil hier für einen Taubenschlag natürlich kein Platz ist. Den Zusammenhalt von damals, den gebe es auch nicht mehr, sagte ein anderer. Und die Miete betrage hier fast das Doppelte. Schließlich blieb nicht einmal mehr der Müllschlucker von der Kritik verschont. Den könne ich vergessen; erstens funktioniere er die Hälfte der Zeit nicht, und zweitens verbreite er im Sommer einen unerträglichen Gestank im Treppenhaus ...

Als ich nach einiger Zeit noch einmal die Frage stellte, wie sie ihre neue Wohnsituation denn nun wirklich beurteilten, fand sich niemand mehr, der darin schlicht einen Fortschritt sehen mochte. Für mich war dieser Besuch in der Neubausiedlung in Herne ein Schlüsselerlebnis. Ich begriff, daß das Bewußtsein der meisten Menschen viel ambivalenter, viel brüchiger, vielleicht auch viel widersprüchlicher ist, als man bei oberflächlicher Befragung anzunehmen geneigt ist. Wenn sie akzeptieren oder gar begrüßen, was ihnen als Fortschritt angedient wird, so oft nur deshalb, weil sie nicht als *unmodern*, nicht als *von gestern* erscheinen wollen. »Man muß mit der Zeit gehen« – dieser oft mit einem resignierten Seufzer vorgebrachte Satz macht das Dilemma deutlich: Die Menschen unterwerfen sich dem Fortschritt, sind sich aber im Grunde gar nicht so sicher, ob er wirklich fortschrittlich ist. An die Stelle des unerschütterlichen frohgemuten Fortschrittsglaubens des 19. Jahrhunderts, das war nicht zu übersehen, war bei vielen längst so etwas wie Fortschrittsfatalismus getreten.

Ich habe es immer als wichtig empfunden, zu wissen, was an der Zeit ist, an welchem Punkt der historischen Entwicklung ich mich gerade befinde, welche Themen ich aufzugreifen, welche Tendenzen ich zu unterstützen habe, um meine Vorstellung eines guten, eines besseren Lebens zu befördern. Entsprechend unruhig wurde ich jedes Mal, wenn Ereignisse eintraten, die es vorübergehend unmöglich machten, meinen historischen Ort einigermaßen klar zu bestimmen. Was bedeuteten die Grenzen des Wachstums? Waren die Ideale von Freiheit, Gleichheit und Brüderlichkeit tatsächlich überholt, nun da sich die ökologische Frage mit aller Unerbittlichkeit stellte? Mußten alle Hoffnungen auf weiteren Fortschritt begraben werden, wenn nach zwei, drei Jahrhunderten naiver Fortschrittseuphorie, während derer wir offensichtlich über unsere Verhältnisse gelebt hatten, nun die Bilanz eröffnet wurde?

Um mir Klarheit zu verschaffen, las ich, was ich an kritischer Literatur zum Thema Fortschritt in die Finger bekam: Rachel Carsons *Der stumme Frühling*, ein Buch, das schon 1963 auf deutsch erschienen war, Lewis Mumfords *Mythos der Maschine*, schon Ende der Fünfziger im Original und in den Sechzigern in Wien auf deutsch veröffentlicht. Ich stieß auf die Schriften des Chemikers Wilhelm Ostwald, der in den zwanziger Jahren, ausgehend vom zweiten Hauptsatz der Thermodynamik, eine naturwissenschaftliche Kritik des Fortschritts vertreten hatte, und kam von dort auf das Werk des amerikanischen Ökonomen Nicholas Georgescu-Roegen, der ähnlich wie später sein Landsmann Herman E. Daly für eine Wirtschaft ohne Wachstum plädierte. Ein befreundeter Ökonom wußte, daß auch schon der Erzliberale John Stuart Mill einen Entwurf einer *steady-state economy*, einer Wirtschaft ohne Wachstum, ausgearbeitet hatte. Und nun entdeckte ich auch in der mir vertrauten Literatur die Stellen, die ich zuvor überlesen oder jedenfalls nicht in ihrer vollen Bedeutung wahrgenommen hatte: Walter Benjamins Beschreibung des Fortschritts als Prozeß fortschreitender Zerstörung, die Max Ernst zu dem verstörenden Bild des »Angelus Novus« inspirierte, Passagen bei Marx und Engels, aus denen hervorging, daß sie so naiv bezüglich der Segnungen des Fortschritts wie die Mehrzahl ihrer Anhänger nun doch nicht waren. *Habent sua fata libelli*, Bücher haben ihre je eigenen Schicksale, heißt ein geflügeltes Wort. Wie man sie liest, was einem darin wichtig, was weniger wichtig erscheint, ob man sie überhaupt wahrnimmt oder übersieht, das hat offenbar mit dem jeweiligen Geist der Zeit zu tun. Wie sonst ist es zu erklären, daß ich erst jetzt wirklich zur Kenntnis nahm, was ich doch schon vorher gelesen haben mußte? »Schmeicheln wir uns indes nicht zu sehr«, las ich bei Engels in der *Dialektik der Natur,* »mit unseren menschlichen Siegen über die Natur. Für jeden solchen Sieg rächt sie sich an uns. Jeder hat in erster Linie zwar die Folgen, auf die wir gerechnet, aber in zweiter und dritter Linie hat er ganz andere, unvorhergesehene Wirkungen, die nur zu oft jene ersten Folgen wieder aufheben.« Und im dritten Band von Marxens *Kapital* sprangen mir nun auf einmal Sätze in die Augen, die nur als frühe Warnung vor der Umweltzerstörung zu verstehen waren: »Selbst eine ganze Gesellschaft, ja alle gleichzeitigen Gesellschaften zusammengenommen, sind nicht Eigentümer der Erde. Sie sind ihre Besitzer, ihre Nutznießer, und haben sie als *boni patres familias* den nachfolgenden Generationen verbessert zu hinterlassen.«

Daß die Produktivkräfte zugleich auch Destruktivkräfte waren, hatte Marx in den *Grundrissen* für alle, die lesen konnten, unmißverständlich deutlich gemacht. Aber was das bedeutete, verstand ich erst jetzt. Des österreichischen Ökonomen Joseph Schumpeters Formulierung von der »schöpferischen Zerstörung« knüpfte hier an, gab der Sache aber gleich wieder eine positive Wendung. War sein Optimismus bezüglich der Wirkungen der unternehmerischen Tätigkeit berechtigt? Die sich verdichtenden Informationen über die zunehmende Zerstörung der Biosphäre ließen die Zweifel wachsen. Vor allem *eine* Erkenntnis war es, die mich mehr und mehr beunruhigte: Bisher waren alle Umweltkatastrophen immer regional begrenzt gewesen, so daß die Fähigkeit der Natur, sich zu regenerieren, als Ganze nicht in Frage gestellt wurde. Der moderne Fortschrittsprozeß hatte aber die eindeutige Tendenz, den Globus bis in den letzten Winkel hinein zu erschließen, auch noch den letzten Zipfel der Wildnis mit industrialistischer Betriebsamkeit und den Segnungen des Konsums zu durchdringen. Der Hinweis darauf, daß es bisher ja immer noch vergleichsweise glimpflich abgegangen sei, daß die Erde die Abholzung der Wälder auf dem Balkan durch die Römer und die Venezianer und die dadurch verursachte Verkarstung der Küstengebirge ebenso verkraftet habe wie die Vergiftung der Wasserläufe durch die Gerber in der beginnenden Neuzeit, konnte also nicht wirklich beruhigen. Denn je stürmischer die wissenschaftlich-technische Entwicklung voranschritt und je vollständiger der Planet für die moderne Produktions- und Lebensweise erschlossen wurde, um so gewaltiger mußten die Schäden ausfallen und um so wahrscheinlicher war eine Umweltkatastrophe, die die Regenerationsfähigkeit der Biosphäre insgesamt überforderte.

Das Wort *Nachhaltigkeit* gab es zwar schon in der Forstwirtschaft, aber in die Umweltdiskussion wurde es erst 1987 durch den von den Vereinten Nationen in Auftrag gegebenen Brundtland-Report eingeführt. *Sustainable development* hieß der zentrale Terminus des Berichts, was im Deutschen mit »nachhaltiger Entwicklung« übersetzt wurde. Der Sache nach aber ging es auch schon vorher genau darum: Wie konnte die ökonomisch-technische Entwicklung so gesteuert werden, daß unsere moderne Welt und unsere moderne Lebensweise auf Dauer mit den Naturbedingungen menschlichen Lebens vereinbar waren? In Hunderten von Vorträgen versuchte ich die Jusos, die SPD, die Öffentlichkeit davon zu überzeugen, daß dies die wichtigste politische Frage war und daß alles andere davon abhing, ob es uns gelang, hierauf eine Antwort zu finden.

Natürlich waren die Vorbehalte gegen das neue Thema groß. Nicht wenige, auch in der SPD, sahen darin nichts als die altbekannte, aus der Romantik herrührende, Technikfeindschaft, was sie mit Beispielen von Aussteigern belegten, die wie Anfang des 20. Jahrhunderts die Jugendbewegten »aus grauer Städte Mauern« aufs Land zogen und dort mit primitiven Gerätschaften und nicht selten unter Bedingungen schlimmster Selbstausbeutung eine angeblich natürliche Form des Lebens und Arbeitens praktizierten. Andere hielten uns vor, wir trieben ein unverantwortliches Spiel mit den Ängsten der Menschen, indem wir bedrohliche Entwicklungen einfach linear fortschrieben, ohne zu bedenken, daß der menschliche Geist bisher noch immer Mittel und Wege zur Abwendung der Gefahren gefunden habe. Ein damals vielzitiertes Beispiel war die Anfang des 19. Jahrhunderts geäußerte Befürchtung, London werde bei weiterer Zunahme des Pferdedroschkenverkehrs in wenigen Jahrzehnten im Pferdemist versinken, eine Voraussage, die durch die Erfindung und rasche Verbreitung des Automobils schlagend widerlegt worden war.

Die neuen ökologischen Fragen, das war nicht zu übersehen, komplizierten alles, was vordem relativ einfach erschienen war. Vor allem wurden die Fronten zwischen Links und Rechts fließend. Die ökologische Frage schuf ganz neue Fraktionierungen, die meist quer zu den gewohnten verliefen und darum Verwirrung stifteten. Beifall von der falschen Seite und Kopfschütteln bei den eigenen Leuten war unter solchen Bedingungen gar nicht zu vermeiden. Meinen marxistischen Freunden versuchte ich zu erklären, daß aus ökologischer Sicht nicht nur der Kapitalismus, sondern auch der *Industrialismus* ein Problem darstelle, daß es, marxistisch gesprochen, also nicht nur darum gehe, die Produktions*verhältnisse* zu verändern, sondern auch die Produktions*weise*. Und natürlich kamen im Lichte der neuen Fragestellungen zwangsläufig auch unsere Konsumgewohnheiten und unser Lebensstil auf den Prüfstand. Vor allem das Auto avancierte innerhalb kurzer Zeit zum Umweltfeind Nr. 1, und mir war klar, daß ich als Verkünder der neuen ökologischen Botschaft nur glaubwürdig bleiben konnte, wenn auch mein eigener Lebensstil einigermaßen dem strengen Maßstab der ökologischen Vernunft genügte.

Daß ich als Berliner bei den vielen Terminen, die ich wahrzunehmen hatte, auf das Flugzeug nicht verzichten konnte, ließ sich zumeist noch vermitteln. Um so wichtiger war es, daß ich

sonst, wo immer möglich, mit dem Zug oder mit anderen öffentlichen Verkehrsmitteln reiste. Allerdings gab es Veranstaltungs-
orte, die so abgelegen waren, daß man sie nur mit dem Auto
erreichen konnte. Da dies dann aber auch für die allermeisten
der dort Versammelten galt, war auch das im Prinzip nicht allzu
problematisch. In einem Fall allerdings geriet ich in ernste
Schwierigkeiten. Es muß ein Jahr nach meinem Ausscheiden aus
dem Bundesvorstand der Jusos, also 1976, gewesen sein, als ich
auf einem von den Jungsozialisten veranstalteten Treffen von
Umweltinitiativen in einem Naturfreundehaus irgendwo im
Hochsauerland sprechen sollte. Weil es nun einmal nicht anders
zu machen war, hatte ich auf dem Flughafen in Köln/Bonn bei
einer Autoverleihfirma einen Opel Kadett bestellt, um damit
gleich nach der Landung zum Veranstaltungsort fahren zu können. Als ich aber auf dem Flughafen mein bescheidenes Gefährt
in Empfang nehmen wollte, sagte mir ein freundlicher Herr der
Autoverleihfirma, daß man versehentlich den Opel Kadett an
einen anderen Kunden vergeben habe. Aber, fügte er hinzu und
lächelte vielversprechend, er könne mir, selbstverständlich ohne
Aufpreis, einen vollgültigen Ersatz anbieten.

Was er mir dann anbot, war ein Porsche, genauer: ein Porsche 911 Turbo, nagelneu, eben erst eingefahren, matt glänzend
und phallisch, der Inbegriff all dessen, wogegen das ökologische
Bewußtsein rebellierte. Ich erschrak, aber als ich in das Gesicht
des Mannes vom Autoverleih sah, der mein Erschrecken offenbar als freudige Überraschung deutete, konnte ich gar nicht
umhin, den Ersatzwagen zu akzeptieren, zumal ein anderer
Wagen auch gar nicht verfügbar gewesen wäre. Kaum war ich
aber auf der Autobahn, da hielt es mich nicht lange auf der rechten Fahrbahnseite. Mit dem Fuß tupfte ich ein paar Mal auf den
Gashebel, was den Wagen sofort vorwärtsschießen ließ. Ich
spürte, wie mein Rücken gegen die Lehne des Schalensitzes ge-
preßt wurde. Es war ein grandioses Gefühl von Macht und Aus-
geliefertsein. Ein kaum merklicher Druck mit dem Fuß, eine An-
deutung nur, und schon gehorchte die Maschine, peitschten
mehrere hundert PS das Fahrzeug mitsamt seinem Insassen nach

vorn. Die Autobahn Richtung Olpe war kaum befahren, eine ideale Gelegenheit auszuprobieren, wie schnell dieser Turbo-Porsche war. Als die Tachonadel sich der Marke 220 näherte, nahm ich erschrocken den Fuß vom Gas. Die Faszination Auto – auch ich war dagegen nicht gefeit.

Aber als ich die Autobahn verlassen hatte und mich auf kurvigen Landstraßen dem Ort der Veranstaltung näherte, durchfuhr mich ein ganz anderer Schreck. Was, wenn mich die umweltbewegten Menschen, die mich erwarteten, mit einem Porsche 911 Turbo vorfahren sähen? Auch wenn ich die Wahrheit sagte, ich wäre als Absender ökologischer Botschaften nach einem solchen Entree wohl nicht sehr überzeugend. Also ließ ich das Auto, als ich mich dem Ort näherte, an dessen Rand das Naturfreundehaus lag, auf einem Waldweg stehen, und ging den Rest des Weges zu Fuß. Den Veranstaltern erzählte ich, daß mich ein Bekannter mit dem Auto hergebracht habe, und derselbe mich am Abend auch wieder abholen werde. Nach Ende der Veranstaltung schlich ich mich dann in einem unbeobachteten Moment davon, fand den Porsche zum Glück unversehrt auf dem Waldweg und fuhr, erleichtert über das gelungene Täuschungsmanöver, aber auch ein bißchen irritiert darüber, daß es mir nötig erschienen war, zum Flughafen zurück.

Heute denke ich manchmal, daß es vielleicht besser gewesen wäre, damals mit offenen Karten zu spielen. Ich hätte wahrscheinlich ohne weiteres die Wahrheit sagen können, ich hätte die zu erwartende Empörung über meinen provokativen Auftritt nutzen können, um eine Diskussion darüber anzuzetteln, wie schwer es auch uns Umweltbewegten selbst fällt, unseren Lebensstil den ökologischen Erfordernissen gemäß umzustellen, hätte darauf hinweisen können, daß wir – wieder einmal – Gefahr liefen, uns selbst und andere zu überfordern, indem wir von Menschen eine Konsequenz erwarteten, die der *condition humaine* nicht angemessen sei. Ich hätte auch darauf hinweisen können, daß wir auf Erfolg nur rechnen könnten, wenn wir der Faszination, die die Wunderdinge des Industriesystems auslösten, nicht nur mit Ermahnungen und Verzichtforderungen begegneten, sondern mit attraktiven alternativen Glücksangeboten. Aber damals war ich mir meiner Sache noch nicht sicher genug, um so souverän reagieren zu können.

Einige Jahre später war genau dies der Ton, in dem Klaus Traube und ich über das Fortschrittsproblem schrieben: »Der Fortschritt tritt heute aus seiner kindlichen Phase ins Erwachsenenalter ein. Wir gehen gerade erst daran, die kindliche und kindische Begeisterung für das Maßlose, für die glitzernden Wunderdinge der Technik zu überwinden, und beginnen uns darauf zu besinnen, was dem Menschen wirklich und auf Dauer von Nutzen ist. Wir reduzieren unsere Ansprüche nicht, wir klären sie. Wir sind nicht länger zufrieden mit einem Fortschritt, der in so vielen Punkten Rückschritt bedeutet. Die Aufgabe heißt Vermenschlichung des Fortschritts nach Maßgabe eines realistischen Menschenbildes, das die natürlichen Bedingungen menschlicher Existenz einbezieht. Es ist eine Aufgabe, die die Kreativität des Menschen und seine Fähigkeit zu solidarischer Aktion herausfordert, und sie wird sich schon bald für viele als faszinierender erweisen als die Planung immer effektiverer Aggregate für die Produktion immer fragwürdigerer Produkte.«

Noch heute glaube ich, daß diese Sätze ziemlich genau benennen, was als Herausforderung vor uns liegt. Nur wäre ich mir nicht mehr ganz so sicher, daß es uns tatsächlich gelingen wird, dem selbstgesetzten Anspruch auch gerecht zu werden. Wir waren damals optimistisch, weil überall auf der Welt das Verständnis für die ökologischen Probleme sprunghaft zugenommen hatte. Wie hätten wir denn auch ahnen sollen, daß die naivsten Wachstumsillusionen, die Grobschlächtigkeit eines rein quantitativen Denkens, das blinde Vertrauen in die Technikentwicklung, daß sogar die wüsten Phantasien der Marktradikalisten im ausgehenden 20. und beginnenden 21. Jahrhundert noch einmal mit solcher Macht das Bewußtsein der Menschen, vor allem der wirtschaftlichen und politischen Eliten, in Bann schlagen könnten?

Als in den zahlreichen Umweltinitiativen Ende der siebziger Jahre die Gründung einer neuen Umweltpartei erwogen wurde, versuchten wir verstärkt die SPD für eine entschiedenere ökologische Haltung zu gewinnen. In der Grundwerte-Kommission, der nun Erhard Eppler vorsaß, gelang dies, nicht aber in der Partei als ganzer. In mehreren Universitätsstädten trat ich zusammen mit Rudi Dutschke auf, der sich kurz vor seinem Tode noch einmal in die Auseinandersetzung um die Frage der Parteigründung einmischte. Milan Horácek, heute für die Grünen im Europaparlament, hatte die Veranstaltungsreihe organisiert: *Brauchen wir eine ökologische Partei?* Rudi Dutschke, der sich inzwischen den Sozialdemokraten angenähert hatte und mit dem mich zudem das Eintreten für die Dissidenten im Ostblock verband, bejahte die Frage schließlich, ich plädierte dafür, die ökologischen Themen lieber innerhalb der SPD durchzusetzen. Aber während wir noch diskutierten, wurden – zuerst in Bremen und dann auch an immer mehr anderen Orten – schon Fakten geschaffen.

Die Gründung der Grünen bedeutete für uns grüne Sozialdemokraten, die wir die ökologischen Themen seit vielen Jahren bearbeiteten, eine Niederlage. Immerhin konnten wir verhindern, daß es zu massenhaften Übertritten aus der SPD zu den Grünen kam, so daß unsere Position in der Partei am Ende nicht geschwächt wurde. Es ist im nachhinein schwer zu beurteilen, ob die Gründung der grünen Partei für die ökologische Sache eher vorteilhaft oder nachteilig war. Tatsächlich wuchs in der neuen Partei ein Koalitionspartner der SPD heran, der zusammen mit den Sozialdemokraten besonders in der Energie- und Verbraucherpolitik neue Akzente zu setzen vermochte. Aber eine grundlegende ökologische Wende schaffte auch die rot-grüne Koalition auf Bundesebene nicht. Sie versuchte es nicht einmal. Jetzt, nachdem sie abgewählt und durch eine Große Koalition ersetzt wurde, die um das Wirtschaftswachstum anzukurbeln nahezu alle ökologischen Bedenken über Bord geworfen hat, fangen wir wieder einmal von vorn an. Selbst den Ausstieg aus der Atomenergie stellen Unionspolitiker nun wieder in Frage. Uns bleibt nichts anderes übrig, als die bereits hundertmal vorgebrachten Argumente geduldig zu wiederholen, auf die wachsenden Gefahren der alten Techniken und die bereits entwickelten und noch keineswegs ausgeschöpften Alternativen zu verweisen. Und darauf zu vertrauen, daß wir die Politiker am Ende doch noch überzeugen und so der Vernunft zum Durchbruch verhelfen werden. Auch wenn man uns tausend Gründe präsentierte, warum wir am Ende scheitern müssen, wir hätten gar keine andere Wahl. Um der Menschen und der Welt willlen und auch, weil wir selbst ohne Hoffnung nicht leben könnten.

16

FRANZISKA

Zufall nennen wir das, was ohne unser Zutun, gewissermaßen absichtslos passiert. Wenn, was da passiert, uns nicht gefällt oder sich zu unserem Schaden auswirkt, dann sprechen wir gern von *Schicksal* oder von einer *Verkettung unglücklicher Umstände*, von Prozessen also, die ganz und gar nichts Zufälliges an sich haben, sondern eher eine über uns hereinbrechende Unvermeidlichkeit. Aber es gibt auch die glücklichen Zufälle, für die wir dankbar sind, und weil wir für unsere Dankbarkeit einen Adressaten brauchen, neigen wir dazu, in einem solchen Fall hinter dem Geschehen einen wohlwollenden Regisseur zu vermuten, der die Dinge für dieses eine Mal so lenkt, daß sie die normale Bahn des determinierten Geschehens verlassen.

Karnevalssamstag. Früher Abend. Mein Freund Hartmut Palmer und ich schlendern absichtslos, allenfalls mit einem vagen Amüsierbedürfnis, die Breite Straße in Bonn entlang. Vor dem *Faß* bleiben wir stehen, von drinnen schallt die Musik der Bläck Fööss zu uns heraus. Als wir gerade hineingehen wollen, sehen wir auf der anderen Straßenseite Michael Bertram, damals persönlicher Referent von Willy Brandt, und Martin Süskind, Willys Redenschreiber. Und zwischen ihnen eine junge Frau, die uns beiden unbekannt ist.

Hallo.

Hallo.

Das ist Franziska aus Paris.

Aus Paris? Und was machen Sie hier im provinziellen Bonn?

Ich bearbeite Petitionen.

Was machen Sie?

Ich sitze im Büro Brandt und beantworte Briefe, die sonst niemand beantworten will.

So fing es an. Hartmut war der erste, der begriff, daß da etwas angefangen hatte. Ich brauchte, wie so oft, wenn man selbst betroffen ist, etwas länger dazu. Im *Faß* tranken wir ein Kölsch, zogen dann weiter ins *Laternchen* und schließlich in die *Schumann-Klause*, wo die Journalistenfreunde von der *Gelben Karte*, einer den Sozialdemokraten nahestehenden Journalistenvereinigung, nahezu vollständig versammelt waren und schon zum zehnten Mal an diesem Abend die Bläck-Fööss-Hymne »En unsrem Veedel« sangen. Franziska aus Paris mit ihrem strahlenden Lachen und den Augen, die alle Schattierungen von Blau, Grau und Grün annehmen konnten, immer mittendrin im Knäuel an der Theke. Als wir uns gegen drei Uhr verabschiedeten und sie und ihre beiden Beschützer in die eine, Hartmut und ich in die andere Richtung davongingen, war sie, die gebürtige Münchnerin, längst zur Ehrenrheinländerin ernannt worden.

Am nächsten Tag gegen Mittag fuhren Hartmut und ich nach Mainz, wo wir mit meinem alten Freund Charly und einer veritablen Weinkönigin verabredet waren. Die Weinkönigin hatte ich vor einigen Wochen bei einer Veranstaltung in Speyer kennengelernt, und nun fuhren Hartmut und ich über die Autobahn nach Süden, und je näher wir Mainz kamen, um so absurder erschien es mir, ausgerechnet in Charlys Kellerbar Karneval zu feiern, wo es doch in Bonn die *Schumann-Klause* gab. Ich muß keinen besonders erwartungsfrohen Eindruck gemacht haben, während wir so über die Autobahn dahinfuhren, denn plötzlich bog Hartmut auf einen Parkplatz ein, bremste und sagte mir auf den Kopf zu:

Du willst gar nicht nach Mainz.

Wie kommst du denn darauf?

Ich seh dir doch an, sagte Hartmut, daß dir die Franziska im Kopf herumgeht.

Freunde sind dazu da, einem zu sagen, was man sich selbst nicht eingestehen will. Zwei Jahre war es her, da hatte ich Hartmut beim Griechen in der Bonner Nordstadt gesagt, er solle endlich zur Kenntnis nehmen, daß an seiner Ehe nichts mehr zu retten sei. Daraufhin war er eine Woche lang beleidigt, sprach kein Wort mit mir. Dann rief er mich an, seine Frau und er hatten sich getrennt, das jahrelange Hin und Her war endlich zu Ende. Eine echte Befreiung. Für beide. Ich hatte ihm gesagt, was er eigentlich schon wußte, aber nicht hatte wahrhaben wollen. Nun revanchierte er sich bei mir, indem er mir sagte, was ich zwar zunächst noch vor mir, nicht aber vor ihm hatte verbergen können: Dir geht die Franziska im Kopf herum.

Wir sind dann doch weiter nach Mainz gefahren, aber nur, um Charly und der Weinkönigin persönlich die Mitteilung zu überbringen, daß wir leider noch am selben Abend nach Bonn zurückfahren müßten. Ein wichtiger Termin, der sich ganz plötzlich ergeben habe. Eine politische Angelegenheit von höchster Dringlichkeit. Ich log, daß sich die Balken bogen. Ob die Weinkönigin mir die Ausrede abnahm? Ich weiß es nicht. Aber als es zu dunkeln begann, traten Hartmut und ich die Rückreise an und trafen kurz vor elf in der *Schumann-Klause* ein, wo mitten in dem Knäuel an der Theke ... Da seid ihr ja wieder, rief Franziska und umarmte Hartmut und mich, und als ich ihre Wärme spürte und ihren Duft einatmete, war es einen Augenblick lang ganz still um mich herum, bevor alle wieder zu singen anfingen: »En unsrem Veedel« und »Drink doch eene met« und »Rof mer ens e Taxi för na hus«.

Geheiratet haben wir erst drei Jahre später. Da lebten wir längst zusammen in Berlin im Haus von Günter Grass, und Franziska war im siebten Monat mit Felix schwanger. Zunächst aber ging ich im April 1979 mit ihr nach Kiel, wo Klaus Matthiesen, damals Oppositionsführer im Schleswig-Hosteinischen Landtag, Franziska zur Pressesprecherin der SPD-Landtagsfraktion machte. Wo ich meinen Schreibtisch habe, sagte ich mir, ist doch sowieso egal, und meine Lehrverpflichtungen an der FU in Berlin kann ich auch von Kiel aus wahrnehmen. Das war in Michael Bertrams und Martin Süskinds Junggesellenwohnung in der Bonner Schloßstraße, wo Franziska, nach zwei Jahren in Paris und einer unglücklich zu Ende gegangenen Liebe, Aufnahme gefunden hatte. Franziska hatte mir soeben eröffnet, daß Klaus Matthiesen ihr den Posten einer Pressesprecherin in Kiel angeboten habe. Ich komme mit, sagte ich forsch. Was ich mache, kann man auch von Kiel aus machen. Schon am nächsten Tag rief ich in meiner Berliner Wohngemeinschaft an. Das Zimmer zu kündigen, war kein Problem. Es gab genügend Interessenten, die lieber heute als morgen mein Zimmer beziehen wollten: Sylvia, Friedhelm, vielleicht auch der Dachdecker-Rolf, der schon einmal zwei Monate im Gästezimmer gewohnt hatte, als er aus seiner Ehe hatte fliehen müssen.

Es war alles ganz einfach. Franziska hatte mich zwei- oder dreimal in Berlin besucht, meine Mitbewohner kannten und mochten sie, alle hatten Veständnis dafür, daß ich mit dieser Frau nach Kiel gehen wollte. Rainer erbot sich, meine Bücher und die Schlafcouch mit dem VW-Bus nach Kiel zu transportieren. Es war alles ganz einfach. Aber als alles geregelt war, bekam ich plötzlich Fieber: neununddreißigacht! Das war viel für mich, der ich normalerweise nicht zu hohem Fieber neigte. Franziska machte mir kalte Umschläge, die Temperatur sank ein wenig, stieg aber gleich wieder an, diesmal auf über vierzig. Und dann sagte Franziska etwas, das beweist, daß Frauen, jedenfalls Frauen wie sie, über Fähigkeiten verfügen, die uns Männern auf ewig unbegreiflich bleiben werden. Ruf doch mal in deiner WG an, sagte sie. Vielleicht kannst du dein Zimmer ja noch ein paar Monate behalten.

Sie reichte mir das Telefon. Ich wählte. Bettina war am Apparat. Ich meldete mich mit matter Stimme. Ob ich mein Zimmer noch eine Weile behalten könne?

Klar, sagte Bettina. So lange du willst. Dann brauchst du nicht im Gästezimmer zu schlafen, wenn du kommst. Mir fiel ein Stein vom Herzen, das Fieber war wie weggeblasen, ich erhob mich vom Sofa, auf das Franziska mich gebettet hatte, und war von Stund an kerngesund. Ein Psychosomatiker, wie er im Buche steht. Auch das hatte ich bisher nicht gewußt. Oder ich hatte es mir nicht eingestehen wollen, weil wir damals zwar noch nicht *cool*, aber doch ziemlich *lässig* waren, was mehr oder weniger auf dasselbe hinausläuft.

Franziska und ich blieben ein Dreivierteljahr in Kiel. Während des Semesters verbrachte ich ein, zwei Tage pro Woche in Berlin, ansonsten saß ich fast den ganzen Tag in unserer Wohnung in der Annenstraße, schrieb an einem Buch und machte mich der schleswig-holsteinischen SPD nützlich, indem ich ihr neues Grundsatzprogramm redigierte. Franziska aber fühlte sich so weit oben auf der Landkarte von Anfang an wie in der Verbannung. Jeden Morgen um neun ging sie *in die Fraktion*, schrieb Presseerklärungen, führte Hintergrundgespräche mit Journalisten, trank Linie Aquavit mit Karl Otto Meyer, dem sanguinischen Vertreter der dänischen Minderheit im Landtag, und hörte sich die immer gleichen Geschichten von den Segeltörns der Abgeordneten an. Manchmal kam sie abends später heim, dann hatte sie im *Café Tango* den Journalisten beim Siebzehnundvier oder beim Poker das Geld aus der Tasche gezogen. Die meisten Menschen, mit denen sie zu tun hatte, waren wortkarg, aber freundlich, und sie waren ihr gewogen, und doch fühlte Franziska sich mittlerweile in Kiel, als stecke sie auf einem Kreuzfahrtschiff im Packeis fest. Ich fuhr mit ihr nach Lübeck. Sie fand die Stadt interessant, bestaunte artig die riesigen gotischen Backsteinkirchen. Aber das Licht stimmte nicht, war so ganz anders als das warme Licht in ihrer Heimatstadt München. Das Licht, sagte sie, ist mir zu *evangelisch*.

Einmal fuhren wir für ein Wochenende mit dem Schiff nach Oslo. Am Freitagabend ging es los, am Samstagmorgen früh waren wir da. Es war Winter, ein klarer, kalter Wintertag. Wir mieteten ein Auto und fuhren durch die verschneite Landschaft. Das dunkle, fast schwarze Grün der Tannen, das Rot der Häuser, altersgraue Felsen, tiefschwarze Fjorde. Am nächsten Tag blieben wir in Oslo, besuchten das Munch-Museum und den Vigelandpark mit den Granitskulpturen, die alle aussehen, als seien sie im Zorn erschaffen worden. Noch zweieinhalb Stunden bis zur Abfahrt des Schiffes. Wir suchen ein Restaurant, ein Café, eine Kneipe, schließlich suchen wir nur noch einen Platz, wo wir uns einen Augenblick hinsetzen können. Sonntag in Oslo. Weit und breit kein Lokal, das geöffnet hat. Ich sehe Franziska an, was sie denkt. Hier bin ich falsch, denkt sie. So hoch im Norden kann jemand wie ich nicht leben.

Als wir an einem düsteren, regennassen Wochenende in unserer Kieler Wohnung saßen und auch ein Glas Rotwein Franziska nicht aus ihrer Melancholie zu reißen vermochte, läutete das Telefon. Es war Günter Grass. Sie säßen in Göttingen bei Lutz Arnold zusammen, Heinrich Böll, Tomás Kosta, Carola Stern, Heinrich Vormweg und er selbst, und machten sich Gedanken, wie es mit der Zeitschrift *L'76* weitergehen solle. Ob ich mir vorstellen könne, in den Herausgeberkreis einzutreten und die Redaktion zu übernehmen?

Wo?

In Berlin, in der Niedstraße.

Ich sagte, daß ich mir das vorstellen könne, ich kannte die Zeitschrift, hatte darin schon einmal drei kurze Erzählungen veröffentlicht und las sie regelmäßig. Wir vereinbarten, daß Franziska und ich am nächsten Tag Günter in seinem Haus im schleswig-holsteinischen Wewelsfleth besuchen und dort die Einzelheiten besprechen würden.

Wenn die Not am größten, ist die Rettung am nächsten. Solche phantastischen Wendungen zum Guten gibt es eigentlich nur in Boulevardkomödien oder in schlechten Filmen. Aber Franziska, so schien es, war mit dem *Deus ex machina* im Bunde. Sie war augenblicklich verwandelt. Keine Spur mehr von Melancholie, ihre Augen blitzten vor Unternehmungslust. Natürlich würde ich das Angebot annehmen. Natürlich würden wir nach Berlin gehen, in die Stadt, die für sie gleich nach Paris kam, eine Stadt der Künstler und der Literaten, wo die Dinge passierten, von denen anderswo allenfalls geträumt wurde. Sie sagte anderswo, aber es war klar: Sie meinte Kiel. Am Tag darauf fuhren wir mit Franziskas kleinem Renault nach Wewelsfleth, wo uns Günter in seinem Haus, einem umgebauten Dorfladen, mit Tee und Kuchen empfing. Wir waren uns schnell einig: tausend Mark pro Monat und die Wohnung in der Niedstraße gratis. Fünf Zimmer, Küche und Bad und Büro für zwei Personen. Auf Zuwachs, sagte Günter. Und dann fügte er mit einem lauernden

Mit Franziska in der Niedstraße

Blick hinzu: Du siehst so glücklich aus, Franziska. Bist du schwanger?

Die Frage stellte er noch oft in den nächsten anderthalb Jahren. Er, selbst Vater vieler Kinder, drängte immer wieder ungeduldig: In ein solches Haus gehören Kinder. Er ließ nicht locker bis es endlich im Herbst 1981 soweit war, daß wir ihm melden konnten, Franziska erwarte ein Kind. Jetzt müßt ihr nur noch heiraten, sagte Günter. Ich richte euch die Hochzeit aus. Und das tat er dann tatsächlich. Die Hochzeit fand am 15. Januar 1982 in Günters Haus in Wewelsfleth statt, eine standesamtliche Haustrauung mit Günter und einem weiteren Schriftsteller, Patrick Süskind, Franziskas Jugendfreund, als Trauzeugen und einem zweitägigen Fest mit nahezu hundert Gästen. Schon am Vortag kamen die Gäste aus allen Teilen Deutschlands an, und mit jeder der ankommenden Gästegruppen mußte Wein und Schnaps getrunken werden. Es war wie auf den Delegationsreisen in die Sowjetunion, nur fröhlicher. Jedenfalls war der Bräutigam am nächsten Morgen, als um elf Uhr die Trauungszeremonie stattfand, etwas unsicher auf den Beinen und brauchte mehrere Becher Kaffee, um das Jawort mit der gebotenen Deutlichkeit sprechen zu können.

Aber am Abend beim großen Festessen schmeckte der Wein schon wieder. Günter hatte selbst gekocht: Schweinskopfsülze, Flugenten, Fasan. Wir hatten am Nachmittag in der schneidenden Kälte einen Spaziergang auf dem Elbdeich gemacht. Da kam die deftige Kost gerade recht. Als der Nachtisch serviert wurde, stand Günter auf, hob sein Glas und verlangte Franziska und mir das feierliche Versprechen ab, daß wir, falls wir uns je scheiden ließen, alle Hochzeitsgäste zu einem großen von uns gemeinsam auszurichtenden Fest einladen würden. Vielleicht ist auch das ein Grund dafür, daß unsere Ehe, bisher jedenfalls, allen Anfechtungen standgehalten hat.

17

LITERATUR UND POLITIK

Für den Umzug von Kiel nach Berlin hatte ich zwei junge Männer aus einem alternativen Umzugskollektiv aus Kreuzberg angeworben. Sie erschienen statt, wie verabredet, um neun Uhr morgens erst um elf, waren leicht bekifft, aber sonst äußerst zuverlässig. Jedenfalls stand der Kleinlaster mit unserer Habe schon vor dem Haus in der Niedstraße 13, als Franziska und ich mit dem Renault dort eintrafen. Günter führte uns durch das Haus: gleich links sein Büro, darüber sein Schlafzimmer, unter dem Dach eine kleine Küche und das Atelier mit zwei weiteren kleinen Kammern für Gäste. Durch die Tür rechts vom Eingang ging es in unsere Wohnung: unten ein Wohnzimmer, ein Eßzimmer, beide groß und hell, Küche und Büro, darüber, durch eine Wendeltreppe erreichbar, drei weitere Zimmer und ein geräumiges Bad. Noch Jahre später dachte ich manchmal, wenn ich morgens aufwachte: Wie ist es möglich, daß ausgerechnet ich hier, in diesem Luxus, wohne?

Acht Jahre lebten Franziska und ich in der Niedstraße 13, acht ereignisreiche, anstrengende und glückliche Jahre, in denen zwischen Büchern, Manuskripten und einer Unzahl von Besuchern unsere beiden Kinder heranwuchsen, in denen in meinem Leben die Literatur allmählich einen immer größeren Raum einnahm, ohne daß die Politik deswegen an den Rand gedrängt wurde. Mit dem Neuanfang der Zeitschrift und meinem Antritt als Redakteur wurde *L'76* in *L'80* umbenannt, die Heft-Numerierung aber fortgeführt. Fast neun Jahre lang, von Heft 13 bis Heft 46, war ich zunächst allein, später zusammen mit Franziska für den Inhalt der Zeitschrift verantwortlich. Zwei Besonderheiten waren es, die *L'80* auszeichneten: In jedem Heft der Zeitschrift befanden sich literarische Beiträge, Gedichte, Erzählungen, Vorabdrucke von Romanen und Theaterstücken neben politischen Analysen und Essays; und alle namhaften Dissidenten des Ostblocks von Jürgen Fuchs über Robert Havemann und Václav Havel bis zu György Konrád und Lew Kopelew fanden hier ein Forum, das die Einheit Europas, lange vor der tatsächlichen Wiedervereinigung, zumindest im Geistigen behauptete. Das letzte Heft der Zeitschrift erschien im Juli 1988, als Franziska und ich schon an den Starnberger See umgezogen waren; es erinnerte an den Prager Frühling: *Prag vor 20 Jahren. Erinnerung an eine Hoffnung.*

Die Arbeit an der Zeitschrift nahm einen großen Teil meiner Zeit und Aufmerksamkeit in Anspruch, obwohl sie nur viermal im Jahr erschien. Aber jedes Heft war ein Buch von einhundertundachtzig Seiten. Dafür waren Heftthemen zu konzipieren, Beiträge einzuholen, Texte zu redigieren, Korrekturfahnen zu lesen, Honorarlisten zu erstellen, eine umfangreiche Korrespondenz mit den nicht immer einfachen Autoren füllte am Ende zwölf dicht gepackte Ordner. Ein Teil der Auflage ging auf Kurierwegen in die DDR, in die ČSSR, nach Ungarn, Polen und Rumänien. Die Honorare für die Autoren aus dem Ostblock konnten nur auf komplizierten Schleichwegen an ihre Empfänger gelangen, und weil manchmal ganze Familien davon leben mußten, mußten Autoren aus dem Westen dazu überredet werden, auf ihr Honorar zugunsten eines Ostautors zu verzichten. Hergestellt wurde die Zeitschrift im Bund-Verlag in Köln, den damals Tomás Kosta, ehemals Mitinitiator des Prager Frühlings und nun unser Mitherausgeber, leitete. Ohne ihn, seinen Sachverstand und seinen an Auschwitz und stalinistischer Verfolgung gestählten Lebensmut wäre es nicht gegangen. Denn wie bei allen anspruchsvollen literarischen und politischen Zeitschriften, die seit den Tagen Lessings in Deutschland erschienen, war die Finanzierung von *L'80* von Anfang an ein Problem, und als schließlich die Zahl der Abonnenten immer weiter sank und nach Tomás Kostas Weggang auch der Bund-Verlag seine Unterstützung einstellte, war das Ende gekommen. Immerhin hatte es die Zeitschrift da aber, alles in allem, auf fast zwanzig Jahre mehr gebracht als Goethes und Schillers *Horen.*

Die letzten Tage, bevor das Manuskript in Druck ging, waren immer die hektischsten. Auf dem großen Tisch im Eßzimmer lagen dann die Umbruchfahnen ausgebreitet, Franziska und ich lasen noch einmal Korrektur, fügten bei den Autorennotizen das soeben erschienene neueste Buch der Schriftstellerin X oder des Schriftstellers Y hinzu, unser Layout-Mann, Günters Drucker Fritze Margull, legte letzte Hand ans Layout, hier noch eine Leerzeile, dort die Bildunterschrift zwei Punkt kleiner, die Andrucke des Umschlags wurden begutachtet, zwischendurch kam Günter aus seinem Büro herüber, um mit mir über eine Veranstaltungsreihe zu diskutieren, die er sich für die Akademie der Künste ausgedacht hatte: *Das Elend der Aufklärung.* Und immer wieder Autoren, die auf einen Tee vorbeikamen, viele, die in West-Berlin lebten, manche auch aus der DDR oder anderen Ostblockländern, die überraschend eine Reiseerlaubnis erhalten hatten und dann meist auch in der Niedstraße auftauchten.

Ich erinnere mich, daß einmal mitten in all der Hektik plötzlich Lew Kopelew in der Tür stand. Franziska bat ihn herein, servierte Tee und Gebäck, Günter kam, setzte sich dazu, wir unterhielten uns über Goethe, Thomas Mann und Puschkin und über Döblin, den Kopelew offenbar weniger schätzte, und als Franziska in die Küche mußte, um das Abendessen zu bereiten, setzte sie dem Gast unsere beiden Kinder auf den Schoß, weil sonst niemand da war, der sich um sie hätte kümmern können. Dem Gast war das recht und den Kindern offenbar auch. Mit Felix auf dem rechten und Therese auf dem linken Knie saß der schwere Mann mit dem weißen Rauschebart in einem Sessel und sang mit großväterlichem Brummbaß russische Kinderlieder.

Die Herausgebertreffen, zwei- bis dreimal im Jahr, fanden meist im Bund-Verlag in Köln, manchmal auch in der Niedstraße statt. Es wurden Schwerpunktthemen besprochen, Aufträge vergeben: Wer kann wen für einen Beitrag, wer welchen

Redakteur für eine Besprechung gewinnen? Und dann die leidige Geldfrage: Was kann man tun, um neue Abonnenten zu gewinnen? Wo sind Zuschüsse zu den hohen Übersetzungskosten zu bekommen? Lutz Arnold schlägt eine Aktion zur Geldbeschaffung vor: Bekannte Schriftsteller, die für die Zeitschrift schreiben, gestalten Graphiken oder Plakate, die dann in limitierter Auflage gedruckt und an Sammler verkauft werden, zugunsten der Zeitschrift. Böll, Dürrenmatt, Grass, Helmut Heißenbüttel, Christoph Meckel, Peter Rühmkorf machen mit, andere kommen später hinzu. Günter und ich werden auf unseren Wahlkampfreisen für die SPD Hefte der Zeitschrift verkaufen und Abonnenten werben. Eine Zeitschrift zu machen, ist ein mühevolles Geschäft.

Später, als die finanzielle Situation der Zeitschrift immer schwieriger wurde, liefen die Herausgebertreffen fast immer nach dem gleichen Muster ab. Es begann mit allgemeinem Wehklagen:

So können wir nicht weitermachen.

Uns brechen die Leser weg.

Die Zahl der Abonnenten ist schon wieder gesunken.

Das Geld aus dem Verkauf der Plakate ist auch nur ein Tropfen auf dem heißen Stein.

In Deutschland kann man eine anspruchsvolle politisch-literarische Zeitschrift nur machen, wenn man einen Mäzen findet, dem es auf eine Million mehr oder weniger nicht ankommt.

Wenn alle nach einer Weile tief deprimiert schwiegen, meldete sich meist Heinrich Böll, der sich alles angehört und inzwischen ein Päckchen Zigaretten verbraucht hatte, zu Wort: Was machen wir denn nun im nächsten Heft? Das war mein Stichwort. Ich berichtete über den Stand der Planung für die nächsten Hefte, und sofort war die resignative Stimmung verflogen. Alle hatten Ideen, machten Vorschläge, kündigten eigene Beiträge an, es entspann sich eine hitzige Diskussion zu diesem oder jenem Thema, und niemand dachte mehr daran, daß all unsere Energie einem Projekt galt, dem wir soeben noch wortreich absolute Aussichtslosigkeit bescheinigt hatten.

Redaktionssitzung L'80. Im Hintergrund: Carola Stern,
Heinrich Böll, J. S., Heinz Ludwig Arnold, Günter Grass,
Berndt Oesterhelt, Heinrich Vormweg, Erdmann Linde.
Verdeckt: Tomás Kosta und Protokollantin.

Heinrich Böll. Als ich ihm bei den Herausgebertreffen von *L'80*
begegnete, kannte ich ihn schon aus dem Schriftstellerverband
(VS). Mich sprach er immer mit meinem Vornamen an und mit
Sie: Was halten Sie davon, Johano? Nie wieder habe ich einen
berühmten Schriftsteller erlebt, der so frei von Eitelkeit war. Er
konnte zuhören, konnte lange dasitzen und schweigen, während
andere redeten, und wenn er sich zu Wort meldete, sprach er mit
leiser, aber eindringlicher Stimme, immer klar, immer eindeutig, aber niemals rechthaberisch, schroff, die Gesprächspartner
verletzend. Manche glaubten, weil er freundlich war, mit ihm
leichtes Spiel zu haben, und waren dann verblüfft, wenn sie ihn
als zähen Kämpfer erlebten, der keinen Millimeter von seinen
Grundsätzen abwich.

Auf meinem Schreibtisch das Heft 36 von *L'80*, erschienen im
Dezember 1985, es ist Heinrich Böll gewidmet, der am 16. Juli

desselben Jahres starb. Heinrich Vormweg schreibt darin über ihn, Dorothee Sölle, Willy Brandt, Carl Amery, Jutta Bohnke und Carola Stern, Gerhard Köpf, Helmut Gollwitzer, Erich Fried, Günter Wallraff, Karl-Heinz Hansen und Milan Šimecka. Nachrufe und Erinnerungen von Freunden, verfaßt für einen Freund. Auch in diesem Heft, handschriftlich in Faksimile, ein kleines, in seiner Schlichtheit anrührendes Gedicht, das Böll kurz vor seinem Tod für seinen Enkel Samay geschrieben hat. Es endet mit drei Zeilen, die sein Leben ganz unspektakulär zusammenfassen: »wir kommen weit her / und müssen weit gehen / liebes Kind.« Ein Abschiedsgruß des Schwerkranken steht darunter: »Dein Großvater 8. Mai 1985.«

Bölls Tod stimmte auch seine Gegner versöhnlich. Politiker, die ihn vor kurzem noch als »Sympathisanten des Terrors« diffamiert hatten, würdigten ihn nun als großen deutschen Schriftsteller und vorbildlichen Demokraten. Selbst in der Springer-Presse, in der jahrelang gegen ihn gehetzt worden war, fanden sich nun lobende Worte. »Stramm stand das Feuilleton / setzte auf Halbmast / volle Kraft voraus«, hieß es in dem Gedicht »Abgefeiert«, das Gerhard Köpf zum Böll-Heft von *L'80* beisteuerte, und in meinem Vorwort schrieb ich: »Daß sein Tod zum Medienereignis werden würde, war zu erwarten und hinzunehmen. Aber daß diejenigen, die ihn als Lebenden diffamierten, ihn einen Wegbereiter des Terrors nannten, nicht wenigstens jetzt zu schweigen vermochten, bleibt ein besonderer Skandal. Ihr ausgewogenes Lob, ihre öffentlich zur Schau gestellte Anteilnahme hätten ihn wohl schwerer getroffen als ihre offene Feindschaft.« Vielleicht würde ich das heute so nicht mehr schreiben, in diesem Zusammenhang nicht von einem Skandal sprechen. Ich war unversöhnlicher damals. Heute würde ich vielleicht daran erinnern, daß man schon bei dem französischen Schriftsteller François de La Rochefoucauld nachlesen kann, wie wichtig für die Aufrechterhaltung ziviler Verhältnisse die »Verneigung des Lasters vor der Tugend« ist.

Im Dezember 1980 widmeten wir ein Heft der Zeitschrift der Streikbewegung in Polen und der Gründung der ersten freien

Gewerkschaft durch die Danziger Werftarbeiter. Das war damals auf der Linken alles andere als selbstverständlich. Auch in der SPD fürchteten viele, daß die rebellischen Arbeiter um Lech Wałęsa mit ihren Forderungen nach gewerkschaftlicher Selbstbestimmung d„en sowjetischen Großverbündeten allzusehr reizen und die Entspannngspolitik gefährden könnten. Im Schriftstellerverband (VS) hatten gar vorübergehend die Hardliner um Bernt Engelmann die Mehrheit, die auch noch, als bereits zehn Millionen polnische Arbeiter sich in der Gewerkschaft Solidarność zusammengeschlossen hatten, von einer »Bande von Konterrevolutionären« sprachen. Auf dem VS-Kongreß im März 1984 in Saarbrücken kam es zum Eklat, als die straff organisierten Anhänger Engelmanns die Wahl Ingeborg Drewitz' zur VS-Vorsitzenden verhinderten und sich über den »guten Heinrich«, gemeint war Heinrich Böll, lustig machten, weil er nicht bereit war die Unterdrückung der polnischen Arbeiter als *Normalisierung* und den von der kommunistischen Führung ausgehaltenen Schriftstellerverband Polens als einzig legitimen Gesprächspartner des VS zu akzeptieren.

Es gibt eine Dokumentation dieses Kongresses, herausgegeben 1995 von Ralph Schock und anderen im Auftrag des VS Saar: *Ein Dialog zwischen Blinden und Taubstummen.* Es ist ein nostalgisches Dokument, weil die dort protokollierte Auseinandersetzung uns heute so unendlich entfernt anmutet. Dabei ging es um Fragen, die keineswegs an Aktualität verloren haben: um die grundsätzliche Bedeutung der Meinungsfreiheit, um die Pflicht, für die Unterdrückten und gegen die Unterdrücker einzutreten, wer immer sie seien, um die Rolle der Schriftsteller in unserer Gesellschaft, um die Probleme, die sich ergeben, wenn Schriftsteller Diplomatie betreiben, wenn sie, wie Heinrich Böll sich ausdrückte, »zu Hofe gehen«. Die Herausgeber und Autoren von *L'80* spielten bei der Kontroverse im VS eine zentrale Rolle. Ihnen hatte Bernt Engelmann in einem Interview mit der Zeitschrift *kürbiskern* eine Verschwörung gegen die Ost- und Entspannungspolitik unterstellt, weil sie für die gemaßregelten und ausgebürgerten Autoren aus der DDR und für die Solidarność in Polen Partei ergriffen. Ein führender Funktionär der IG Druck und Papier, Erwin Ferlemann, hatte in diesem Zusammenhang sogar von einer »fünften Kolonne« gesprochen. Tempi passati? Gewiß. Heute interessiert sich verständlicherweise kaum noch jemand dafür, wer damals was und über wen sagte, wer im Recht war und wem unrecht geschah. Auch mein Verfolgungseifer ist nicht besonders ausgeprägt, ich halte wenig davon, Menschen wieder und wieder wegen alter Fehler an den Pranger zu stellen und auf diese Weise womöglich sich selbst vorteilhaft ins Licht zu heben. Aber lernen sollten wir aus den alten Fehlern, damit nicht immer wieder dasselbe passiert, damit nicht noch einmal aus falscher Parteilichkeit oder aus vermeintlich übergeordneten Gesichtspunkten denen die Solidarität verweigert wird, die ihrer am dringendsten bedürfen.

Der Streit im VS ging nicht nur um die – allerdings elementare – moralische Forderung an die Schriftsteller, sich stets und überall für die Freiheit des Wortes und gegen Unterdrückung zu erklären, sondern auch um den eigentlichen Sinn und Zweck der Entspannungspolitik. Viele, auch innerhalb der SPD, waren damals so fixiert auf die – im übrigen richtige und wichtige – diplomatische Seite dieser Politik, daß sie deren andere Seite übersahen: die Tatsache nämlich, daß als Folge der Entspannungspolitik und des Helsinki-Prozesses die Gesellschaften der Ostblockländer zunehmend in Bewegung gerieten und damit andere, nicht-staatliche Akteure die politische Bühne betraten. Für mich war immer klar, daß der Grundimpuls der Ost- und Entspannungspolitik in dem zu sehen war, was Egon Bahr in seiner berühmten Tutzinger Rede mit der Formel »Wandel durch Annäherung« bezeichnet hatte. Ziel der Entspannungspolitik, so verstand ich die Formel, war nicht nur die friedliche Koexistenz, sondern der Wandel der Systeme. Und dies konnte nach meiner Auffassung im Westen nur eine radikalere Demokratisierung, auf der östlichen Seite nur die Beseitigung der Parteidiktatur bedeuten.

Willy Brandt war, was die Unterstützung der Opposition im Ostblock anging, schwankend. In einem Gespräch, das Günter

Grass und ich Anfang der achtziger Jahre mit ihm über diese Frage führten, zeigte er viel Sympathie für die Art und Weise, wie wir mit unserer Zeitschrift die Oppositionsbewegungen im Ostblock zu unterstützen suchten, war aber skeptisch gegenüber unserer Forderung, auch offiziell, wenn schon nicht auf der Regierungsebene, dann zumindest auf der Ebene der Partei, Kontakte zu oppositionellen Gruppen in den Ostblockländern aufzunehmen. Ich hatte den Eindruck, daß sowohl er als auch Egon Bahr von den Erfolgen ihrer eigenen Politik, die ja tatsächlich die Kräfte des Wandels überall im Ostblock ermutigte, überrascht waren. Von einer Doppelstrategie der SPD – Fortsetzung der diplomatischen Politik der Verträge und Gespräche bei gleichzeitiger Unterstützung der dissidenten Bewegungen –, wie wir sie vorschlugen, war er nicht zu überzeugen. Er befürchtete, daß dadurch die erreichten Fortschritte der Entspannung gefährdet werden könnten.

Auch heute noch, da der Ost-West-Gegensatz längst der Vergangenheit angehört, bin ich der Meinung, daß die SPD gut daran getan hätte, als Ganze offensiver für die Oppositionsbewegungen im Ostblock einzutreten. Zugleich aber bin ich weiterhin der Meinung, daß die von Willy Brandt und Egon Bahr eingeleitete Ost- und Entspannungspolitik notwendig und richtig war. Die nachträgliche Verunglimpfung dieser Politik, wie sie nach 1989 bei einigen Politikern und Intellektuellen üblich wurde, halte ich für gleichermaßen dumm und niederträchtig. Nichts spricht dafür, daß eine Politik der Gesprächsverweigerung, die schon 1961, als die Mauer errichtet wurde, gescheitert war, den Zusammenbruch des Ostblocks eher herbeigeführt hätte, wie hinterher einige Superschlaue uns weiszumachen suchten. Und ausgesprochen niederträchtig ist es zu unterstellen, Willy Brandt oder Egon Bahr hätten insgeheim mit den kommunistischen Führern sympathisiert, mit denen sie Gespräche führten und Verträge aushandelten.

Viel interessanter ist die Frage, wie es möglich war, daß hochgerüstete Diktaturen wie die der kommunistischen Parteien in Osteuropa, abtreten konnten, ohne zuletzt noch eine Götterdämmerung zu inszenieren, wie es die Nazis taten, mit denen manche Gorbatschow und Honecker leichtfertig gleichsetzten. Ich denke, daß die Politik der Gespräche und der Verträge einen wesentlichen Anteil daran hatte, daß es zu dem im ganzen gewaltlosen Übergang kam, weil sie Feindbilder abbauen half, den Austausch von Personen und Informationen erleichterte und großen Teilen der kommunistischen Parteieliten die Hoffnung vermittelte, es könne auch für sie ein Leben *nach dem System* geben.

Als im Jahre 1984 die Grundwerte-Kommission der SPD eine Reihe von Gesprächen über politische Grundsatzfragen mit der Akademie für Gesellschaftswissenschaften beim ZK der SED vereinbarte, dachte noch niemand daran, daß die Erosion des sowjetischen Blocks schon bald Wirklichkeit werden könnte.

Die SPD war in der Opposition und sah mit Sorge, daß die Erfolge der Entspannungspolitik durch den sich verschärfenden Ton zwischen den beiden Supermächten wieder in Frage gestellt und Europa durch die Automatik von Auf- und Nachrüstung gar zum atomaren Gefechtsfeld werden könnte, zumal die neue Bundesregierung sich mehr oder weniger kritiklos der amerikanischen Eskalationspolitik unterwarf. Da die SPD auf die Regierungspolitik keinen Einfluß nehmen konnte, blieben nur Kontakte auf der Ebene der Parteien, in diesem Fall zwischen der Grundwerte-Kommission der SPD und einem Think Tank der SED. Bestärkt wurden wir in unserer Entscheidung, als kurze Zeit später Gorbatschow Generalsekretär der KPdSU wurde und sich die Gefahr abzeichnete, daß weder die Amerikaner noch die deutsche Regierung auf die neuen Signale aus Moskau kreativ zu reagieren vermochten.

Ich war von Anfang an bei diesen Gesprächen dabei, die abwechselnd am Müggelsee östlich von Berlin und in Freudenstadt im Schwarzwald stattfanden. Je sechs bis acht Vertreter beider Seiten saßen sich wie bei Tarifverhandlungen gegenüber, auf unserer Seite angeführt von Erhard Eppler, auf der DDR-Seite von Otto Reinhold. Was unsere Gesprächspartner verwirrte, war, daß die Vertreter der Grundwerte-Kommission in den Debatten, die von der Sicherheitspolitik über ökologische und sozialpolitische Probleme bis hin zu Grundfragen der Demokratie reichten, keineswegs immer einer Meinung waren. Wahrscheinlich haben sie es zunächst für eine durchtriebene taktische Inszenierung gehalten, wenn jemand von uns dem eigenen Vorsitzenden widersprach. Aber allmählich kam auch auf der Gegenseite etwas in Bewegung, und es wurden Auffassungsunterschiede zwischen unseren Gesprächspartnern von der SED erkennbar.

Zu einem Eklat kam es, als ich bei einer der Gesprächsrunden, bei der auch einige Journalisten beider Seiten anwesend waren, auf die Biermann-Ausbürgerung und die Behandlung von Jürgen Fuchs zu sprechen kam. Otto Reinhold versuchte daraufhin, Erhard Eppler zu bewegen, mich aus der Delegation der Grundwerte-Kommission zurückzuziehen. Natürlich ohne Erfolg. Die SED mußte mich weiterhin ertragen, wenn sie die Gespräche nicht abbrechen wollte. Und das wollte sie nicht. Allerdings hat sie sich dann eine kuriose Subtilität ausgedacht: Ich war zwar weiterhin während der Gespräche Gast der SED, wurde auch nicht anders behandelt als die anderen Vertreter der Grundwerte-Kommission, aber wenn ich privat in die DDR einreisen wollte, verweigerte man mir das Visum.

Das Papier unter dem Titel *Der Streit der Ideologien und die gemeinsame Sicherheit*, das als Ergebnis dieser Gespräche im Jahre 1987 veröffentlicht wurde, war eine politische Sensation, vor allem weil die SED im Kapitel V, *Grundregeln einer Kultur des politischen Streits*, zumindest theoretisch die Prinzipien der pluralistischen Demokratie, und zwar auch für ihren eigenen Machtbereich, anerkannte. »Kritik, auch in scharfer Form, darf nicht als eine ›Einmischung in die inneren Angelegenheiten‹ der anderen Seite zurückgewiesen werden«, stand dort. Und: »Die offene Diskussion über den Wettbewerb der Systeme, ihre Erfolge und Mißerfolge, Vorzüge und Nachteile, muß innerhalb jedes Systems möglich sein.« Es war abzusehen, daß die SED sich mit der Vermittlung dieses Papiers sehr schwertun werde. Als schon bald nach seiner Veröffentlichung aus dem Politbüro – besonders von dem für die Ideologie zuständigen Politbüromit glied Kurt Hager – Distanzierungen zu hören waren, war uns klar, daß die DDR-Führung sich übernommen hatte und vom Ergebnis der Gespräche abrücken wollte. Aber das entwertete das Papier keineswegs, weil es oppositionellen Einzelnen und Gruppen eine quasi-offizielle Rechtfertigung für ihre Forderung nach Meinungsfreiheit an die Hand gab und auch in der SED selbst kritische Diskussionen auslöste.

Um so erstaunlicher, daß schon bald nach 1989 die Gespräche zwischen der Grundwerte-Kommission und der Akademie für Gesellschaftswissenschaften und besonders das gemeinsame Abschlußdokument von einigen als Verrat an den Grundsätzen westlicher Freiheit dargestellt wurden. Zehn Jahre nach der Veröffentlichung dieses Papiers nannte Peter Hintze, damals Generalsekretär der CDU, das Papier ein »Dokument der Anpassung« und unterstellte uns, die wir die Gespräche geführt hatten, eine »Bruderschaft im Geiste mit der SED«. Ich habe damals in der *Zeit* auf Hintzes Angriffe geantwortet und darauf hingewiesen, daß das Papier zum Zeitpunkt der Veröffentlichung auch von konservativen Politikern und Medien begrüßt worden war. Aber in den neunziger Jahren waren viele zu einer differenzierten Beurteilung der Ost- und Entspannungspolitik nicht mehr bereit. Inzwischen gibt es ein Buch über die damaligen Gespräche, geschrieben von einem der Beteiligten auf der DDR-Seite, Rolf Reißig: *Dialog durch die Mauer.* Dort ist im Detail nachzulesen, in welchem Geist diese Gespräche tatsächlich geführt wurden.

Auch Günter Grass wurde nach der Wende von 1989, erst recht, als sein Roman *Ein weites Feld* erschien, von manchem alten Rechten und manchem neubekehrten Linken der heimlichen Sympathie für die DDR bezichtigt, nur weil er länger als Helmut Kohl an der Vorstellung einer Konföderation beider deutschen Staaten festhielt und vieles am Einigungsprozeß zu kritisieren hatte. Aber auch wer ihn nur oberflächlich kannte, wer nur seine öffentlichen Äußerungen einigermaßen aufmerksam verfolgt hatte, konnte wissen, daß er gewiß nicht der DDR nachtrauerte. Er befürchtete, die Vereinigung Deutschlands könne noch einmal jene nationalistische Hybris erzeugen, unter der seine Generation wie unter einem Alptraum litt. Ich war in diesem Punkt nicht seiner Meinung, wohl auch deswegen, weil ich jünger war und weniger von den Dämonen der Vergangenheit heimgesucht wurde. Aber ich habe ihn immer gegen die unfairen Angriffe verteidigt, denen er ausgesetzt war, weil ich nur allzugut weiß, wie entschlossen gerade er in der Zeit der deutschen Zweistaatlichkeit an der Einheit der deutschen *Kulturnation* festhielt und wie sehr er sich ein Leben lang gegen jede Form der Unterdrückung und für politisch Verfolgte eingesetzt hat.

Wer sich in die Öffentlichkeit begibt, wer sich mit pointierten Meinungsäußerungen an der politischen Debatte beteiligt, der zieht fast notwendig auch Haß auf sich. Wenn man Glück hat, sind es wütende Briefe voller Schmähungen, die einen erreichen, wenn es ganz schlimm kommt, wie bei Wolfgang Schäuble und Oskar Lafontaine, dann kann es einem ans Leben gehen. Eines Tages, Franziska saß im Wohnzimmer auf der Couch und hatte den ein Jahr alten Felix auf dem Schoß, wurde plötzlich die Scheibe eines der zur Straße gehenden Fenster eingeworfen. Ich stürzte aus dem Nebenzimmer herbei, sah überall die Glassplitter und den Schrecken in Franziskas Gesicht. Zum Glück war ihr und dem Kind nichts passiert. Als ich das Wurfgeschoß aufhob, bemerkte ich, daß es sich um eine Dose Brechbohnen handelte, wie man sie in jedem Supermarkt bekommt. Auf dem Etikett stand, mit Kugelschreiber geschrieben, eine Botschaft: »Post! Post! Post!!!«

Mir fielen sofort die Briefe ein, die ich in den letzten Wochen erhalten hatte: schreibmaschinengeschrieben, mit kleinem Zeilenabstand, von ganz links oben bis ganz rechts unten die ganze Seite füllend. Ich solle umkehren, stand da, mich zu Jesus bekennen, demütig die ewige Ordnung der Welt akzeptieren, statt alles wieder und wieder umwälzen zu wollen. Und dazwischen immer wieder, mit rotem Farbband, lange Bibelzitate. Ein Verrückter zweifellos. Er hatte eine Adresse angegeben, ein Postfach im Bezirk Schöneberg, erwartete offenbar, daß ich ihm antworte. Aber was sollte man auf solche Tiraden antworten? Am Abend, als der Glaser das Doppelfenster repariert hatte, kam Günter. Wir berieten mit ihm, was zu tun sei. Ihm hatten, zwei Jahre bevor Franziska und ich in die Niedstraße einzogen, Rechtsradikale einen Brandsatz gegen die Haustür geschleudert, die Spuren waren noch zu erkennen. Günter riet, die Briefe der Polizei zu übergeben. Religiöse Irre, sagte er, sind womöglich noch gefährlicher als Rechtsradikale.

Als ich am nächsten Morgen zur Polizei gehen wollte, klingelte es an der Haustür. Ich öffnete. Draußen stand ein bleicher Mann von vielleicht dreißig Jahren. Sind Sie Herr Strasser, fragte er. Ich weiß nicht, woran es lag, aber ich war mir sofort sicher, daß dies der wütende Briefschreiber sein müsse. Ich packte den eher schmächtigen Mann an der Brust, zog ihn ins Haus und drückte ihn im Wohnzimmer in einen Sessel. Sie wissen genau, was Gott von uns Menschen verlangt, schrie er. Während ich ihn festhielt, rief Franziska über das Telefon die Polizei herbei. Als die Beamten kamen, nahm ich einen von ihnen beiseite, gab ihm die Briefe und erklärte ihm den Fall. Nein, eine Anzeige wolle ich nicht erstatten. Aber wenn sie den Mann ein wenig einschüchtern könnten, damit so etwas wie gestern nicht wieder passiere... Es hat geklappt, weil der christliche Eiferer einen Heidenrespekt vor der Obrigkeit hatte. Als er ging, entschuldigte er sich bei Franziska und mir und versprach, daß er uns nicht wieder behelligen werde.

Anfang der achtziger Jahre bin ich mehrmals zusammen mit Günter Grass auf halbprivaten Lesungen in Ost-Berlin gewesen, später auch einmal allein im Haus des Mathematikers und Dissidenten Ludwig Mehlhorn, als mein Roman *Der Klang der Fanfare* gerade bei Rowohlt erschienen war. Bei diesen Treffen, die natürlich von der Stasi beobachtet wurden, waren Schriftsteller aus der ganzen DDR anwesend. Eines dieser Treffen fand bei Frank-Wolf Matthies in der Ost-Berliner Lottumstraße statt. Die ganze Zeit, während Texte vorgelesen und diskutiert wurden, stand vor dem Haus ein Wartburg mit laufendem Motor, in dem zwei mißmutig dreinblickende Herren saßen. Die Geste war wohl als Einschüchterung gedacht, wirkte aber auf die Versammelten eher erheiternd. Aber wenige Monate später fuhren Franziska und ich zum Grenzübergang Heinrich-Heine-Straße und nahmen die aus der DDR abgeschobene Familie Matthies in Empfang. Bis sie in West-Berlin eine Wohnung gefunden hatten, wohnten sie auf Einladung von Günter Grass einige Monate in der Niedstraße: Frank-Wolf Matthies, seine Frau und zwei Kinder plus Schwägerin. Es wurde eng in der Niedstraße 13. Und als ein halbes Jahr später die Dramaturgin Irene Böhme und ihr Mann, der Schriftsteller Kurt Bartsch, die DDR verlassen mußten, stand auch ihnen selbstverständlich für die ersten Monate das Haus in der Niedstraße zur Verfügung. Mit Irene und Kurt sind Franziska und ich bis heute eng befreundet. Frank-Wolf Matthies zog es wie so viele andere nach der Wende vor, den Kontakt zu Günter und zu uns abzubrechen und zu vergessen, wer ihm half, als er Hilfe nötig hatte.

Vom ersten Tag an, da wir zusammenwohnten, lag Günter mir in den Ohren: Schreib endlich deinen Roman! Ich hatte eine noch recht vage Idee, eine Familiengeschichte, die entfernt etwas mit der meiner Eltern und der Esperantobewegung zu tun hatte, eine Art Tragikomödie des Fortschrittsglaubens und der Vernunft. 1983 begann ich mit ersten Recherchen, fuhr für eine Woche in meine Heimatstadt Leeuwarden, wo der erste Teil des Romans spielen sollte. Die ersten Versuche testete ich in einem Kreis von Schriftstellern, der sich drei- bis viermal im Jahr in der Niedstraße traf, um sich aus dem Manuskript vorzulesen und über die Texte zu diskutieren, solange sie noch in Arbeit waren. Um den großen Tisch im Eßzimmer herum saßen neben Günter, Franziska und mir die Berliner Autoren Hans Christoph Buch, F. C. Delius, Karin Kiwus, Martin Kurbjuhn, Herta Müller, soeben erst aus Rumänien in Berlin eingetroffen, Jochen Schädlich und Peter Schneider. Aus München kam Gerhard Köpf dazu, dessen barocke Allgäuer Erzählkunst sich in heute zu unrecht vergessenen Romanen wie *Innerfern*, *Die Strecke* und *Die Erbengemeinschaft* niederschlug.

Die Idee dieser Werkstattlesungen unter Schriftstellerkollegen haben Franziska und ich später am Starnberger See wiederbelebt. Bis heute trifft sich bei uns in Berg ein Kreis von Autoren drei-

oder viermal im Jahr. Von nachmittags um vier bis in die Nacht wird aus noch Ungedrucktem gelesen, kritisiert, diskutiert, nur einmal, gegen sieben, machen wir eine Pause, um eine Suppe zu essen. Vorher gibt es Kaffee, Tee und Kuchen, Wein erst am Abend – nach der Suppe. Dabei sind: Andreas Albrecht, Norbert Göttler, Ursula Haas, Gert und Gisela Heidenreich, Klaas Huizing, Karin Kusterer, Dagmar Leupold, Petra Morsbach, Anatol Regnier, Asta Scheib, Sabine Zaplin. Nicht dabei ist unser alter Freund Gerhard Köpf, der zu Haus in München seine schwerkranke Frau pflegt und kaum noch zum Schreiben kommt, sich seit einigen Jahren aber um so eifriger mit Psychiatrie beschäftigt.

In den ersten Jahren in der Niedstraße ging ich neben der Arbeit an unserer Zeitschrift auch noch meiner Lehrtätigkeit an der Freien Universität nach. Erst als ich 1983 mit der Arbeit an meinem Roman begann, entschloß ich mich, die Universitätslaufbahn aufzugeben und es als freier Schriftsteller zu versuchen. Das war insofern ein kühner Entschluß, als ich nicht damit rechnen konnte, von den Büchern, den schon geschriebenen und den noch zu schreibenden, allein leben zu können. Aber die tausend Mark, die ich für die Redaktionsarbeit bei *L'80* bekam, dazu Rundfunkarbeiten, Artikel für Zeitschriften und Zeitungen und gelegentliche Honorare für Vorträge, damit müßte man über die Runden kommen können, dachte ich. Kurz nachdem ich den Brief geschrieben hatte, in dem ich der Universität meine Lehrbefugnis zurückgab, erhielt ich einen Anruf des Rektors der FU: Ob ich verrückt sei, meine venia legendi zurückzugeben. Ich solle mir das doch um Gottes willen noch einmal überlegen. Freier Schriftsteller, das sei doch ein permanenter Balanceakt über dem sozialen Abgrund ... Ich bin dann doch bei meinem Entschluß geblieben, vor allem weil Franziska mich darin heldenhaft unterstützte. Und obwohl der Balanceakt, von dem der Rektor gesprochen hatte, zuweilen schwierig und anstrengend war, habe ich den Entschluß, freier Schriftsteller zu werden, nie bereut.

Aber eines, sagte Günter, geht von nun an nicht mehr: daß du durch die ganze Bundesrepublik reist und überall umsonst Vorträge hältst. Das konnte man neben vielen anderen Dingen von ihm lernen: daß die geistige Arbeit einen Wert hat und daß man sie nicht verschenken darf. Theoretisch sah ich das ein, aber praktisch hatte ich damit meine Probleme. Denn in der Mehrzahl der Fälle wurde ich von Personen und Institutionen eingeladen, die dem linken Spektrum angehörten, wo man viel lieber über Solidarität als über Honorare redete. Aber Günter ließ meine Einwände nicht gelten: Du hast etwas zu bieten, und du hast eine Familie zu ernähren. Natürlich, er hatte recht. Die Professoren, die Leiter von Volkshochschulen und sonstigen Bildungseinrichtungen, die Partei- und Gewerkschaftssekretäre, die mich zu Vorträgen einluden, verdienten ja alle weit mehr als ich. Warum also nicht ein Honorar verlangen? Richtige Rollenspiele machten Günter und Franziska mit mir, bis ich gelernt hatte, die Gretchenfrage nach dem Honorar zu stellen. Zu meiner Überraschung wurde mir das eigentlich nie verübelt. Im Gegenteil, in den Augen vieler erhöhte es offenbar den Wert der geistigen Leistung, wenn man dafür Geld verlangte.

Mutlangen, 1. September 1983. Die Friedensbewegung organisiert die Blockade des US-Militärdepots, wo die Mittelstreckenraketen des Typs Pershing II stationiert werden sollen. Viele bekannte Schriftsteller und Intellektuelle sind dabei, unter ihnen Heinrich Böll, Günter Grass und Christa Wolf. Die *Promis* werden auf die einzelnen Gruppen der Stationierungsgegner verteilt, die sich bei der Sitzblockade vor dem Tor des Depots ablösen. Den ganzen Tag und die ganze Nacht sitzen Menschen jeden Alters auf der Straße vor dem streng bewachten Eingang der Militäreinrichtung. Es wird gesungen, Heinrich Böll, Günter Grass und Christa Wolf lesen im Schein von Petroleumlampen und Kerzen. Geschlafen wird in Zelten auf Luftmatrazen. Früher hat mir das nichts ausgemacht. Jetzt wälze ich mich schlaflos auf dem unbequemen Lager hin und her und sehne mich nach einem richtigen Bett.

Auch bei der großen Friedensdemonstration im Bonner Hofgarten bin ich dabei und bei der zweiten *Berliner Begegnung* von Schriftstellern in der Akademie der Künste in West-Berlin, wo es vor allem um Fragen der Friedenssicherung geht. Die Breite des

Protests gegen die Nachrüstung beeindruckt die SPD und führt zu einem Umdenken in der Sicherheitspolitik. Nicht gegeneinander rüsten, sondern zusammen, über Bündnisgrenzen hinweg, Sicherheit organisieren, das ist der Grundgedanke des neuen Konzepts *gemeinsamer Sicherheit*, das bald darauf auf einem Parteitag der SPD beschlossen und in den Irseer Entwurf für ein neues Grundsatzprogramm der SPD übernommen wird. Auch die unabhängige Friedensbewegung der DDR, die sich unter dem Dach der evangelischen Kirche versammelt und mit der ich über Stephan Bickhardt und Edelbert Richter Kontakt halte, vertritt dieses Konzept. Als Gorbatschow und Reagan sich schließlich auf substantielle Schritte zur Rüstungsbeschränkung und Abrüstung einigen, scheint es für kurze Zeit so, als habe sich das *neue Denken* tatsächlich durchgesetzt.

Aber nach 1989 blieb nicht nur die erhoffte *Friedensdividende* aus, es gab auch einen Rückfall in die alten Muster des Umgangs mit Konflikten. In den USA wurde wieder zum Dogma erhoben, daß allein militärische Überlegenheit Sicherheit schaffen könne. Im Pentagon wurden Papiere über den »führbaren Atomkrieg« erstellt, der Militäretat stieg in schwindelerregende Höhen, es wurde weiter aufgerüstet. Die einzig verbliebene Supermacht setzte lieber auf eine waffenstarrende Pax Americana, statt auf eine Weltordnung des Rechts unter der Ägide der UNO. Auf der anderen Seite bewies Putins Rußland in Tschetschenien, daß der alte Geist imperialistischer Arroganz und Brutalität keineswegs besiegt war. Wieder einmal zeigte sich, was wir eigentlich schon wußten, aber in glücklichen Momenten immer wieder allzuleicht vergessen, daß Fortschritte in der Politik selten von Dauer sind, daß sie immer wieder neu erstritten werden müssen. Dabei wäre das in den achtziger Jahren erarbeitete Konzept der *gemeinsamen Sicherheit*, wenn man es entsprechend der komplizierteren Weltlage modifizierte, auch heute noch eine wertvolle Wegweisung. Aber vorerst scheint sich kaum ein Politiker daran zu erinnern, daß die Welt in Fragen der Friedenssicherung schon einmal, theoretisch und praktisch, weiter war.

18

Unterwegs mit Sisyphos

Wir wohnten gerade mal ein Jahr in der Niedstraße, da kam eines Nachmittags meine Tochter Maritta mich besuchen. Sie war siebzehn, ging noch auf die Gesamtschule in Neukölln, hatte eine wilde Punkfrisur und wohnte seit kurzem in Kreuzberg in einem besetzten Haus. Sie war gekommen, um ihrem reformistischen Vater die Augen zu öffnen: Es geht nicht ohne Gewalt. Wir saßen uns am Küchentisch gegenüber und tranken Tee. Es war einer jener trüben Herbstnachmittage, an denen die Zeit stillzustehen scheint. Wenn die Bullen kommen, um unser Haus zu räumen, sagte Maritta, werden wir uns wehren. Auch mit Gewalt. Ich erzählte ihr von der Idee mit den Unterstützergruppen für die besetzten Häuser, prominente Intellektuelle, Künstler, Schriftsteller, die, wann immer eine Räumung bevorstand, in den besetzten Häusern übernachten würden, um die Polizei am Eingreifen zu hindern. Aber sie blieb dabei: Es geht nicht ohne Gewalt.

Etwas mehr als ein Jahr später, sie hatte gerade angefangen, Philosophie an der FU zu studieren, schickte mir meine Tochter kommentarlos eine Kopie ihrer Beitrittserklärung zur SPD. Als ich sie kurz darauf in einem Café am Hermannsplatz traf, hatte sie rot gefärbtes wallendes Haar. Strahlend teilte sie mir mit, daß sie ab nächster Woche in Hans-Jochen Vogels Neuköllner Bürgerbüro mitarbeiten wolle. Und die Gewalt? In ihrem Haus, sagte sie, hätten sie jetzt einen langfristigen Mietvertrag. Zwei Etagen hätten sie schon in Eigenarbeit renoviert. Sie habe einfach keine Lust mehr, sagte sie, Indianer zu spielen. Darum sei sie in die SPD eingetreten, und darum mache sie bei Hans-Jochen Vogel mit, der es nicht verdient habe, daß er als Regierender Bürgermeister abgewählt worden sei nach all dem, was er für die Stadt getan habe.

Mit Tochter Maritta 1982

Ein lehrreiches Beispiel. Und vielfach verwendbar. Wenn bei öffentlichen Diskussionen sich jemand aus dem Publikum allzu vehement über die »heutige Jugend« beklagte, führte ich es gern als Beweis dafür an, daß der erste Eindruck leicht täuschen kann, daß es sich lohnt, noch ein zweites und drittes Mal hinzusehen. Belehrungen und Ermahnungen, das wußte ich aus eigener Erfahrung, bewirken wenig, vor allem, wenn die Belehrenden und Ermahnenden selbst sich nicht an ihre hehren Grundsätze halten. Aber wenn den Worten Taten folgen, wenn jemand in der Praxis zu dem steht, was er angekündigt hat, dann verfehlt das seine Wirkung nur selten. Also liegt der Schwarze Peter am Ende doch wieder bei uns, den Erwachsenen. Auch wenn die Argumentation nicht jeden überzeugte, ein wenig Nachdenklichkeit erzeugte sie zumeist schon.

»Dich singe ich, Demokratie« – das war das von Walt Whitman entlehnte Motto, mit dem Günter Grass in den sechziger

Jahren in den Wahlkampf gezogen war. Nun war es ein anderes Motto, »Die 80er Jahre – Orwells Jahrzehnt«, unter dem Günter und ich uns gemeinsam in die Wahlkämpfe einmischten, die Bundestagswahl 1980, und die Landtagswahlen im Saarland und in Schleswig-Holstein. Kurze Begrüßung durch den Kandidaten, dann ich zwanzig Minuten, Günter eine Dreiviertelstunde. Danach wurde diskutiert, meist saß dabei der Kandidat oder die Kandidatin mit auf dem Podium. Und wenn Günter nach zwei Stunden auf den Camusschen Sisyphos zu sprechen kam, das politische Geschäft ein »Steinewälzen« nannte und schließlich den Satz zitierte: »Wir müssen uns Sisyphos als einen glücklichen Menschen vorstellen«, wußte Jürgen oder Daniel, die bei unseren Wahlkampfreisen, mal der eine, mal der andere, als Fahrer und Organisatoren fungierten, daß es Zeit wurde, den ersten Rotwein oder einen Schnaps zu bestellen.

Einmal absolvierten wir drei Wochen lang jeden Tag zwei bis drei Veranstaltungen, nachmittags manchmal getrennt, Günter vor Schichtarbeitern in Neckarsulm oder Mannheim, ich am selben Ort in einem Jugendzentrum, an der Universität oder bei der Caritas, abends immer vereint und mit dem bewährten Programm. Und zwischendurch fand sich fast immer noch Zeit, Pilze zu sammeln, die dann nach der Abendveranstaltung nach Günters Anweisungen bei einem unserer Gastgeber zu Haus zubereitet wurden. Wir suchten uns die Kandidaten und Kandidatinnen aus, in deren Wahlkreisen wir auftraten. Allzu mäkelig waren wir dabei nicht, aber wir legten Wert darauf, daß möglichst niemand darunter war, mit dessen Auffassungen und dessen politischem Handeln wir ganz und gar nicht einverstanden waren. Anders wäre es auch gar nicht gegangen, denn wir hatten ja beide unsere eigenen pointierten politischen Meinungen, die keineswegs immer dem entsprachen, was die Parteiführung, die Fraktion oder die sozialdemokratischen Mitglieder der Regierung sagten und taten.

Im Anschluß an die Veranstaltungen verkauften wir unsere Zeitschrift und warben Abonnenten. Meistens war auch ein Buchhändler da, der Günters und meine Bücher anbot. Dann saßen wir nebeneinander an einem Tisch, und Günter signierte mit Ausdauer Buch um Buch, schrieb »Für Sigrid zum Einundzwanzigsten« oder »Für Hans-Otto Schultz – Schultz mit tz!«, und war auch noch beim fünfzigsten Fan genauso muffelig-freundlich wie beim ersten. Bei mir war der Andrang natürlich geringer, aber es gab tatsächlich immer ein paar Leute, die auch mir ein Buch hinhielten, um es von mir signieren zu lassen. Und einmal, ich glaube es war in Germering bei München, kam ein älterer Herr zu mir und kramte aus seiner Aktenmappe meine Dissertation aus dem Jahre 1967 hervor, um sie signieren zu lassen. Und ich hatte immer gedacht, daß ein Buch über die *Bedeutung des hypothetischen Imperativs in der Ehtik Bruno Bauchs* nur dazu da sei, in Bibliotheksregalen ungelesen zu verstauben.

Im Frühsommer 1982 reisten wir für zwei Wochen nach Nicaragua: Günter, seine Frau Ute, Dora Weidhaas als Dolmetscherin, der Fernsehmoderator Franz Alt und ich. Ernesto Cardenal, Kulturminister der neuen sandinistischen Regierung, hatte uns eingeladen. Franziska blieb zu Haus bei dem gerade mal drei Monate alten Felix. Das war traurig, aber nach Lage der Dinge nicht zu ändern. Die Anreise nach Managua war damals nur über Havanna oder über Miami möglich. Wir entschieden uns für den Zwischenstop in Miami. Da mir der amerikanische Generalkonsul in Berlin kein Visum für die USA hatte geben wollen, reiste ich ohne Visum und wurde auf dem Flughafen in Miami gleich von einem Sicherheitsbeamten in Empfang genommen, der sinnigerweise ein Exilnicaraguaner war. Der begleitete mich auf die Toilette, saß am Nebentisch, wenn wir einen Kaffee tranken, und als sich herausstellte, daß wir erst am nächsten Morgen nach Managua würden weiterfliegen können, kam er mit ins nahe Hotel und nahm vor meiner Zimmertür Aufstellung, als ich mich schlafen legte.

Ich lag schon im Bett, als mir auf einmal eine Idee kam. Ich ging zur Tür, öffnete und fragte den jungen Sicherheitsmann, ob er tatsächlich die ganze Nacht auf dem Hotelflur vor meinem Zimmer verbringen wolle. Sie haben doch bestimmt eine Frau und Kinder, die zu Hause warten, sagte ich. Er nickte. Als ich ihm daraufhin sagte, er solle doch um Gottes willen nach Hause gehen, ich hätte nicht vor abzuhauen, sah er mich prüfend von unten an, ob ich es ernst meinte, grüßte dann militärisch und ging tatsächlich davon. Am nächsten Morgen, als wir beim Frühstück saßen, schaute er von draußen durchs Fenster zu uns herein, erkannte mich und strahlte erleichtert. Er fuhr mit uns zum Flughafen, wo bereits die Propellermaschine nach Managua wartete. Bevor wir durch die Kontrolle gingen, verabschiedete er sich von mir per Handschlag. Kaum vorstellbar, daß ein deutscher Sicherheitsbeamter sich so verhalten hätte.

Ernesto Cardenal, klein und mit Béret, wie ich ihn von Fotos kannte, holte uns in Managua am Flughafen ab, zusammen mit seinem deutschen Verleger Hermann Schulz, der hier, halb im Scherz, nur »Commandante Schulz« hieß. Wir wurden in einem Gästehaus der Regierung einquartiert, ein gediegen eingerichtetes Gebäude, das aus dem Besitz der Somoza-Familie stammte. Am Abend lud uns Cardenal in ein Restaurant etwas außerhalb der von den Zerstörungen des Erdbebens gezeichneten Stadt ein. Als Günter Fisch bestellen wollte, die erste Überraschung: In diesem von zahlreichen Flüssen durchzogenen Land mit riesigen Süßwasserseen, das zudem zwischen zwei Ozeanen gelegen ist, gab es nicht ein einziges Fischgericht auf der Karte. Nein, leider, Fisch habe er nicht, sagte der freundliche Ober. Und Ernesto Cardenal erklärte uns, daß die nicaraguanischen Machos, die in diesem Restaurant verkehrten, eben viel lieber Steaks äßen. Steaks und dazu Rum. Das war die nächste Überraschung: Zum Essen wurde Rum statt Wein gereicht.

Am nächsten Abend gab es ein Essen beim Staatspräsidenten und Schriftstellerkollegen Sergio Ramírez. Dem Verfasser der *Blechtrommel* zu Ehren gab es diesmal Kutteln, eine von Günters kaschubischen Leibspeisen – Kalbsbries war eine andere –, die ich gar nicht mochte. Günter, der meine kulinarischen Empfindlichkeiten natürlich kannte, feixte: Siehst du, überall auf der Welt schätzen die Menschen die gute kaschubische Küche. Nur du friesischer Sturkopp sträubst dich immer noch dagegen. Ich trug seinen Spott mit Fassung, und mit mehreren Gläsern Rum,

Mit Günter Grass und Franz Alt in Nicaragua

der auch hier zum Essen gereicht wurde, brachte ich die Kutteln tatsächlich hinunter.

Wir blieben fünf Tage in Managua, fünf Tage, in denen wir viele politische Gespräche führten und fast die ganze sandinistische Führung kennenlernten: Ernesto Cardenal natürlich und Sergio Ramírez, dann den grimmigen Tomás Borge, die Ortega-Brüder, den Landwirtschaftsminister Jaime Wheelock und die einzige weibliche Kommandantin, Dora María Telles. Es war nicht zu übersehen, daß die leninistischen Hardliner um Tomás Borge und die Ortega-Brüder die gemäßigten, auf Integration abzielenden Kräfte um Ramírez langsam, aber sicher an den Rand drängten. Was noch offensichtlicher war: Die meisten der Kommandantes, die oft schon als junge Männer in den Guerillakampf gezogen waren, waren auf die zivilen Aufgaben des Regierens gar nicht vorbereitet. Sie hatten gelernt, mit Waffen umzugehen, hatten den Diktator besiegt und die Macht erobert, aber wie man eine zivile Gesellschaft, noch dazu eine demokratische, aufbaut, davon hatten sie zumeist keine Ahnung. Es ist dann auch nicht lange gutgegangen. Schlimmer als die von den USA finanzierten Contras wirkten sich die Überheblichkeit und das Machogebaren der Kommandantes, ihre wachsende Entfernung von den Menschen, die die Revolution mitgetragen hatten, und ihre zahlreichen Korruptionsaffären aus. Von allen Kommandantes werden heute in Nicaragua nur noch zwei in Ehren gehalten: Enrique Schmidt, der nach einem Streit mit Daniel Ortega sich zum Kampf gegen die Contra meldete und auf nie ganz geklärte Weise ums Leben kam, und Dora María Telles, die auch heute noch in der Stadt León, die sie als Kommandantin den Somozisten abgerungen hatte, politisch und karitativ tätig ist.

Sergio Ramírez, der in den siebziger Jahren einige Zeit als DAAD-Stipendiat in Berlin gelebt hatte, war kein »Überlebender der Katakomben«, wie sich die sandinistischen Guerillakämpfer nannten. Aber, das war schon damals, 1982, zu erkennen, er war einer der wenigen in der Führung der Sandinistischen Nationalen Befreiungsfront (FSLN), der die breite Volksbewegung, die zum Sturz des Diktators Anastasio Somoza geführt hatte, hätte zusammenhalten und Nicaragua in eine demokratische Zukunft führen können. Er war unter den führenden Sandinisten, die wir kennenlernten, der einzige, der sich für Verfassungsfragen interessierte, weil für ihn galt, was Hannah Arendt in ihrem Buch *Über die Revolution* so eindringlich formuliert hat, daß der entscheidende revolutionäre Akt die »Gründung der Freiheit« sei. Leider setzten sich in der sandinistischen Bewegung aber diejenigen durch, für die es vor allem um die Sicherung der eigenen »revolutionären« Macht ging und die in ihrem ideologischen Paternalismus dem Land partout ein Regime nach dem Muster Kubas verordnen wollten, wodurch immer mehr ehemalige Mitstreiter aus den Tagen der Revolution verprellt wurden. Im Jahre 1999 veröffentlichte Sergio Ramírez ein Buch, in dem er den Kampf gegen das Somoza-Regime, die ersten Monate nach dem Sieg und seine allmähliche Entfremdung von den ehemaligen Mitkämpfern darstellt: *Adios Muchachos! Eine Erinnerung an die sandinistische Revolution.* Da hatte er bereits seinen Austritt aus der FSLN erklärt, weil sein Versuch einer Erneuerung der sandinistischen Bewegung von Daniel Ortega und den Seinen in selbstmörderischer Blindheit verhindert worden war.

Nach den Gesprächen in Managua reisten wir durch das kleine, aber erstaunlich vielgesichtige Land. Ein schrottreifer Hubschrauber brachte uns von Managua in die Regenwaldregion an der Atlantikküste. Als wir nach einem turbulenten Flug auf dem Baseballfeld einer kleinen Urwaldstadt niedergingen, kam Franz Alts große Stunde. Was wir anderen damals nicht wußten: Franz Alt gehörte dem magischen Zirkel an, und in dem kleinen schwarzen Koffer, den er bei sich trug, waren nicht, wie ich vermutet hatte, Papiere und Bücher, sondern Zauberutensilien. Als wir aus dem Hubschrauber ausstiegen und sofort von einer großen Schar barfüßiger Kinder umringt waren, öffnete Franz Alt seinen Koffer, nahm ein gelbes Tuch heraus, schwenkte es vor den Augen der Kinder hin und her, knäuelte es dann zusammen, steckte es sich in den Mund und zog es anschließend einem besonders neugierigen Burschen aus der Nase wieder heraus. Er streckte den Kindern die Hände hin, drehte sie hin und her, spreizte die Finger: nichts zu sehen. Dann griff er in die Luft und hatte auf einmal einen kleinen roten Ball in der Hand, und dann noch einen und noch einen. Die Kinder standen stumm, die dunklen Augen groß und rund, verfolgten wie gebannt jede seiner Bewegungen.

Als wir in die Stadt gingen, rannten die Kinder schreiend vor uns her, liefen in jedes Haus, um unsere Ankunft anzukündigen: Ein Zauberer! Ein Zauberer! Von nun an wurden wir in jedem Ort in Nicaragua, den wir aufsuchten, sofort von einer Schar Kinder empfangen, die die Zauberkunststücke von Franz Alt sehen wollten. Unsere Gastgeber zeigten uns die ganze Vielfalt des kleinen Landes. Die Landschaften verzauberten uns, die weißen Strände an der Atlantikküste, die Blütenpracht von Solentiname, das Grasland im Westen und die Berge der Sierra; die grünen Papageien im Krater des Vulkans Santiago bei Massaya bestaunten wir und die bunten Häuser in der Indianerstadt Jinotepe, wo ich eine Hängematte erwarb, die später mehrere Sommer lang zwischen zwei Apfelbäume im Hinterhofgarten in der Niedstraße 13 gespannt war.

Am Abend vor unserer Abreise diskutierten Günter und ich

mit Tomás Borge und Sergio Ramírez in der Universität von Managua. Die Situation war merkwürdig gespannt. Es ging um die zukünftige Verfassung des Landes. Tomás Borge plädierte für eine *Volksdemokratie*, die unverkennbar die Züge der Parteidiktaturen der Ostblockländer trug. Als Günter und ich ihm widersprachen und auf die erbärmliche Wirklichkeit des sogenannten realen Sozialismus verwiesen, die wir als Berliner nur allzugut kannten, sagte Borge nur: Er sei eben ein Revolutionär, wir dagegen nur Sozialdemokraten. Sergio Ramírez sprang uns bei: Wenn es darum gehe, dieses Land aufzubauen, könnten die Sandinisten viel von den Sozialdemokraten lernen. Aber es war Borge, der den weitaus größten Beifall bekam. Neben ihm, den die jahrelange Haft und die Folter in Somozas Kerkern hart, zu hart gemacht hatte, um an das kleine Glück der normalen Menschen allzu viele Gedanken zu verschwenden, wirkte Ramírez in den Augen der revolutionär gestimmten Studenten wie ein schwächlicher Kompromißler.

Wenn man in einem fremden Land ist, dessen Sprache, dessen Kultur, dessen Geschichte man nur oberflächlich kennt, sollte man wohl eher zuhören als Ratschläge erteilen. Aber hier wurden von Tomás Borge politische Rezepte angepriesen, deren schädliche Wirkungen wir, die Fremden, aus eigener Anschauung nur zu gut kannten. Also gaben wir die Zurückhaltung des Gastes auf und widersprachen mit deutlichen Worten. Ob unsere Argumente Eindruck machten? Im Saal war davon wenig zu spüren. Sozialdemokratische Bedenklichkeiten hatten in diesem Klima gegenüber der asketischen Strenge eines Tomás Borge kaum eine Chance. Daß derselbe Tomás Borge, der Strenge, der vermeintlich Unkorrumpierbare, der den Studenten damals wohl wie ein nicaraguanischer Robespierre erschienen sein muß, sich am Ende, wie auch Daniel Ortega, als weniger zuverlässig und den Idealen der Sandinisten weniger verpflichtet erwies als der vermeintlich laue Sergio Ramírez, gehört zu der subtilen Ironie, die wir immer wieder in der Geschichte entdecken können.

19

AMERIKA! AMERIKA!

Wenn man wie ich mehrmals in Lateinamerika gewesen ist, kommt man gar nicht umhin, die Politik der USA kritisch zu betrachten. Ob in Mexiko, Mittel- oder Südamerika, wo immer ich mit politisch interessierten Menschen sprach, sie alle hatten im besten Fall ein ambivalentes Verhältnis zum Großen Bruder im Norden. Zu klar standen ihnen die vielen Beispiele überheblicher Machtpolitik vor Augen, mit denen die USA in ihrem »Hinterhof« ihre ökonomischen Interessen durchgesetzt, demokratisch gewählte Regierungen, die ihnen nicht paßten, zu Fall gebracht und ihnen gefällige Marionettenregierungen und blutige Diktatoren in den Sattel gehoben hatten. Als Anfang der achtziger Jahre die Militärdiktatur in Brasilien unter General João Baptista Figueiredo sich zu öffnen begann, bereiste ich zusammen mit Erhard Eppler und Heinz Kühn, dem ehemaligen Ministerpräsidenten von Nordrhein-Westfalen, im Auftrag der Friedrich-Ebert-Stiftung das Land. Sechs Wochen lang führten wir in verschiedenen Städten Gespräche und veranstalteten Seminare für die sich zu dieser Zeit in politische Parteien ausdifferenzierende Opposition. Bei dieser Gelegenheit lernten wir einen erheblichen Teil der politischen Klasse, die in den folgenden Jahren die Geschicke des riesigen Landes bestimmen sollte, kennen: Sozialisten wie Luis Inácio Lula da Silva, der auch damals von allen nur Lula genannt wurde, aber auch Liberale und Bürgerlich-Konservative. Was mich beeindruckte, war, daß so gut wie niemand von den Politikern, mit denen wir sprachen, von den USA etwas Positives erwartete und fast alle, auch die Konservativen, Castros Kuba mit Respekt und Anerkennung betrachteten.

Das war und ist in Europa, vor allem in Deutschland anders. In Deutschland kann heute jeder die Politik der eigenen Regierung kritisieren, ohne daß er Gefahr läuft antideutscher Ressentiments bezichtigt zu werden. *Antideutsch* oder *undeutsch* sind Qualifizierungen, die seit längerem in den Medien so gut wie gar nicht mehr vorkommen und fast nur noch am rechtsradikalen Rand der Gesellschaft verwendet werden. Zwar verwiesen konservative Geister in der Bundesrepublik Kritiker früher gern »nach drüben«, aber »drüben« waren eben auch Deutsche, wenn auch die falschen. Anders verhält es sich bis heute, wenn man die Politik der USA kritisiert. Wer in Deutschland an den USA Kritik übt, ruft fast reizreaktiv das Verdikt des *Antiamerikanismus* hervor. Das ging einem schon in den sechziger Jahren so, wenn man sich gegen den Vietnamkrieg aussprach, und das ist auch heute zuweilen noch so, wenn man die Nahostpolitik der Bush-Regierung, den Krieg im Irak und die amerikanische Haltung im Iran-Konflikt kritisiert.

Wer wie ich als Kind und Jugendlicher die Nachkriegszeit in der Bundesrepublik erlebt hat, konnte sich kaum der Faszination entziehen, die damals von den USA, ihrer Alltagskultur und Lebensweise ausging. In den fünfziger Jahren lieferten die Musik, die Filme und der darin zum Ausdruck kommende Lebensstil dieses Landes das perfekte Gegenbild zur Enge und zur Bigotterie der Adenauer-Ära. Daß zur gleichen Zeit im gepriesenen Land der Freiheit ein hysterischer Antikommunismus dazu führte, daß massenhaft linke und liberale Intellektuelle vor Untersuchungskommissionen gezerrt und »unamerikanischer Umtriebe« bezichtigt wurden, nahm ich damals noch nicht wahr. Darum störte mich zunächst auch der verordnete Proamerikanismus nicht, der damals, in der Konstellation des Kalten Krieges, als die Bundesrepublik auf die überseeische Schutzmacht elementar angewiesen war, zuweilen kuriose Züge annahm. Ich fand es allenfalls komisch, wenn ein Berliner Unionspolitiker, von einer USA-Reise heimkehrend, auf die Frage eines Journalisten, wie er sich als Deutscher im Ausland gefühlt habe, patzig entgegnete: Die USA sind für mich und meine politischen Freunde kein Ausland.

Antiamerikanische Einstellungen existierten in den fünfziger Jahren zunächst vor allem im konservativen Bildungsbürgertum, für das die USA der Inbegriff der Oberflächlichkeit und Kulturlosigkeit waren. Hier lebte auch die reaktionäre Ablehnung der westlichen Werte fort, die vor dem Ersten Weltkrieg in der Rede vom »perfiden Albion« – gemeint war damit Großbritannien – und später bei den Vorbereitern der Nazi-Ideologie als Kampf gegen die »Ideen von 1789«, also die Ideen der Französischen Revolution, eine entscheidende Rolle spielte. Und natürlich waren die Vereinigten Staaten als der entscheidende Gegenspieler der Sowjetunion für die Ideologen der DDR der »imperialistische Hauptfeind«, eine Charakterisierung, die auch das kleine Häufchen der bundesrepublikanischen Kommunisten, keineswegs aber die Linke insgesamt, übernahm.

Ich erinnere mich, daß unser konservativer Rektor am Gymnasium in Rotenburg mich, wenn ich, die Beine ausgestreckt, allzu bequem auf meinem Stuhl lümmelte, schon mal anfauchte: Wir sind hier nicht in Amerika! Dasselbe konnte einem passieren, wenn man laute Musik hörte oder wenn man die Haare etwas länger wachsen ließ. Später stellte ich fest, daß die feindlichen Brüder in der DDR oft dieselben konservativen Vorbehalte gegenüber den USA pflegten. Als mein Freund Klaus Hähnel, der aus Leipzig stammte und mit mir zusammen am Auslands- und Dolmetscherinstitut in Germersheim studierte, eines Tages ein DDR-Lexikon aus dem Jahre 1954 mitbrachte, entdeckten wir darin neben vielen anderen Kuriositäten eine Tafel zum Thema »Tanz«. Sie zeigte ein Paar beim Menuett, die Stalinpreisträgerin Galina Ulanowa im Ballett *Roter Mohn*, ein tscherkessisches Volkstanzensemble, eine Gruppe beim mecklenburgischen Volkstanz und als letztes Foto ein Paar, sie mit Sonnenbrille und Kurzhaarfrisur, er mit Waikikihemd und Kippe im Mund, beim Boogie-Woogie. Darunter die Bildunterschrift: »Amerikanische Tanzentartung.«

Wenn es etwas gab, was die Konservativen in beiden deutschen Staaten bei aller ideologischen Feindschaft damals verband, dann war es die Angst vor der Freiheit und die Fixierung auf Zucht und Ordnung. Kein Wunder, daß die gegen die provinzielle Enge und die ständige Bevormundung rebellierende Jugend dort, wo sie die Chance dazu hatte, die kulturellen Signale aufgriff, die aus den USA herüberdrangen. Auch ich wurde in den fünfziger Jahren von der allgemeinen Amerikabegeisterung angesteckt, die damals unter jungen Leuten herrschte. Aber schon bald kam bei mir die Begeisterung für Frankreich dazu, für die französische Literatur, den französischen Film, für Camus und Sartre, für Paris und das intellektuelle Leben an der Seine. Freiheit und Weltoffenheit, das hatte für mich mindestens ebensoviel mit Frankreich zu tun wie mit den Vereinigten Staaten. Dies ist sicher einer der Gründe dafür, daß ich nicht so maßlos enttäuscht war wie viele meiner Altersgenossen, als wir nach und nach entdeckten, daß unser allzu positives Bild der USA nicht ganz mit der Realität übereinstimmte.

Das zumeist positive Amerika-Bild der Nachkriegszeit bekam für manche die ersten Risse schon in den fünfziger Jahren durch die von Senator McCarthy initiierte Verfolgung linker und liberaler Intellektueller. Später waren es dann die Nachrichten über die anhaltende Diskriminierung der Schwarzen und die weltweite Machtpolitik der USA, vor allem die Unterstützung blutiger Diktaturen in Mittel- und Südamerika und der brutale Krieg in Vietnam, die das Amerikabild verdunkelten. Ein kleiner Teil der deutschen Intellektuellen, der Teil, der der kommunistischen Ideologie nahestand, neigte in den siebziger und achtziger Jahren dazu, das Negativklischee der USA als imperialistischen Feind der Menschheit, wie es im Ostblock gepflegt wurde, zu übernehmen. Als Anfang der achtziger Jahre bekannt wurde, daß es in Washington Pläne gab, die die Mitte Europas, besonders Deutschland, als Gefechtsfeld in einem *führbaren* Atomkrieg vorsahen, war das Ansehen Amerikas für einige Jahre auf einem Tiefststand.

Genauer besehen war das Verhältnis der linken Intellektuellen zu den USA aber auch in diesen Jahren meistens ambivalent: Man war fasziniert von der Dynamik der amerikanischen Gesellschaft, ihrer Offenheit und Freiheit, und fühlte sich zugleich abgestoßen durch die oft ungeschminkte Machtpolitik und den Mangel an Verständnis und Respekt für fremde Kulturen, vor allem in der Dritten Welt. Man war fasziniert von vielen Aspekten der amerikanischen Alltags- und Massenkultur und fühlte sich zugleich abgestoßen von der ungehemmten Kommerzialisierung der Kultur und dem platten Materialismus, die damit einhergingen. Heute ist es vor allem die Mischung aus Bigotterie und Brutalität, das von keinem selbstkritischen Gedanken angekränkelte Sendungsbewußtsein und der dreiste Gott-mit-uns-Patriotismus der Bush-Administration, die auch meine Kritik herausfordern. Aber mit Antiamerikanismus hat das nichts zu tun. Das beweist allein schon die Tatsache, daß die meisten meiner amerikanischen Freunde in diesen Dingen ganz ähnlich denken wie ich.

Bei meinen zahlreichen Aufenthalten in den Vereinigten Staaten, bei offiziellen Gelegenheiten oder wenn ich meine Eltern und Brüder in Kalifornien besuchte, habe ich so viele positive Erfahrungen gemacht, daß eine pauschale Ablehnung der USA für mich nie in Frage kam. Das hat mich aber nicht davor bewahrt, des Antiamerikanismus bezichtigt zu werden. Offenbar fällt es vielen Deutschen immer noch schwer, sich aus der infantilen Alternative von kritiklosem Proamerikanismus oder pauschalem Antiamerikanismus zu befreien und eine normale, kritisch-partnerschaftliche Haltung zu den USA einzunehmen. Als nach den schrecklichen Anschlägen vom 11. September 2001 der US-Präsident den »Krieg gegen den Terrorismus« ausrief und dies alsbald zum zweiten (beziehungsweise dritten) Irak-Krieg führte, war das offensichtlich. Daß es Gerhard Schröder dennoch verstand, für seine Ablehnung des Irak-Kriegs die mehrheitliche Zustimmung der Deutschen zu gewinnen und daß dies die deutsch-amerikanischen Beziehungen, wie sich inzwischen gezeigt hat, keineswegs nachhaltig beschädigte, stimmt allerdings zuversichtlich.

In meiner Familie gab es schon immer ein enges Verhältnis zu den Vereinigten Staaten von Amerika. Im Jahre 1904 wanderte mein Großvater väterlicherseits mit seiner Frau aus Frankreich in die USA aus. In St. Louis, ausgerechnet dort, wo damals noch das Tor zum Wilden Westen stand, wollte er ein Symphonieorchester aufbauen. Er scheiterte und kehrte vier Jahre später ernüchtert nach Frankreich zurück. Aber der Traum von Amerika blieb in unserer Familie lebendig. Er bewog meinen ältesten Bruder, nach Kalifornien auszuwandern, und einige Jahre später auch meinen Bruder Louis. Beide brachten es in der Neuen Welt zu bescheidenem Wohlstand. Da meine Eltern, die in Frankreich, Holland und dann in Deutschland gelebt hatten, nirgends Aussicht auf eine auskömmliche Rente hatten, folgten sie Anfang der siebziger Jahre den beiden Söhnen. Im österreichischen Paß meines Vaters stand: geboren 1907 in St. Louis (USA); es kostete ihn nicht viel mehr als einen halben Nachmittag auf dem Generalkonsulat in Bremen, um für sich und seine Frau einen amerikanischen Paß zu bekommen.

Bei meinen Brüdern in Kalifornien waren meine Eltern materiell einigermaßen versorgt. Aber an den Lebensstil der Kalifornier haben sich meine holländische Mutter und mein französisch-österreichischer Vater bis zu ihrem Tod nicht gewöhnen können. Auch wenn mein Vater gelegentlich großkarierte Hosen und statt des Bérets einen Stetson trug und meine Mutter in ihr Holländisch-Deutsch immer öfter amerikanische Brocken mischte, blieben sie Europäer, die es in die Neue Welt verschlagen hatte. Und auch mir waren die Amerikaner trotz der vielen Dinge, die ich an ihnen bewunderte, in vieler Hinsicht fremd, nicht beängstigend, nicht abstoßend fremd, aber doch fremd. Ja, in gewisser Weise machte mich jede Reise über den Atlantik europäischer.

Ich denke, daß ich oft genug in den USA gewesen bin, um mir ein halbwegs objektives Bild des Landes und seiner Menschen zu machen. Ich habe die großen Städte der Ost- und der Westküste gesehen, aber auch das weite Land dazwischen bereist. Ich habe herzliche und vorurteilsfreie Amerikaner kennengelernt, einfache und hochgebildete Menschen, die mir in ihrem Verständnis des Lebens und in ihren politischen Ansichten sehr nahe waren. Ich habe Freunde in den USA, die die Mammonisierung der ame-

Mit den Geschwistern Louis, Marianne und Roger beim neunzigsten Geburtstag der Mutter in Fresno

rikanischen Demokratie und die Militarisierung der Außenpolitik für ebenso barbarisch halten wie ich. Ich bin aber auch auf Menschen getroffen, deren Bigotterie mich an die fünfziger Jahre in Deutschland erinnerte, und auf Menschen, deren alltäglicher Rassismus, deren aus Unkenntnis der übrigen Welt gespeister Chauvinismus mir die Sprache verschlug, die in einem Maße selbstgerecht und stolz auf ihr Land waren, wie es nur Dummköpfen möglich ist.

Ich erinnere mich an eine Reise zu einem Kongreß in Washington. Das muß Mitte der achtziger Jahre gewesen sein. Ich hielt einen Vortrag über Probleme der Sozialpolitik aus deutscher Sicht unter dem Titel *Zwischen Sozialdarwinismus und paternalistischem Staat: ein modernes Konzept der Sozialpolitik,* der offenbar so quer zu den damals in den USA geführten Debatten lag, daß er fast nur Mißverständnisse produzierte. Am Abend lud mein alter Freund Norman Birnbaum, Professor an der Law School der Georgetown University, einige Journalisten und mich in den *Cosmos Club*, eine vornehme Debating Society, der bekannte Politiker wie Henry Kissinger angehörten, zum Essen ein. Als wir uns in der Hotelhalle trafen, druckste Norman eine Weile herum, bis er mich schließlich beiseite nahm, um mir zu erklären, daß ich ohne Krawatte nicht in den Club eingelassen werden würde. Er habe gerade, sagte Norman, in einem äußerst hart geführten Konflikt durchgesetzt, daß nun auch Frauen den Club betreten dürften. Einen weiteren wegen meiner fehlenden Krawatte traue er sich im Augenblick nicht zu.

Da war sie wieder, diese irritierende Verbindung von moderner Aufgeschlossenheit und Lässigkeit und das hartnäckige Festhalten an einer geradezu altväterlich anmutenden Förmlichkeit, die mich in den USA immer wieder verblüffte. In diesem Fall war die Lösung einfach. Ich lieh mir eine Krawatte von Werner Perger, damals für das *Deutsche Allgemeine Sonntagsblatt* in Bonn tätig, und die Sache war erledigt. In einem anderen Fall fiel es mir schwerer, dem Gastgeber zu folgen. Das war 1975, als ich mit einer Delegation der Jusos die Staaten besuchte. Wir nahmen am Nominierungsparteitag für Jimmy Carter teil und führten mit zahlreichen Politikern und Gewerkschaftern Gespräche. Als ich in Detroit von einem lokalen Gewerkschaftsführer zum Essen nach Hause eingeladen wurde, geschah etwas, womit ich gerade bei einem Gewerkschafter gar nicht gerechnet hatte. Wir hatten kaum am Tisch Platz genommen, da griffen alle einander bei der Hand und der Gastgeber sprach ein Gebet, das damit endete, daß er Gottes Segen auf »dieses auserwählte Volk« (*this chosen people*) herabrief. Ich war über den religiös gefärbten Chauvinismus so perplex, daß es mir die Sprache verschlug. Im späteren Verlauf des Tischgesprächs flocht ich dann doch an halbwegs passender Stelle ein, daß in Deutschland heute Gott sei Dank der überhebliche Nationalismus der Vergangenheit kaum noch eine Rolle spiele. Das verstehe er, anwortete mein Gastgeber ohne jede Spur von Ironie. Schließlich hätten wir Deutschen ja auch den Krieg verloren.

Heute gibt es wieder vermehrt Deutsche, die die Amerikaner um ihren oft unverblümten und kritiklosen Patriotismus beneiden. Wenn man beispielsweise Udo Di Fabios Buch *Die Kultur der Freiheit* liest, ist das unübersehbar. Der Autor und Verfassungsrichter möchte den Deutschen wieder zu einer ungebrochen positiven nationalen Identität verhelfen, indem er an die positiven Seiten der deutschen Vergangenheit, vor allem an den wahren Geist des Preußentums, anschließt und die Verbrechen der Nazi-Zeit auf erschreckende Weise bagatellisiert. Aus seiner Sicht war der Nationalsozialismus »antinational«, Hitler in jeder Hinsicht »undeutsch«, das deutsche Volk in seiner großen Mehrheit immer »moralisch gesund«, aber leider zuweilen »mit allen Mitteln moderner Propaganda verführt und belogen«. Was der Autor nicht begreift: daß es eine Stärke ist, wenn man sich auch den dunklen Seiten der eigenen Geschichte ohne beschönigende Legenden stellt, und daß für die Deutschen wie für die Europäer insgesamt die Einsicht in das eigene historische Versagen durchaus ein Erfahrungsgewinn darstellt, der ihnen bei der Gestaltung der Zukunft zugute kommen kann.

Wenn es darum geht, einen Ausgleich zwischen widerstrebenden nationalen Interessen herbeizuführen, Konflikte möglichst friedlich beizulegen, einen für die Menschheit ruinösen Kampf der Kulturen zu verhindern und Mindestnormen des Rechts und sozialer Entfaltungsmöglichkeiten auf der Welt durchzusetzen, haben die Europäer, gerade wegen ihrer von so vielen Irrtümern und Verbrechen verdunkelten Vergangenheit einen Erfahrungsvorsprung, den sie nicht durch eine beschönigende Geschichtsklitterung verspielen sollten. Die Europäer, die Deutschen zumal, haben keinen Grund – ich würde sogar sagen: sie haben kein Recht –, sich in dieser Hinsicht die Amerikaner zum Vorbild zu nehmen. Aus gutem Grund denken die Europäer in diesen Dingen gemeinhin anders. Und wenn es nach meinen amerikanischen Freunden ginge, würde man in ihrem eigenen Land auch kritischer mit der eigenen Vergangenheit, insbesondere mit dem Fiasko der amerikanischen Außenpolitik umgehen.

Für mich war der – traditionell rechte, später auch linke – Antiamerikanismus stets ebenso töricht wie der infantile Proamerikanismus unserer Vorzeigeatlantiker. Auch als mir eine

Zeitlang ein Visum für die USA verweigert wurde, offenbar, weil ein übereifriger Demokratieschützer aus meinem Esperanto-Vornamen *Johano* messerscharf geschlossen hatte, daß ich ein aus Südamerika eingeschleuster Guerillero sein müsse, machte mich dies nicht zum Amerikafeind. Dafür kannte ich das Land und seine Menschen zu gut. Und die Tatsache, daß mir die DDR wegen meiner Kontakte zu Ostblock-Dissidenten zur gleichen Zeit – zumindest als Privatperson – die Einreise verweigerte, betrachtete ich als Indiz dafür, daß ich so ganz falsch wohl nicht liegen konnte.

Eigentlich ist die Schlußfolgerung aus alldem ganz einfach: Es gibt das *eine* Amerika, es gibt *die* Amerikaner gar nicht, so wie es auch *die* Deutschen und *die* Franzosen nicht gibt. Wie der Vietnamkrieg in den USA umstritten war und schließlich vor allem durch die Protestbewegung im eigenen Land beendet wurde, so ist auch die gegenwärtige Politik der Bush-Administration unter Amerikanern umstritten. Nach wie vor glaube ich, daß die Menschen in den USA nicht auf Dauer eine Politik tolerieren werden, die so offensichtlich auf der ganzen Welt – und nicht zuletzt auch in den USA selbst – Unheil anrichtet und die dem Ansehen ihres Landes in der Welt enorm schadet. Darum ist es auch keineswegs *un-* oder *antiamerikanisch*, wenn man die USA in diesem Punkte kritisiert, wie dies Harold Pinter bei der Entgegennahme des Literaturnobelpreises und jüngst auch Günter Grass auf dem Internationalen P. E. N.-Kongress in Berlin getan haben.

Es sind ja nicht die *Werte*, die die USA und Europa unterscheiden. Im Grunde sind es dieselben Vorstellungen von Menschenrechten, von Demokratie, Toleranz und Mitmenschlichkeit, die hier wie drüben beschworen werden. Was uns unterscheidet, sind die historischen *Erfahrungen*. Weil aber in einer globalisierten Welt selbst der Atlantik weniger Grenze als Brücke ist, sollten wir mit den Menschen in den Staaten über unsere unterschiedlichen Erfahrungen reden. Und über unsere gemeinsamen und divergierenden Interessen. Je mehr wir übereinander wissen, um so eher ist echte, das heißt gleichberechtigte Partnerschaft möglich.

Und um so größer ist die Chance, daß die *neue Weltordnung*, die seit dem Wegfall der Ost-West-Konfrontation auf der Tagesordnung steht, nicht eine waffenstarrende Pax Americana, sondern eine multipolare Ordnung des Rechts und der Gerechtigkeit wird.

20

Das gute Leben

Vor einigen Jahren fuhren Franziska und ich einmal nicht wie gewöhnlich mit dem Zug, sondern mit dem Auto nach Berlin, weil wir unseren Kindern, die mittlerweile beide dort studieren, allerhand Sachen für ihre Wohngemeinschaftshaushalte zu bringen hatten. Als wir uns von Steglitz kommend dem Lauterplatz, heute: Breslauer Platz, näherten, sagte Franziska: Halt doch mal an. Es interessiert mich, wie es in der Niedstraße jetzt aussieht. Wir parkten das Auto und gingen eine halbe Stunde lang in dem Viertel herum, das so viele Jahre lang unsere Heimat gewesen war. Die Baulücke, wo früher ein distinguiert aussehender Jordanier Gebrauchtwagen verkauft hatte, war geschlossen, die Kneipe an der Ecke zur Handjerystraße jetzt ein italienisches Restaurant. Schließlich standen wir vor dem Haus Niedstraße 13. Einer von Günters Söhnen, wußten wir, wohnte jetzt dort mit seiner Familie. Wir klingelten. Aber niemand öffnete. Wir sahen durch die Fenster, Kinderspielzeug lag im Wohnzimmer auf dem Boden, unter einem Busch im Vorgarten ein Ball.

Gerade mal sechzehn Jahre war es her, daß wir von hier an den Starnberger See umgezogen waren, und doch ging es mir nun so, als käme ich an einen Ort meiner Kindheit zurück. Dieselbe Wehmut, dasselbe alles verzaubernde Licht, ein wenig Angst auch vor der Ernüchterung, vor möglicher Enttäuschung. Als wir wieder zu Haus am Starnberger See waren, kramte ich in unserer Fotokiste. Ein Foto von Renate von Mangoldt, der Berliner Fotografin und Frau von Walter Höllerer: Franziska und ich sitzen auf den Stufen vor der schweren hölzernen Tür des Grassschen Hauses, Felix drei, Therese ein Jahr alt, neben uns. Es sieht aus wie ein Standfoto aus einem alten Film. Als hätte die Fotografin die Gegenwart von vornherein als künftige Vergangenheit abgebildet.

Mit Franziska und den Kindern Felix und Therese

An den eigenen Kindern, heißt es, merkt man am ehesten, daß man älter wird. Und an dem leichten Schrecken im Gesicht alter Freunde, wenn man ihnen nach Jahren der Abwesenheit die inzwischen groß gewordenen Kinder vorstellt:

Das ist Therese. Das ist Felix.

Mein Gott! Wie alt waren die beiden, als ihr von Berlin fortzogt?

Felix fünf, Therese drei.

Rolf Haufs, der Lyriker vom Niederrhein, der 1960 nach Berlin kam und nicht wieder fortging, ihn hatten wir zuletzt gesehen, als wir das große Abschiedsfest machten, bevor wir von Berlin an den Starnberger See zogen. Damals ging er in der Niedstraße ein und aus wie Marianne Frisch, die Übersetzerin, die immer noch zwei Straßen weiter wohnt, und Karin Kiwus, die Dichterin und Günters rechte Hand in der Akademie der

Künste, wie Benno Meyer-Wehlack und Irina Vrkljan, Arnd und Juliane Seifert und Vladimir und Daniel und Fari und Werner...

Wenn Günter in Berlin Besuch von einem berühmten Kollegen bekam, fand das Ganze meist bei uns in der Küche statt. José Saramago kam zum Frühstück, als sein Roman *Das Memorial* in Berlin vorgestellt wurde. Er sprach außer Portugiesisch nur Französisch, und da Günter und ich in der französischen Sprache nicht eben brillierten, bestritt Franziska fast das ganze Gespräch. Die beiden amüsierten sich prächtig, während Günter und ich staunend und ziemlich schweigsam danebensaßen. Eines Nachmittags erschien Salman Rushdie, dessen großer Roman *Mitternachtskinder* soeben auf Deutsch erschienen war. Das war lange vor den *Satanischen Versen* und der Fatwa, die sein Leben so gründlich veränderte. Er war herzlich, ohne alle Allüren, seine spitzbübisch funkelnden Augen immer neugierig, immer auf dem Sprung. Abends aßen wir Spaghetti bei einem Italiener und zogen hinterher durch die Kneipen der Nachbarschaft. Später, als die Mullahs zu seiner Ermordung aufgerufen hatten, habe ich ihn noch zweimal gesehen, aber niemals mehr so unbeschwert, immer unter konspirativen Bedingungen, und immer war er von einer Schar mehr oder weniger auffälliger Bodyguards umgeben.

Eines Abends kam Willy Brandt zum Essen. Während Günter, Franziska und ich mit ihm in der Küche saßen, stand die ganze Zeit eine riesige schwarze Limousine mit laufendem Motor vor dem Haus. Und vorn im Garten und im Hinterhof je zwei Sicherheitsbeamte. Wir drei Männer duzten uns, das war so üblich in der SPD, Franziska, obwohl auch sie Mitglied der Partei, sagte »Herr Brandt«, er »Franziska« und »Sie«.

Ihre Götterspeise, Franziska, war köstlich.

Was Willy Brandt *Götterspeise* nannte, war ein *Schwedischer Apfelkuchen*, schichtweise geriebener und in Butter angebräunter Zwieback und Apfelkompott. Dazu gibt es Sahne. Eine echte Kalorienbombe, die seitdem bei uns nur »Willys Götterspeise« heißt.

Vier Stunden saßen wir am Küchentisch zusammen, sprachen über viele Themen von der Nord-Süd-Problematik bis zur Kindererziehung. Es wurde Rotwein getrunken und nach der kalorienreichen *Götterspeise* holte Günter einen Tresterschnaps aus seinem Büro. Aber auch als Willy schließlich anfing, Anekdoten aus dem Parteileben zu erzählen, hatten wir nie das Gefühl, daß er sich wirklich öffnete. Er blieb merkwürdig distanziert, fast ein wenig steif, als müsse er sich gegen eine allzu große Nähe zur Wehr setzen. Als er schließlich kurz nach Mitternacht mitsamt dem Sicherheitstroß davongefahren war, saßen wir noch lange in der Küche und rätselten über den Gast.

Der kommt nicht mehr von seinem Sockel herunter, sagte Günter.

Franziska widersprach: Ich glaube, es ist eher ein Käfig, aus dem er sich nicht befreien kann.

Ein Käfig, sagte ich, der auf einem hohen Sockel steht.

Noch eine Weile versuchten wir uns in Erklärungen, aber im Grunde waren wir einfach ratlos.

Der Hinterhofgarten in der Niedstraße, fünfundzwanzig mal fünfundzwanzig Meter, an drei Seiten fast vollständig von hohen, unverputzten Brandmauern umgeben. Zwei Apfelbäume in der Mitte, die jedes zweite Jahr herrliche große Boskopäpfel trugen, in der linken hinteren Ecke ein Zwetschgenbaum, an dem Jahr für Jahr nur verwurmte Früchte hingen. Der Rest war Rasen bis auf einen mit Klinkern gepflasterten Streifen von fünf mal zehn Metern direkt am Haus, wo die Tischtennisplatte stand. Im Sommer eine kühle Oase, ein Ort zum Lesen, zum Spielen, zum Ausruhen und für Feste, im Winter bauten wir hier zusammen mit den Kindern große und kleine Schneemänner. Hier bestanden die Kinder auch ihre erste große Mutprobe, indem sie, dem Beispiel des Vaters folgend, mit bloßen Füßen und vor Aufregung kreischend durch den Schnee liefen. Wie schnell solche Orte, wenn man sie verlassen hat, eine nostalgische Patina ansetzen! Auch wer keinen Grund hat, sich über die Gegenwart zu beklagen, wer wie ich im anmutigsten Arkadien lebt, kann sich kaum der Wehmut erwehren, wenn er den Blick zurückwendet auf die verlassenen Paradiese.

Das gute Leben, vielleicht ist es vor allem die Summe des erinnerten Glücks. Die Feste zum Beispiel, die wir in Günters Haus in der Niedstraße feierten. Das große Hinterhoffest mit Tangokapelle und mehr als hundert Gästen, das Günter seiner langjährigen Sekretärin Eva Hönisch zu Ehren gab. Alle Nachbarn waren eingeladen, aber irgend jemand fühlte sich offenbar trotzdem gestört, oder es brachte ihn in Wut, daß die da unten soviel fröhlicher und ausgelassener waren als er selbst. Jedenfalls wurden auf einmal aus einem Fenster im vierten Stock des Nachbarhauses Kartoffeln geworfen, und wir mußten unter zwei großen Schirmen Schutz suchen, um nicht getroffen zu werden. Oder die Abende mit Freunden, die, wenn irgend jemand die richtige Musik auflegte und Günter aus dem Keller die besseren Flaschen heraufholte, sich zu spontanen Tanzfesten auswuchsen. Einmal, wir saßen mit Freunden beim Essen, kam Uwe Johnson, trank zu viel und geriet in Streit mit Helga Novak, die auch zu viel getrunken hatte. Als es ernst zu werden drohte, rollte Günter den Teppich auf, legte einen Tango auf und forderte Helga zum Tanz. Und als wir anderen seinem Beispiel folgten, stand schließlich auch Uwe Johnson mitten unter den Tanzenden, tapsig wie ein Bär, aber für einen ganzen langen Augenblick versöhnt mit Helga, mit sich selbst und mit der Welt.

Auch das große Abschiedsfest, das Franziska und ich gaben, bevor wir an den Starnberger See zogen, sollte in unserem Hinterhofgarten stattfinden. Wir hatten alle verfügbaren Tische, Stühle und Bänke aus dem Haus geholt und im Garten aufgestellt. An die einhundertundfünfzig Gäste waren gekommen, aber als wir gerade Schüsseln und Platten aus der Küche in den Garten hinaustrugen, setzte ein gewaltiges Unwetter ein, das wir wegen der hohen Brandmauern nicht hatten herankommen sehen. Alles mußte in wenigen Minuten ins Haus geräumt werden, in der Küche stapelte sich das Geschirr zu Bergen, Tische und Stühle verstopften die Räume, in denen sich viel zu viele Menschen drängten. Statt von Tellern wurde direkt aus den

Schüsseln gegessen, die Platten mit Roastbeef und Hühnerschenkeln wurden herumgereicht, wer keine Gabel ergattern konnte, aß mit der Hand. Und überall in dem Chaos nur fröhliche Gesichter, weil nichts die Menschen offenbar mehr stimuliert, als ein Zusammenbruch aller Ordnung, sofern er begrenzt und überschaubar bleibt.

Die Sommertage in der Stadt, die kastaniengesäumten Straßen, der märkische Wind. West-Berlin war eine Insel, abgeschnitten von der brandenburgischen Weite ringsum, aber der ziehende Wind, der an den hellen Sommertagen überall in der Stadt zu spüren war, den vermochte kein Zaun und keine Mauer aufzuhalten. Ich liebte diese Tage, die nicht enden wollten, noch um elf Uhr war der Himmel hell. Wir saßen auf der Veranda, die zur Straße hinausging, tranken Wein, unterhielten uns, und wenn Günter kam, Hunger hatte und vom Abendessen nichts mehr übrig geblieben war, weil ich immer noch soviel aß wie ein Leistungssportler, obwohl ich längst keinen Leistungssport mehr trieb, dann gingen wir zum Griechen in der Handjerystraße, wo man draußen sitzen konnte unter dem hellen Himmel, umfächelt vom ziehenden märkischen Wind.

Es sind sehr unterschiedliche Erinnerungen, die ich an die Jahre in der Niedstraße habe. Manchmal denke ich, daß es mehrere Leben waren, die ich dort lebte, das hektische mit Politik und Literatur, angefüllt mit Schreiben, Reden, Reisen, und ein anderes, verspieltes, heiter geselliges, in dessen Mittelpunkt die Familie und die Freunde stehen. In meiner Erinnerung geben die heiteren, glücklichen Momente den Ton an, färben alles andere ein. Aber es muß wohl auch Momente der nervösen Anspannung und der Erschöpfung gegeben haben, Momente, in denen ich mich überfordert fühlte, weil allzuviel auf mich eindrang. Immerhin war es hier, in der Niedstraße, daß ich eine Zeitlang immer wieder denselben Traum träumte: Ein Pferd steigt hoch, mit Schaum vorm Mund bäumt es sich auf, drum herum eine Menschenmenge, die erschreckt zurückweicht. Einer muß das Pferd beim Zügel packen, es beruhigen, bevor ein Unglück geschieht. Ich spüre, daß alle von mir erwarten, daß ich eingreife.

Ich trete vor, nähere mich dem Pferd, das wild mit den Vorderhufen um sich schlägt. Während ich nach dem herunterhängenden Zügel greife, denke ich: Gleich wird dich einer dieser fürchterlichen Hufe treffen. Und genau das passiert im nächsten Moment. Ich spüre einen dumpfen Schlag und erwache. Als ich Franziska von meinem Traum erzählte, lachte sie nur: Wenn alle eine so simple Psyche hätten wie du, wären alle Therapeuten arbeitslos. Für sie war die Sache klar: Helfersyndrom! Immer noch fühlte ich mich für nahezu alle Probleme zuständig, glaubte mich überall einmischen zu müssen. Aber Franziska wußte auch, daß das politische Engagement zu mir gehörte, daß es mir nicht guttun würde, es zu kappen. Als ich an meinem ersten Roman schrieb und vorübergehend daran dachte, mich aus dem politischen Geschäft weitgehend zurückzuziehen, war sie es, die mich ermunterte, den Spagat weiter auszuhalten. Heute bin ich ganz sicher, daß sie damit recht hatte.

In unserem zweiten Jahr in der Niedstraße gründeten wir zusammen mit den Freunden von der Zeitschrift *Ästhetik & Kommunikation*, Eberhard Knödler-Bunte, Tilman Fichter, Gisela Kayser, einen Stammtisch, zu dem sich einmal im Monat Schriftsteller, Schauspieler, Künstler, Politiker, Journalisten und Wissenschaftler trafen. Treffpunkt war ein Restaurant im bayerischen Viertel, nur wenige Minuten von der Niedstraße entfernt. Die Teilnehmer tauschten untereinander Informationen aus, trafen Verabredungen, diskutierten Themen, die in der Stadt die Gemüter erregten. Anke Martiny, damals Kultursenatorin, war mehrmals da, um sich die Klagen von Künstlern und Literaten über die Berliner Kulturpolitik anzuhören. Manchmal brachte jemand einen interessanten Gast mit, der gerade in Berlin war, einen Schriftsteller, Politiker, Filmemacher, Musiker. Norman Birnbaum, unser Freund aus Washington, diskutierte mit uns die amerikanische Politik unter Reagan, Marianne Frisch brachte György Konrád mit, als der für ein Jahr am Wissenschaftskolleg war, Günter den polnischen Germanisten Andrzej Wirth.

Als Franziska und ich Ende 1987 nach Bayern gingen, führte

unser Freund Fred Riedel den Stammtisch fort. Er verlegte ihn in die Nähe seines Wohnorts an den Savignyplatz und berichtete uns jedes Mal detailliert am Telefon, wer mit wem teilgenommen hatte und worüber diskutiert worden war. Den Fall der Mauer hat der Stammtisch nicht mehr erlebt, er war kurz zuvor mangels Beteiligung eingegangen. Ende der achtziger Jahre schien es unter Intellektuellen, Künstlern und Literaten nicht mehr viel zu bereden zu geben. Jeder versuchte auf eigene Rechnung sein Glück zu machen oder zumindest seine Haut zu retten. Die alten Formen der Gesellung und des politischen Engagements erschienen auf einmal als nicht mehr zeitgemäß.

Vielleicht, denke ich heute, war es gut so, daß niemand da war und wir das Haus nicht betreten konnten, als wir nach so langer Zeit wieder einmal in die Niedstraße kamen. Vielleicht wäre die Beklommenheit zu groß gewesen, wenn wir durch die Räume gegangen wären, durch das Küchenfenster in den Hinterhof geblickt hätten. Auch Günter hat sich bald nach unserem Weggang fast ganz ins Holsteinische zurückgezogen, wir haben ihn und Ute in ihrem Haus, das außerhalb eines Dorfes am Waldrand liegt, ein paar Mal besucht. Eine neue Lebensphase, auch für ihn. Vielleicht war es ganz richtig, daß wir bei unserem spontanen Besuch in der Niedstraße nur einen Blick durchs Fenster warfen. Vergangenheit ist eine Sache der Erinnerung, und die profitiert nur selten davon, wenn man sie an der Realität überprüft.

21

AM STARNBERGER SEE

Franziska hatte die Anzeige in der *Süddeutschen Zeitung* entdeckt. Sie war irrtümlich unter die Wohnungs*gesuche* geraten, wohl weil sie mit den Worten anfing:»Suche Nachmieter für...« Eigentlich suchten wir eine Wohnung in Berlin, am besten in Günters Nähe in Friedenau, weil es in der Niedstraße 13 zu eng werden würde, wenn nun auch noch Günters Drucker, Fritze Margull, dem der Vermieter gekündigt hatte, hier seine Werkstatt würde unterbringen müssen. Wir überlegten, eine Anzeige in einer Berliner Zeitung aufzugeben, und weil Franziska sehen wollte, wie es die anderen machten, vielleicht auch, weil sie insgeheim ganz andere Pläne hatte, blätterte sie in der *Süddeutschen* die Wohnungsgesuche durch. Und auf einmal steht da:»Suche Nachmieter für großzügige 6-Zimmer-Wohnung in Berg am Starnberger See. Kinder erwünscht.« Einer jener merkwürdigen Zufälle, die meinem Leben immer wieder eine überraschende Wendung gegeben haben. Franziskas Mutter wohnte am Starnberger See, im Süskindschen Haus in Seeheim. Sie fuhr nach Berg, besah sich Haus und Wohnung und rief noch am gleichen Tag bei uns an: Ein Juwel!

Günter hat lange gemutmaßt, hinter unserem Umzug nach Berg stecke eine bayerische Intrige. Aber es war einfach der Charme des Ortes, der uns auf Anhieb gefangennahm. Außerdem stand in Berlin die Mauer noch, und die Vorstellung, daß unsere Kinder statt in einer von ihrem Umland abgeschnittenen Großstadt in ländlicher Umgebung, in einem wunderschönen Haus mit Terrasse und großem Garten, am Hang über dem Starnberger See gelegen, aufwachsen würden, war zu verlockend. Und schließlich die Großmutter. Kinder, dachten wir, brauchen eine Großmutter, und den Eltern kann sie gelegentlich auch von Nutzen sein. Meine Eltern lebten viele tausend Kilometer entfernt in Kalifornien, Franziskas Mutter wäre jederzeit erreichbar. Wir hatten gute Argumente, und weil die Argumente so gut waren, fuhren wir im Herbst 1987 von Berlin an den Starnberger See, und tagsdrauf kam ein großer Möbelwagen mit unserer Habe hinterher.

Mit Günter Grass bei einer Präsentation von L'80

Viele Menschen definieren sich immer noch oder wieder über landsmannschaftliche Zugehörigkeiten. Das gilt ganz besonders für die Bayern. Für sie, so jedenfalls scheint es auf den ersten Blick, gibt es nur die Bayern und die anderen. Aber wenn man genauer hinschaut, dann stellt man fest, daß die meisten Bayern

nicht einfach Bayern, sondern Ober- oder Niederbayern, Ober-
oder Unterfranken, Allgäuer, Schwaben oder Oberpfälzer sind.
Ich war in Bayern je nach Bedarf entweder Berliner oder Nieder-
sachse oder Holländer. Den Österreicher in mir hielt ich eher
versteckt, weil mir den dort doch niemand abgenommen hätte.
Versuche, mich der bayerischen Umgebung in Sprache und Gehabe anzupassen, habe ich gar nicht erst unternommen. Ich
hätte damit wohl auch keinen großen Eindruck gemacht. Allerdings habe ich nach kurzer Zeit wie alle anderen auch »Grüß
Gott« gesagt, weil Herr Urban in dem kleinen Postamt nur
dreihundert Meter von unserem Haus entfernt mich immer so
freundlich mit »Grüß Gott, Herr Strasser!« begrüßte und es
allzu schulmeisterlich geklungen hätte, wenn ich ihm darauf mit
»Guten Tag« geantwortet hätte.

Als wir nach Berg kamen, gab es in unserem Ortsteil Assen-
hausen viele alte Leute und wenige Kinder. Die wenigen Kinder
wohnten allerdings alle in dem großen Haus, von dem wir das
südliche Drittel bewohnten, und im Nachbarhaus. Da überall
die Türen offenstanden, wuchsen unsere Kinder von vornherein
mit vielen anderen Kindern auf, spielten zusammen mit den
Nachbarskindern in unserem geräumigen Garten oder im an-
grenzenden Wald, aßen mal hier, mal da, je nachdem, wo es gerade am besten schmeckte. Später, als die Kinder größer waren
und mit dem Bus zur Schule fuhren, versammelten sie sich jeden
Morgen bei uns in der Küche und zogen gemeinsam zur Bushal-
testelle los, und immer kam unsere Tochter Therese, die in der
Frühe schwer aus dem Bett fand, erst im letzten Moment dazu.

Nach der hektischen Betriebsamkeit der Berliner Jahre ging
es in der neuen Umgebung sehr viel ruhiger zu. Zwar hatten
Franziska und ich zunächst noch die Redaktionsarbeit für *L'80*
zu leisten – drei Hefte besorgten wir noch von Berg aus – und
ich war auch immer noch zu Vorträgen und in Sachen Politik,
bald immer häufiger für den P.E.N.-Club, unterwegs. Aber zwischendurch herrschte, vor allem an den Vormittagen, wenn die
Kinder im Kindergarten, später in der Schule waren, wunderbare Ruhe, die ich zum Schreiben nutzte. Zwei Erzählungen, *Die*

Heimsuchung und *Dengelmanns Harfe*, entstanden in unseren ersten Jahren in Berg, der Essay *Leben ohne Utopie?* und schließlich der zweite Roman *Stille Jagd*. Leben konnten wir von meinen Büchern allerdings immer noch nicht. Also mußten Rundfunkarbeiten, Vorträge und Artikel in Zeitungen und Zeitschriften das Budget aufbessern. Vor allem als *L'80* eingestellt wurde, geriet die prekäre Familienökonomie vorübergehend aus der Balance. Ein erfolgreiches Hörspiel rettete uns für kurze Zeit, Franziska verdiente mit schlecht bezahlten Übersetzungen aus dem Englischen und Französischen, später auch mit Artikeln für Frauenzeitschriften etwas dazu. Wir lebten von Monat zu Monat und kamen immer nur *irgendwie* über die Runden.

Das normale Los des freien Schriftstellers. Im VS und im P. E. N.-Club kannte ich viele Kollegen, denen es nicht besser, manche, denen es finanziell bedeutend schlechter ging. Wir konnten uns keine aufwendigen Ferienreisen leisten. Dafür fuhren wir, wie schon in der Berliner Zeit, ein- oder zweimal im Jahr zu unseren Freunden Marina und Heinrich Modersohn nach Norddeutschland. Marina und Heinrich, sie freie Journalistin, er Maler wie der Vater und der Großvater, wohnten mit ihren Kindern in einem alten Fachwerkhaus, zu dem ein riesiges Grundstück mit Wald und Schafsweide gehörte, das von einem ruhig durch die Ebene mäandernden Fluß begrenzt wurde, in dem man im Sommer baden konnte. Es war die Landschaft meiner Jugend, der Fluß, die Wümme, derselbe, an dem das Städtchen Rotenburg lag, in dem ich das Gymnasium besucht hatte. Für mich war es jedes Mal, als kehre ich heim, wenn wir in die sandige Einfahrt zum Grundstück der Modersohns einbogen.

Geld ist nicht wichtig. Diese Überzeugung hatten mir meine Eltern früh vermittelt. Geld braucht man, um halbwegs menschenwürdig existieren zu können, aber wirklich wichtig ist es nicht. Wichtig ist das, was man mit Leidenschaft tut, für sich und für andere, wichtig sind die eigenen Überzeugungen und daß man zu ihnen steht. Freunde sind wichtig, die Familie, die Kunst, die Literatur, die Musik. Auch heute noch kann ich mir kaum eine größere Dummheit vorstellen, als sein Leben ganz danach

Mit Marina und Heinrich Modersohn, davor Franziska

auszurichten, wie man am besten zu möglichst viel Geld kommt. Dennoch spielte das Geld, gerade weil es so knapp war, für mich in dieser Zeit eine unangemessen große Rolle. Wir hatten keinerlei festes Einkommen, jeden Monat wieder mußte das zum Leben Erforderliche aus lauter kleinen Beträgen für Lesungen, Vorträge, Artikel in Zeitungen und Zeitschriften, Rundfunkarbeiten und gelegentliche Fernsehauftritte zusammengestückelt werden. Etwas besser wurde es, als Franziskas Romanbiographie über Franziska zu Reventlow sich gut verkaufte und sich zu einem Longseller entwickelte. Aber nachhaltig entspannte sich die finanzielle Situation erst, als sie im Jahre 1998 Pressesprecherin des Münchener Kulturreferenten Julian Nida-Rümelin wurde.

Am Tag, bevor unser Felix in die Schule kam, besuchte uns Günter. Er blieb über Nacht, und als die Kinder zu Bett gebracht wurden, las er Felix aus der *Blechtrommel* das Kapitel »Der Stundenplan« vor. Natürlich verstand der Sechsjährige nicht jedes Wort, schon lange nicht die Feinheiten des Textes. Aber er hörte gebannt zu, wie Kinder zuhören, wenn man ihnen Märchen vorliest, und als die Stelle kam, wo der kleine Oskar, weil

ihm die Lehrerin, Fräulein Spollenhauer, die Trommel wegneh-
men will, erst die oberen, dann die mittleren und, aus lauter
Übermut, schließlich auch noch die unteren Scheiben der Klas-
senfenster entzweischreit, da grinste er übers ganze Gesicht und
freute sich, weil ein kleiner Mensch es den Großen einmal gezeigt hatte.

Dennoch bin ich sicher, daß es mehr noch als die Bedeutung
der Klang der Wörter war, der ihn fesselte. Und Günters schwarzer Schnauzbart, der beim Vorlesen auf und ab sprang. Als Felix
gerade vier und Therese zwei Jahre alt war, las ich den Kindern
sonntagmorgens im Bett gelegentlich Märchen auf Esperanto
vor. *Die kleine Meerjungfrau* von Hans Christian Andersen zum
Beispiel, die auf Esperanto *marvirineto* heißt. Die Kinder verstanden kein Wort, von dem, was ich ihnen vorlas, wollten auch
gar nicht, daß ich ihnen das eine oder andere übersetzte. Es war
die Musik der Sprache, die sie in Bann schlug. Immer wieder
mußte ich ihnen aus dem Esperanto-Märchenbuch vorlesen, und
während ich las, glaubte ich es ihnen ansehen zu können, wie sie,
den fremden Klängen folgend, in unbekannte Welten eintraten,
deren zahlreiche Wunder sich ihnen erschlossen, ohne daß sie die
Bedeutung der Wörter verstanden.

Die Musik der Sprache. Ich, der ich die Sprache viele Jahre
lang vornehmlich analytisch und argumentierend gebraucht
hatte, hatte erst wieder lernen müssen, was meine Kinder offenbar instinktiv wußten, daß der Inhalt, die Bedeutung nur ein
Aspekt der Sprache ist, daß Klang, Melodie, Rhythmus ebenso
wichtige und *sprechende* Eigenschaften der Sprache sind. In
Gedichten fand ich beides miteinander verschmolzen. Ich las
Hölderlin, Hofmannsthal, Trakl, Rilke, Benn, unter den Zeitgenossen vor allem Bachmann, Celan, Grass und Rühmkorf. Neun
Zeilen aus einem Gedicht von Hofmannsthal hatte ich jahrelang
an der Wand neben meinem Schreibtisch hängen, als eine Art
Memento, damit ich nicht vergaß, wozu die Sprache da war und
was sie vermochte:

Und Kinder wachsen auf mit tiefen Augen,
Die von nichts wissen, wachsen auf und sterben,
Und alle Menschen gehen ihrer Wege.

Und süße Früchte werden aus den herben
Und fallen nachts wie tote Vögel nieder
Und liegen wenig Tage und verderben.

Und immer weht der Wind, und immer wieder
Vernehmen wir und reden viele Worte
Und spüren Lust und Müdigkeit der Glieder...

Immer deutlicher empfand ich in diesen Jahren die Unzuläng-
lichkeit jener politischen Sprache, in die auch ich verstrickt war,
die Scheingewißheiten, die sie vorspiegelte, ihre Anfälligkeit für
modische Wendungen, die Kompetenz und intime Sachkenntnis
suggerierten, wo allenfalls vage Vermutungen vorlagen, ihre
Oberflächlichkeit und Unwahrhaftigkeit. Die Erzählung *Den-*
gelmanns Harfe war ein Versuch der immanenten Kritik mit
literarischen Mitteln, ein Versuch, durch Rhythmisierung und
Überspannung die Sprache der Politik zu zwingen, gewissermaßen gegen sich selbst Zeugnis abzulegen. Die wenigen Re-
zensenten freilich, die das in einem kleinen Münchener Verlag
erschienene Buch zur Kenntnis nahmen, schienen die darin ent-
haltene Sprachkritik nicht zu bemerken. Erst als ich viele Jahre
später – inzwischen hatte ich auch die sprachkritischen Arbeiten von Uwe Pörksen gelesen – in einem Essay unter dem Titel
Sprachspiel und Bilderzauber. Die Krise der Politik und der poli-
tischen Sprache das Thema wieder aufgriff, gab es hier und da
ein Echo.

In der neuen oberbayerischen Umgebung fühlte ich mich
schon bald zu Hause. Das war besonders Franziska zu danken,
deren zahlreiche Freunde aus ihrer Münchener Zeit nun auch
meine Freunde wurden. Neue Freunde kamen hinzu, manche
über die Kinder; man traf sich im Kindergarten, später bei El-
ternsprechtagen oder beim Vorspielen in der Starnberger Musik-

schule. Gert Heidenreich, der schon bei *L'80* unser Autor gewesen war, wohnte in der Nähe, zu ihm und seiner Frau Gisela entwickelte sich mit den Jahren eine enge Freundschaft. Über Patrick Süskind lernte ich Kuno Raeber, den geistreichen und immens gebildeten Schweizer Schriftsteller, kennen. Mit ihm und Patrick trafen wir uns regelmäßig bei einem Italiener in München zum *Greisengemurmel*, wie Kuno unsere Treffen nannte. Gabriele von Arnim und Martin Schulze, die in ihrem Haus in Schwabing mit sympathischer Lässigkeit die wunderbarsten Einladungen ausrichteten, brachten uns mit vielen interessanten Menschen zusammen, die wir ohne sie kaum kennengelernt hätten. Und in Juschi Bannaskis Maleratelier feierten wir die schönsten Silvesterfeste.

Auch der Kontakt zu den Berliner Freunden riß nicht ab. Viele kamen, wenn sie in München zu tun hatten oder auf der Durchreise nach Italien waren, bei uns vorbei, manche blieben ein paar Stunden, manche ein paar Tage. Einer, der jedes Jahr ein oder zweimal bei uns Station machte und uns den neuesten Tratsch aus Berlin überbrachte, war Fred Riedel. Meistens kam er gerade aus Bayreuth, wo er, der Wagner-Enthusiast, obwohl er sich das eigentlich gar nicht leisten konnte, jedes Jahr die Festspiele besuchte, oder er war auf dem Weg in die Toskana zu seinem Freund Otto Schily. München mit seinem großen und vielseitigen kulturellen Angebot war nah, eine halbe Stunde brauchte man mit dem Auto, eine Dreiviertelstunde, wenn man ab Starnberg die S-Bahn nahm. Daß wir, wie der eine oder andere unserer Berliner Freunde uns vorausgesagt hatte, hier am Starnberger See der »Idiotie des Landlebens« anheimfallen würden, war nicht zu befürchten.

Überhaupt München: Alles, was man mir in Berlin warnend über München erzählt hatte, traf zu. Und auch das Gegenteil. München war schön, geradezu narkotisierend schön, aber unter der polierten Oberfläche entdeckte ich alsbald das Renitent-Anarchische, das jederzeit hervorbrechen konnte. Politische Differenzen und Konflikte hatten hier oft etwas Spielerisches an sich, man nahm es nicht so genau, stritt, schimpfte und trank anschließend im *Franziskaner* oder im *Weissen Brauhaus* ein Bier zusammen. Aber unter den Oberbürgermeistern Vogel, Kronawitter und Ude hat die Stadt trotzdem mehr soziales und demokratisches Profil gewonnen als Berlin in all den Jahren der SPD-Regierung. Das Leben, das private wie das öffentliche, hatte etwas Beschauliches, provinziell Gemütliches, aber mit der *Süddeutschen Zeitung* und der *Abendzeitung* erschienen in der Stadt zwei weltoffene und auf ihre je besondere Weise anspruchsvolle Blätter, wie es sie in Berlin nicht gab und bis heute nicht gibt. Bei der *Süddeutschen Zeitung* setzte Herbert Riehl-Heyse bundesweit journalistische Maßstäbe, bei der *Abendzeitung* – einem Boulevardblatt! – machte Helmut Lesch damals ein Feuilleton, das die Feuilletons der meisten großen überregionalen Zeitungen in den Schatten stellte. Ähnlich war es beim Bayerischen Rundfunk. Einerseits war er das Zentralorgan der CSU und der Hüter bayerisch-klerikaler Engstirnigkeit, andererseits machten im Familien- und im Wissenschaftsfunk, in der Kulturkritik und im Nachtstudio – beargwöhnt von der bayerischen Staatspartei – hochgebildete und kritische Köpfe ein überraschend anspruchsvolles Programm. Vielleicht war es genau diese mir aus der eigenen Biographie so vertraute Spannung zwischen Provinzialität und Weltoffenheit, die mich in München so schnell heimisch werden ließ.

Dem politischen Betrieb war ich allerdings in diesen Jahren ferner gerückt. Ich arbeitete zwar mit am neuen Grundsatzprogramm der SPD, sprach und schrieb auch weiterhin über politische Themen, hielt mich aber aus dem parteipolitischen Alltagsgeschäft mehr und mehr heraus. Der größere Abstand zum politischen Betrieb und die längeren Phasen kontemplativer Ruhe gaben mir die Möglichkeit, Dinge gründlicher zu durchdenken, die mir schon lange im Kopf herumgingen. Die Auseinandersetzung mit dem utopischen Denken, insbesondere mit der zwiespältigen Geschichte der politischen Utopie, und das alte philosophische Thema des *guten Lebens* traten mehr und mehr in den Vordergrund und verbanden sich mit den Überlegungen zu einer Korrektur des Fortschrittsbegriffs.

Mit Herbert Riehl-Heyse und Martin Schulze

Wieder einmal hatte ich das deutliche Gefühl, daß etwas zu Ende ging und etwas Neues anfing, ohne sagen zu können, worin genau die Zäsur bestand. Ein von den Medien nahezu unisono ins Rampenlicht gehobener Teil der Jüngeren, die sogenannten Yuppies, sagten sich von allem politischen und sozialen Engagement los und suchten im demonstrativen Luxuskonsum eine neue Identität. Ehemals linke Autoren feierten in Publikationen des *Spiegel* und anderer vormals seriöser Medien die Rehabilitierung des Eingennutzes. Die SPD, tief verunsichert und ohne klare Linie, verschliß einen Vorsitzenden nach dem anderen. Die Gespräche, die die Grundwerte-Kommission der SPD mit der SED geführt hatte, waren mit der Veröffentlichung des gemeinsamen Papiers *Der Streit der Ideologien und die gemeinsame Sicherheit* nicht eigentlich abgeschlossen. Aber als schon bald nach der Veröffentlichung dieses Dokuments die SED-Führung mehr oder weniger deutlich von dem Papier und den darin enthaltenen Regeln für eine demokratische Streitkultur abrückte und Mitglieder unabhängiger Friedens- und Umweltinitiativen in der DDR immer öfter behindert und gemaßregelt wurden, stockte der Dialog und versiegte schließlich. Mehrfach mahnte die Kommission die Umsetzung der Grundsätze des Papiers auf der SED-Seite an, zuletzt in einer kritischen Stellungnahme vom 29. März 1989. Zu diesem Zeitpunkt war uns allerdings längst klar, daß die SED nicht die Kraft zu Veränderungen haben würde, wie sie Gorbatschow in der Sowjetunion in Angriff genommen hatte. Daß aber das System der DDR schon so bald in sich zusammenbrechen würde, ahnten auch wir nicht.

22

WENDEZEITEN

Am 9. November 1989 war ich in Berlin auf einer Hörspieltagung. Den ganzen Tag über saßen wir im Literaturhaus in der Fasanenstraße, hörten uns Hörspiele an und diskutierten mit Autoren, Redakteuren, Kritikern. Auch einige Autoren aus Ost-Berlin waren gekommen, die beim Mittagessen berichteten, daß die Initiatoren des Neuen Forums die offizielle Zulassung ihrer Organisation beantragen wollten. Wer weiß, sagte einer, vielleicht kommen sie ja damit durch. Aber die Ost-SPD, die da neulich ein paar Pastoren in Schwante gegründet haben, die hat keine Chance. Als ich kurz nach sieben Uhr abends mit dem Taxi zum Flughafen fuhr, hörte ich aus dem Radio den Nachrichtensprecher, der etwas von neuen Ausreiseregelungen für DDR-Bürger sagte. Die Stimme ruhig und sachlich, eine Meldung unter anderen. Nichts wies darauf hin, daß sich hier eine sensationelle Wendung im deutsch-deutschen Verhältnis anbahnte.

Det is doch ooch wieder nur so'n Trick, sagte der Taxifahrer. Damit wollen se doch bloß die Leute von der Straße kriegen.

Seit Mitte der siebziger Jahre habe ich meine Terminkalender aufgehoben. In dem des Jahres 1989 steht unter dem Datum des 9. November: »20.30 Bln – Mü.« Ich erinnere mich, daß das Flugzeug, wie so oft, verspätet abflog. Als ich kurz nach zehn in München landete, war auf dem Flughafen von der Sensation in Berlin nichts zu spüren. Ich fuhr mit Bus und S-Bahn nach Starnberg. Dort hatte ich das Auto geparkt. Auf der Fahrt durch die um diese Zeit menschenleeren Straßen dachte ich daran, daß morgen unsere Tochter Therese ihren fünften Geburtstag feiern würde und daß ich noch den Text auswählen müsse, den ich in wenigen Tagen auf der Münchener Bücherschau lesen würde.

Als ich kurz nach halb zwölf zu Haus ankam, empfing mich Franziska mit der Nachricht: Die Mauer ist auf! Und dann sah ich im Fernsehen, was ich, wenn ich in Berlin geblieben wäre, mit eigenen Augen hätte sehen können: Menschenmassen, die sich am Übergang Bornholmer Straße durch die Sperranlagen drängten, den Taumel des Glücks, wenn sie im Westen waren, sich umsahen und nicht glauben konnten, was da mit ihnen geschehen war, Fremde, die sich umarmten, lachende, auf der Straße tanzende Menschen, später in der Nacht die ersten Trabis, die hupend über den Ku'damm fuhren. Ich saß da und mir liefen die Tränen übers Gesicht. Ein erfüllter Augenblick, wie ihn die Geschichte so selten zu bieten hat. Die friedlichste Anarchie, noch nicht jene aggressiven Siegerposen, die in den nächsten Tagen vor allem bei jenen zu sehen waren, die zu der friedlichen Revolution gar nichts beigetragen hatten, nur Glück, ungläubiges Glück und ausgelassene Freude, die Berliner in Ost und West nicht wiederzuerkennen, sogar die Vopos wie verzaubert, gutmütige Onkel allesamt. Franziska holte eine Flasche Wein, wir stießen an, stumm, weil ich vor Ergriffenheit immer noch nicht reden konnte. Und dann die Nachrichten mit den Bildern von der Pressekonferenz, die das alles ausgelöst hatte. Die Stimme des Politbüromitglieds Günter Schabowski: »Die zuständigen Abteilungen des Paß- und Meldewesens der VP ...« Er liest einen Zettel vor, den er aus der Jackentasche hervorgekramt hat, liest ihn vor, als sei, was da steht, eine ganz normale, alltägliche Verlautbarung: »... Visa zur ständigen Ausreise unverzüglich zu erteilen, ohne daß dafür noch geltende Voraussetzungen für eine ständige Ausreise vorliegen müssen.« Die Frage eines Journalisten aus dem Off, kaum zu verstehen. Schabowski zögert einen Moment, blickt auf seinen Zettel, und dann spricht er den syntaktisch entgleisten, aber dennoch unmißverständlichen Satz: »Das trifft nach meiner Kenntnis ist das sofort, unverzüglich.«

So passiert Geschichte. Einer verliest einen Zettel, andere hören es im Radio, sehen es im Fernsehen, erzählen es weiter: »Sofort, unverzüglich.« Und schon geraten die Massen in Bewegung, drängen sich an den Übergängen, die Grenzorgane haben keine Anweisungen, aber auch sie haben die Nachricht von der Pressekonferenz gehört oder gesehen, oder man hat ihnen auf Anfrage bestätigt, was die Menschen vor den Übergängen sagen: »Ja, sofort, unverzüglich.« Die allermeisten wollen gar nicht ständig ausreisen, sie wollen nur mal gucken, wie es da drüben aussieht, wollen einmal drüben gewesen sein, bevor der DDR-Alltag sie wieder in Anspruch nimmt. Aber dann zerbröselt die Grenze, löst sich auf. »Ständige Ausreisen können über alle Grenzübergangsstellen der DDR zur BRD erfolgen«, hatte Schabowski von seinem Zettel abgelesen. Was die Berliner können, können die Mecklenburger und die Thüringer auch.

Wie mag Willy Brandt die Bilder dieser Nacht aufgenommen haben? Ich weiß es nicht, ich hatte keine Gelegenheit mehr, ihn danach zu fragen. Sein Satz »Jetzt wächst zusammen, was zusammengehört« war mir aus der Seele gesprochen. Ich zweifelte nicht daran, daß es so sei. Ich wollte nicht daran zweifeln. Für ein paar Stunden, ein paar Tage vergaß ich alles, was ich doch aus Erfahrung allzu genau wußte über den deutschen Kleingeist, über die sektiererische Lust am Niedermachen der anderen, über die pharisäerhafte Selbstgerechtigkeit der Sieger und den Opportunismus so vieler Salonkommunisten, die über Nacht die Fronten wechselten, um bei den Siegern zu sein. In den nächsten Wochen wurde der Slogan der Montagsdemonstrationen »Wir sind das Volk« immer öfter abgewandelt zu »Wir sind ein Volk«. Als am 26. November Schriftsteller und Intellektuelle der DDR mit der Erklärung *Für unser Land* an die Öffentlichkeit traten, um für die Eigenständigkeit der DDR als »sozialistische Alternative zur Bundesrepublik« zu werben, wirkte das schon wie ein verzweifelter Versuch, die Geschichte anzuhalten. Aber erst die Wahlen vom 18. März 1990, die ersten freien Wahlen in der DDR, machten unmißverständlich deutlich, daß die große Mehrheit der Menschen dort von einer Eigenständigkeit ihres Staates nichts mehr wissen wollte.

Nie zuvor und nie danach hat es in Deutschland eine Wahl gegeben, bei der die Prognosen und das tatsächliche Ergebnis so weit auseinanderlagen. Am 14. Januar, einem Sonntag, veranstalteten die Kammerspiele in München eine Matinee. Unter der Leitung des Moderators Herbert Riehl-Heyse saßen auf dem Podium: Bärbel Boley und Jens Reich vom Neuen Forum, Otto Schily und ich. Otto Schily war noch als Grüner eingeladen worden, aber inzwischen den Sozialdemokraten beigetreten. Die zentrale Frage, um die es ging: Sollten SPD, Grüne und die Bürgerbewegung bei der anstehenden Wahl zum Abgeordnetenhaus mit jeweils eigenen Listen antreten oder als Wahlbündnis? Es war die Zeit, da die Meinungsforscher jeder Couleur der SPD einen fulminanten Sieg mit bis zu 53 Prozent der Stimmen voraussagten. Kein Wunder, daß sowohl Bärbel Boley als auch Jens Reich vehement dafür warben, die SPD solle mit der Bürgerbewegung eine gemeinsame Liste bilden. Ich argumentierte für Arbeitsteilung: Die SPD müsse vor allem versuchen, die Stimmen der Arbeiter und Angestellten zu bekommen, die Bürgerbewegung solle sich vornehmlich um das kritische Bürgertum und die Jugend bemühen. Auf diese Weise, so mein Plädoyer, könnten wir unser Potential besser ausschöpfen als mit einer gemeinsamen Liste. Ich sagte *wir*, weil die beiden Vertreter der Bürgerbewegung in meiner Vorstellung selbstverständlich zu uns Sozialdemokraten gehörten. Otto Schily, neu in der Sozialdemokratie und daher ungewöhnlich zurückhaltend, schloß sich meiner Meinung an.

Rückblickend erscheint die ganze Diskussion als pure Traumtänzerei. Selbst der eminent kluge politische Journalist Herbert Riehl-Heyse zweifelte damals nicht daran, daß die politischen Kräfte, die sich nicht durch Mitarbeit im System kompromittiert hatten – und das waren die Bürgerbewegung, die Grünen und die neugegründete SPD –, bei den Wahlen für ihre aufrechte Haltung belohnt werden würden. Es ging nur noch um die Höhe des Sieges und um die Details der Wahltaktik. Ansonsten waren wir uns einig. Das Familienfoto, für das Stefan Moses uns anschließend vor den Bühnenvorhang postierte, zeigt eine heitere Verbundenheit unter Freunden, die, jedenfalls was Bärbel Boley angeht, alsbald im politischen Konkurrenzgerangel zerbrach.

*Mit Otto Schily, Herbert Riehl-Heyse, Bärbel
Boley und Jens Reich*

Das Ergebnis der Wahl war ernüchternd. Die CDU und die von
der bayerischen CSU geförderte Deutsche Soziale Union (DSU),
die sich ohne Hemmungen Mitglieder und Infrastruktur der
Ost-CDU, einer Blockpartei, einverleibt hatten, erhielten zusammen mehr als 47 Prozent der Stimmen. Die SPD landete bei
knapp 22, Bündnis 90 bei nicht einmal 3 Prozent, die PDS bei
16 Prozent. Die Menschen in der DDR hatten mehrheitlich die
gewählt, die in der Bundesrepublik an der Regierung waren, weil
sie sich von ihnen den schnellen Anschluß an den Westen und
damit Freiheit und Wohlstand versprachen. Hinterher war alles
ganz plausibel. Natürlich mochten die Menschen in der DDR,
die schon mehrmals erlebt hatten, wie auf ein Tauwetter alsbald
eine neue Eiszeit folgte, sich nicht auf behutsame Übergänge einlassen. Sie wollten möglichst schnell Fakten setzen, unwiderruf-
liche Fakten. Und dazu brauchten sie die, die auf der anderen
Seite regierten.

Nach der Wahl schlug im Westen die Stimmung mit einem Mal um. »Was bleibt vom Sozialismus?« war das Thema, das nun in allen Medien und auf allen Podien diskutiert wurde, und die meisten hatten darauf nur eine Antwort: Nichts, allenfalls ein paar traumatische Erinnerungen. In meinem Terminkalender sind für die Monate März und April 1990 allein fünf Veranstaltungen zum Thema »Was bleibt vom Sozialismus?« eingetragen. Die pfiffigen Redakteure der *FAZ* setzten eine Reihe von Aufsätzen in ihrer Zeitung unter den aus dem Englischen entlehnten ironisch-doppeldeutigen Titel »What's left?«, was praktischerweise zugleich »Was ist links?« und »Was ist übriggeblieben?« heißen kann. Auch hier kamen die meisten Autoren, wie zu erwarten, zu dem Ergebnis, daß nichts Nennenswertes übrigbleibe.

Was mich an diesen Diskussionen vor allem ärgerte, war, daß die meisten, die sich daran beteiligten, sich gar nicht mehr die Mühe gaben, zwischen dem Staatssozialismus der DDR und dem demokratischen Sozialismus der SPD zu unterscheiden, womit sie ironischerweise den Monopolanspruch auf die Definition dessen, was Sozialismus sei, den die Kommunisten in ihrer Anmaßung seit Lenin immer erhoben hatten, gewissermaßen postum bestätigten. Es war die Zeit der grobschlächtigen Verallgemeinerungen und der verfrühten hämischen Verabschiedungen. Auch viele Intellektuelle schienen aufzuatmen, weil der Zeitgeist sie für einen Moment aus der strengen Zucht der differenzierenden Gedankenarbeit entließ und es ihnen gestattete, einmal ohne Rücksicht auf die vertrackten Details hinzulangen. Nicht wenige machten genüßlich davon Gebrauch und beglichen bei dieser Gelegenheit gleich einige alte Rechnungen.

Ich selbst war zwar der Meinung, daß die Chance der deutschen Einheit ergriffen werden solle, weil die Mehrheit der Menschen in Ost und West ganz offensichtlich diese Einheit und nicht eine wie immer geartete Konföderation wollte, aber was die Modalitäten anging, hatte ich eine Menge auszusetzen. Vor allem hielt ich es für einen Fehler, die deutsche Einheit auf dem Wege des Beitritts, statt durch den konstitutiven Akt der Schaffung einer gesamtdeutschen Verfassung, wie sie ja auch das Grundge-

setz vorsah, herbeizuführen. Nach wie vor bin ich davon überzeugt, daß ein Großteil der bis heute anhaltenden Entfremdung
zwischen den Deutschen in Ost und West hätte vermieden werden können, wenn die Ostdeutschen als Ebenbürtige an der Schaffung des geeinten Deutschlands hätten mitwirken können. Aber
die Sieger der Wahl vom 18. März 1990 hatten andere Pläne,
und im Hochgefühl ihres Sieges setzten sie sich über alle Bedenken hinweg.

Auch als die Einheit schon beschlossene Sache war, hielt die
triumphalistische Siegesstimmung noch eine Zeitlang an. Es
wurde meist gar nicht mehr gefragt, wer denn da gesiegt hatte,
welches System sich denn gegenüber dem Kommunismus als soviel attraktiver erwiesen hatte, der Kapitalismus oder der sozialstaatlich gezähmte Kapitalismus, Marktwirtschaft pur oder das,
was in Deutschland meist »soziale Marktwirtschaft« genannt
wurde. Die Neoliberalen, denen der Sozialstaat ohnehin ein
Dorn im Auge war, witterten ihre Chance. Sie lag in der Verein-
fachung: Markt statt Staat, Kapitalismus statt Sozialismus. Ich
erinnere mich, wie unwillig ein Teil des Publikums reagierte, als
ich auf der Frankfurter Buchmesse des Jahres 1990 mein Buch
Leben ohne Utopie? vorstellte und die Sätze vorlas: »Es gibt keinen Grund, dem sogenannten realen Sozialismus auch nur eine
Träne nachzuweinen; sein ideologischer Bankrott ist längst vielfach besiegelt, und seine sogenannten ›Errungenschaften‹ standen zumeist ohnehin nur auf dem Papier. Aber es gibt auch keinen vernünftigen Grund, anzunehmen, daß nun, da der große
Gegenspieler des Westens am Boden liegt, nun, da die Ost-West-
Konfrontation einem mehr oder weniger friedlichen Miteinander weicht und die westliche Demokratie und Wirtschaftsform
sich unaufhaltsam auf dem ganzen Globus durchsetzt, die wesentlichen Probleme der Menschheit im Prinzip gelöst seien und
ein neues Goldenes Zeitalter bevorstehe.« Solche Differenzie-
rungen wollten viele damals nicht hören, sie galten ihnen als
Nörgelei. Und als ich gar zu erwägen gab, »daß der Wettstreit
der ›Systeme‹ zum Teil um völlig falsche, unsinnige Ziele« geführt worden sein könne und es dem Sieger nicht zum Ruhm ge-

reiche, »daß er sich auch bei der Verfolgung unsinniger Ziele als zweifelsfrei effizienter« erwiesen habe, verließ ein älteres Ehepaar laut protestierend die Veranstaltung.

Ein besonders unappetitliches Kapitel war die Art und Weise, wie viele Feuilletonredakteure westdeutscher Zeitungen nun auf einmal mit ehemals hochgeschätzten Ostautoren umsprangen. Stefan Heym, noch vor kurzem auch im Westen ein vielgelesener und als mutiger Dissident gefeierter Autor, wurde, nur weil er sich kritisch zum Prozeß der Vereinigung stellte und der PDS beitrat, von heute auf morgen zur Unperson. Christa Wolf, deren Bücher das Feuilleton soeben noch wegen ihrer Sprachmacht und der darin zum Ausdruck kommenden integren Gesinnung nahezu einhellig gelobt hatte, galt nun auf einmal als Anpasserin und als nicht mehr lesenwert. Die Marktbereinigung durch den Zusammenbruch der ostdeutschen Industrie, die sich für Handel, Industrie und Dienstleistungsgewerbe im Westen des Landes so segensreich auswirkte, wurde von Teilen des Feuilletons auch auf dem Feld der Literatur betrieben. Wohlgemerkt, dies alles betraf nicht Autoren, die ihre Kollegen bespitzelt und denunziert hatten, sondern solche, die auch schon in der DDR Mut und demokratische Gesinnung bewiesen hatten, mehr Mut jedenfalls, als die, die sie nun niederschrieben, je hatten beweisen müssen.

Fünfzehn Jahre später habe ich mich im Rückblick in dem Buch *Kopf oder Zahl* noch einmal mit dem Verhalten der Intellektuellen in jenen Jahren befaßt. Nicht um nachträgliche Rechthaberei ging es mir, sondern darum, deutlich zu machen, wie leicht auch Intellektuelle unter dem Einfluß des Zeitgeistes plattesten Fehldeutungen erliegen können, welche Machtspiele oftmals hinter ihren Kontroversen stecken und daß sie in aufgeregten Zeiten nicht selten in Versuchung geraten, die eigene Intellektualität zu verraten. Ich, der ich keine kommunistische Vergangenheit zu bewältigen hatte, habe in diesen Jahren, weil ich mich den damals üblichen Abschwörritualen verweigerte, manchen Freund und Mitstreiter verloren. Aber ich habe auch neue dazugewonnen oder fast vergessene wiederentdeckt. Wendezeiten sind immer auch Zeiten, in denen sich die Spreu vom

Weizen trennt. Ich kannte sie ja fast alle von früher, jene emphatischen Revolutionäre, Maoisten, Trotzkisten, die Lobredner des ›realen Sozialismus‹, die sich nun auf einmal als glühende Verfechter westlicher Werte gaben und nicht selten sogleich wieder das geliebte Scharfrichteramt usurpierten, um alle öffentlich zu geißeln, die im Sieg des Kapitalismus nicht die Erlösung der Menschheit erblicken mochten und die Augen nicht verschlossen vor den ökologischen, sozialen und kulturellen Verheerungen, die ihm auf dem Fuße folgten.

Es war riskant, im Jahr der deutschen Einheit ein Plädoyer für das utopische Denken zu halten, weil es damals fast schon ein Gemeinplatz war, zu behaupten, daß die Utopie mit dem Zusammenbruch des Sowjetsystems ein für allemal und in allen ihren Erscheinungsformen erledigt wäre. Freimut Duve, der damals eine Essay-Reihe im Luchterhand Literaturverlag herausgab, hatte mich, als ich ihm meine Idee vorstellte, ermuntert. Was herauskam, als ich mich unter dem Eindruck des Annus mirabilis 1989 hinsetzte, um aufzuschreiben, was mir im Kopf herumging, ist alles andere als eine akademische Abhandlung. Es ist ein Text, der argumentierend, kritisierend und werbend immer neue Anläufe nimmt, ein Text, dem man am Ende, wie ich hoffe, die Anstrengung nicht anmerkt, die es kostete, sich dem Zeitgeist zu widersetzen. Den letzten Absatz setze ich hierher, weil er immer noch sehr genau meine Haltung in dieser mir wichtigen Angelegenheit wiedergibt: »Die Faktengläubigen, die Neunmalklugen, die frühvergreisten Kinder ihrer Zeit, die sich für Realisten halten, weil ihnen alles, was nicht vermessen und gezählt wurde, was nicht in ihre simple Entweder-oder-Logik paßt, für bare Unmöglichkeit gilt, sie werden uns sagen: Laßt die Träume fahren! Paßt euch an an den Lauf der Welt! Vergeudet nicht eure Kraft an eure eigenen Chimären! Werdet endlich aus Schaden klug! Was sollen wir ihnen entgegnen? Vielleicht, daß die Realität nur eine Seite der Wirklichkeit ist. Aber das wird sie nicht überzeugen. Also werden wir Fakten setzen, eine andere, den katastrophalen Trends entgegengesetzte Praxis entfalten müssen, das für unmöglich Erklärte hier und dort und mehr und mehr wirklich werden lassen. Damit schon da und sichtbar ist, was noch kommen soll, damit in der Gegenwart wieder Zukunft aufscheint und die Faktengläubigen zu der Einsicht zwingt, daß immer mehr möglich als wirklich ist.« Großen öffentlichen Eindruck machten Zwischenrufe wie diese damals nicht. Ich betrachtete das Buch denn auch eher als eine Art Flaschenpost, gerichtet an die verschüchterten Reste der demokratischen Linken, die sie vielleicht eines Tages, wenn der neoliberale Sturm sich gelegt haben würde, an einem einsamen Strand finden würden. Aber wo war diese demokratische Linke geblieben? Auch in der SPD ließen sich manche einreden, daß der Untergang des Sowjetsystems gleichbedeutend sei mit einer historischen Niederlage der Linken insgesamt. Nicht wenige ehrgeizige jüngere Sozialdemokraten liefen zudem mit wehenden Fahnen zum neoliberalen Zeitgeist über. *Globalisierung* war das neue Zauberwort, das mit einem Mal alle Leistungen und alle historische Erfahrung der ältesten deutschen Partei zu entwerten schien. Phantastische Verprechungen machten die Runde, wie die, daß im globalisierten Markt die Unterschiede zwischen der Ersten und der Dritten Welt alsbald verschwinden würden, daß die schnelle Vergrößerung des Welthandelsvolumens zwangsläufig mit einer vergleichbaren Wohlstandsmehrung für alle einhergehe. Es war die Zeit, da jeder Scharlatan, wenn er nur das modische Vokabular der Ökonomie beherrschte, gläubige Anhänger und großzügige Kreditgeber finden konnte. Karrieren wie die des Baulöwen Jürgen Schneider blendeten auch sozialdemokratische Politiker. Wie seinerzeit die Condottieri im Italien der Renaissance nutzten Abenteurer die Jahre der wilden Freiheit, um schnelle Beute zu machen.

»Nichts ist mehr, wie es war« – auch das ein Satz, der in jeder Politikerrede vorkommen mußte. Daß die Menschen noch immer dieselben waren und die Bäume auch in der neuesten New Economy nicht in den Himmel wuchsen, merkten die meisten erst, als mit den wachsenden Problemen, mit Pleiten, Pech und Pannen die Ernüchterung und die Enttäuschung einsetzte. Nichts zu sehen von den »blühenden Landschaften«, die Kanzler Kohl in Aussicht gestellt hatte, die »Friedensdividende« eine Illusion. Alte, fast schon vergessen geglaubte soziale, nationale und kulturelle Konflikte brachen wieder auf. Nein, die Welt war keineswegs so völlig anders und neu geworden, wie es zunächst den Anschein gehabt hatte, und das von dem amerikanischen Politikwissenschaftler Francis Fukuyama vorschnell proklamierte Ende der Geschichte erwies sich als eine Chimäre.

Erst allmählich wurde deutlich, worin das Neue bestand, das der Umbruch von 1989 zutage förderte. Nun, da das Sowjetsystem mit all seinem Elend und seiner Unterdrückung verschwunden war, zeigte sich, daß der Ost-West-Gegensatz nicht nur eine tödliche Bedrohung, sondern auch eine Ordnungsstruktur gewesen war, die zwar in grausamen Stellvertreterkriegen Gewalt erzeugt, aber diese zugleich begrenzt hatte. Osteuropa hatte durch den Zusammenbruch des Sowjetsystems die Freiheit erlangt, so daß nun auch im europäischen Maßstab zusammenwachsen konnte, was zusammengehört. Zugleich aber wurde die Welt, die zuvor als *Erste* und *Zweite* mitsamt der Restkategorie *Dritte Welt* übersichtlich erschienen war, unendlich viel komplizierter. Wie diese chaotische Vielfalt ordnen? Schon bald zeigte sich, daß die Rede von der *neuen Weltordnung*, die es zu schaffen gelte, in den USA und in Europa ganz unterschiedlich interpretiert wurde. Die USA verstanden darunter zumeist eine waffenstarrende Pax Americana, die Europäer in ihrer großen Mehrzahl eine neue Ordnung des Rechts unter der Ägide der Vereinten Nationen. Freilich war auch Europa selbst, wie sich bald herausstellte, komplizierter geworden, so kompliziert, daß es sich zu weltpolitischem Handeln ziemlich unfähig erwies.

Für jemand wie mich, für den Europa nicht nur ein politisches Projekt unter anderen, sondern eine Herzensangelegenheit ist, ist die europapolitische Stagnation, das kleinliche Gerangel um Finanzen und Posten, die ständige Obstruktion durch die Briten und der allzu karge Pragmatismus der Eurokraten schwer zu ertragen. Aber trotz Ärger und Enttäuschung bleibt für mich Europa, das politische Europa, die große Hoffnung. Ich bin fest davon überzeugt, daß ohne ein starkes, demokratisches und politisch handlungsfähiges Europa eine friedliche und menschenwürdige Zukunft auf diesem Globus nicht zu sichern ist. Nicht etwa, weil die Europäer bessere Menschen wären! Wenn die Europäer den Menschen in anderen Weltgegenden etwas voraus haben, dann die Tatsache, daß sie alle großen Irrtümer und Verbrechen bereits begangen und die Strafe dafür am eigenen Leib erfahren haben. Die Europäer sind sich in aller Regel der unaufhebbaren Ambivalenz des Fortschritts bewußt, sie wissen, daß Freiheit und Zivilität immer gefährdet sind, wissen, wie leicht sie *von innen heraus* – nicht nur durch äußere Feinde! – zerstört werden können. Dieses historisch erworbene Wissen, mehr noch als die häufig allzu lautstark propagierten *europäischen Werte*, die, genau besehen, keineswegs europäischer Exklusivbesitz sind, macht für mich das Spezifikum Europas und des Europäertums aus.

Reicht das, um so etwas wie europäische Identität zu begründen? Ich weiß es nicht. Ich weiß nur, daß immer, wenn ich aus dem außereuropäischen Ausland nach Europa zurückkehre, ich beim Anblick des westlichsten Zipfels Irlands oder der Ausläufer des Ural auf dem Monitor über den Köpfen der Fluggäste das deutliche Gefühl habe, nach Haus zu kommen. Im Herbst 1995 machte ich mit dem vierzehnjährigen Felix eine Reise durch die USA. Wir flogen nach Chicago, von wo es mit dem Zug weiterging, quer über den Kontinent bis nach Sacramento, dann nach Süden bis Los Angeles und über Albuquerque, Kansas City und St. Louis nach Chicago zurück. Im kalifornischen Fresno blieben wir drei Tage, um den neunzigsten Geburtstag meiner Mutter zu feiern. Sechzehn Tage waren wir im ganzen unterwegs, bestaunten die alten Wolkenkratzer in Chicago, die Rocky Mountains, den Grand Canyon und die Wüste von New Mexico, in St. Louis suchten und fanden wir das Geburtshaus meines Vaters in der Olive Street, und fast immer begegneten wir freundlichen und hilfsbereiten Menschen. Aber als wir auf dem Rückflug waren und gegen Morgen die Westküste Irlands auf dem Bildschirm erschien, dachte ich: Jetzt bist du wieder zu Hause, in Europa.

Seit der Wende des Jahres 1989 ist Europa, dieser Wurmfortsatz am eurasischen Kontinent, wieder ein Ganzes, wie immer in seiner Geschichte, ein vielgestaltiges, uneiniges und zerstrittenes Ganzes. Aber der Prozeß der politischen Einigung des Kontinents hat seitdem trotzdem Fortschritte gemacht, Fortschritte, die zwar nicht ausreichen, um Europa zum gleichberechtigten Partner der USA und damit zu einem wirklichen Gegengewicht zu machen, das die Welt dringend braucht, um nicht in einem Strudel unbeherrschbarer Konflikte unterzugehen, die aber deutlich genug den Weg weisen, auf dem wir Europäer in den nächsten Jahren vorangehen müssen, wenn Frieden und Zivilität eine Chance haben sollen.

23

Für die Freiheit des Wortes

Als ich Mitte der neunziger Jahre ins Präsidium des – damals noch westdeutschen – P. E. N.-Zentrums gewählt wurde, geriet ich mitten hinein in Auseinandersetzungen, wie ich sie ähnlich schon vorher im Schriftstellerverband erlebt hatte und eigentlich nicht noch einmal mitmachen wollte. Diesmal ging es um die Frage, ob und unter welchen Bedingungen die beiden deutschen P. E. N.-Zentren sich zu einem gemeinsamen P. E. N.-Zentrum zusammenschließen sollten, eine Frage, die man, wenn alle es gewollt hätten, ruhig und sachlich hätte klären können. Zumal jene Autoren, von denen bekannt war, daß sie unter dem SED-Regime Kollegen bespitzelt und denunziert hatten, auf Druck eines zu diesem Zweck geschaffenen Ehrenrates den Ost-P. E. N. zu diesem Zeitpunkt längst verlassen hatten. Außerdem wäre es schlicht absurd erschienen, wenn allein der P. E. N., nachdem die Parteien, die Gewerkschaften und praktisch alle Verbände längst fusioniert hatten, im Zustand der Zweistaatlichkeit verharrt wäre. Aber im Jahr 1995 erschienen jeden zweiten Tag in der Presse meist nicht besonders sorgfältig recherchierte reißerische Berichte, in denen Politiker, Wissenschaftler, Künstler, Schriftsteller aus der DDR der Spitzeltätigkeit für die Stasi bezichtigt wurden, und in diesem aufgeheizten Klima gerieten nahezu alle Ostautoren unter Verdacht, die die DDR nicht – freiwillig oder unfreiwillig – verlassen hatten oder mit Publikationsverbot belegt worden waren.

Es war eine ziemlich heuchlerische Debatte, die da vor allem von einigen im Westen geführt wurde, die selbst nie besonderen Mut hatten beweisen müssen, aber ihre Ostkollegen an um so strengeren Maßstäben maßen. Außerdem war nicht zu verkennen, daß auch bei dieser Gelegenheit wieder einige alte Rechnungen beglichen wurden. Was mich besonders peinlich berührte, war, daß einige Westautoren, die noch vor gar nicht so langer Zeit als Maoisten, Trotzkisten oder DKP-Sympathisanten hervorgetreten waren, sich nun als besonders unerbittliche demokratische Gesinnungswächter aufspielten. So sehr auch mir selbst daran lag, keine Unklarheit in den demokratischen Grundprinzipien des P. E. N. zuzulassen, so war ich doch der Meinung, daß man ohne eindeutige Beweise keinem Autor unterstellen dürfe, er meine es mit der demokratischen Selbstverpflichtung, die er als Mitglied des P. E. N.-Clubs eingegangen war, nicht ernst.

Als ich zunächst kommissarisch und dann später durch Wahl auf der Jahresversammlung in Berlin Generalsekretär des West-P. E. N. wurde, betrachtete ich es als meine Aufgabe, die beiden deutschen P. E. N.-Zentren zusammenzuführen. In einer Urabstimmung hatte sich der West-P. E. N. mit großer Mehrheit für die Vereinigung ausgesprochen, und nun mußten die komplizierten Details in vielen Sitzungen zwischen Karl Otto Conrady, dem Präsidenten des West-P. E. N., und mir auf der einen und B. K. Tragelehn, dem Präsidenten, sowie Joochen Laabs, dem Generalsekretär des Ost-P. E. N., auf der anderen Seite besprochen und entschieden werden. Ich habe in jener Zeit das deutsche Vereinsrecht hassen gelernt, vor allem, als sich herausstellte, daß die Vereinigung nach der damaligen Rechtslage nicht durch Einberufung einer gemeinsamen Versammlung beider Zentren und Wahl eines gesamtdeutschen P. E. N.-Präsidiums, sondern nur durch die *Verschmelzung* – so der juristische Fachausdruck – beider Organisationen möglich war. Weil dieses Verfahren einen gewissen Ost-West-Proporz zwingend vorschrieb, wurde von Kritikern der Vereinigung sofort wieder gemutmaßt, dies könne nur dazu führen, daß die Grundprizipien des P. E. N. verwässert würden und der Club in Zukunft als Anwalt der Meinungsfreiheit keine Rolle mehr spielen werde.

Von heute aus betrachtet, haben sich alle diese Befürchtungen als völlig falsch erwiesen. Das vereinigte deutsche P. E. N.-Zentrum, dem ich seit einigen Jahren als Präsident vorstehe, gehört heute zu den weltweit aktivsten P. E. N.-Zentren. Es leistet, wie ich glaube, vorbildliche Arbeit für verfolgte Schriftsteller, Journalisten und Verleger; in seinem Exil-Programm bietet es Schriftstellern, die, aus ihren Heimatländern vertrieben, bei uns Aufnahme finden, Stipendienplätze, damit sie im fremden Land *als Schriftsteller* überleben können. Jeder Autor, der nach einem ziemlich komplizierten Zuwahlverfahren in den P. E. N.-Club aufgenommen wird, verpflichtet sich durch Unterschrift unter einer Charta dazu, jederzeit und überall »für die Freiheit des Wortes« und »gegen Rassen-, Klassen- und Völkerhaß« einzutreten. Im Präsidium und auf den Jahrestagungen arbeiten Kollegen aus Ost und West seit langem ohne Probleme zusammen. Und als nach der Vereinigung sich in einem Fall Beweise dafür fanden, daß ein Mitglied des P. E. N. im Auftrag der Stasi jahrelang Kollegen bespitzelt und denunziert hatte, wurde dieses Mitglied mit der erforderlichen Zweidrittelmehrheit auf einer Jahresversammlung des P. E. N. ausgeschlossen.

Inzwischen kann auch von den damals Beteiligten kaum noch jemand die Aufgeregtheiten im Vereinigungsstreit nachvollziehen. Die breitere Öffentlichkeit hat wohl nie recht begriffen, was die Schriftsteller damals trieb, sich gegenseitig böse Absichten zu unterstellen, von denen jeder hätte wissen können, wie absurd sie waren. Wenn ich heute, nach zehn Jahren, noch einmal lese, was da alles von wem über wen öffentlich gesagt und geschrieben wurde, dann wird mir vor allem eines deutlich: Auf beiden Seiten bewegten sich die Kontrahenten sprachlich und gedanklich zumeist weit unter ihrem eigenen Niveau. Daß die im P. E. N.-Zentrum Deutschland versammelten Schriftsteller sich in den letzten Jahren keine Streitigkeiten dieser Art mehr geleistet haben, mag auch daran liegen, daß dies inzwischen auch den Kontrahenten von damals selbst aufgegangen ist.

Eine Organisation wie den P. E. N. mit mehr als sechshundertundfünzig Mitgliedern zu leiten, das geht natürlich nicht ohne einen gewissen Prozentsatz an satzungsgemäßer Vereinsmeierei. Ich habe immer versucht, diesen Anteil so niedrig wie möglich zu halten und den unvermeidbaren Rest mit Geduld zu ertragen. Denn die kulturpolitischen Aufgaben, die Vermittlung und Förderung der Literatur und die Arbeit für verfolgte Schriftsteller haben nach meiner Auffassung Vorrang vor der internen Verbandsarbeit. Aber auch so erweist sich die Arbeit im P. E. N. zuweilen als sehr zeitraubend, so daß es nicht immer einfach ist, neben der ehrenamtlichen Tätigkeit im P. E. N. sich ausreichend Zeit und Energie für die schriftstellerische Arbeit zu reservieren. Bisher ist mir das stets einigermaßen gelungen, weil ich schon in den Jahren des politischen Engagements bei den Jusos gelernt habe, ab- und vor allem schnell umzuschalten, und weil eine gut funktionierende Geschäftsstelle in Darmstadt mit hochmotivierten Mitarbeiterinnen und ein im großen und ganzen zuverlässig arbeitendes Präsidium mir vieles abnehmen.

Im P. E. N.-Club begegnete ich jenem Geist des Weltbürgertums wieder, den mir meine Esperanto-Eltern früh eingeimpft hatten. Die Lage der Schriftsteller in Marokko, in Simbabwe, im Iran, in Rußland, Mexiko, China und Vietnam – im P. E. N. hieß es stets: *tua res agitur*, das ist deine Angelegenheit, auch der Fernste ist dein Nächster, um den du dich zu kümmern hast. Auf den internationalen Kongressen in Edinburgh, Moskau, Mexico City, in Tromsö, Bled oder Berlin, an denen ich in den letzten Jahren als Delegierter, im letzteren Fall als Gastgeber, teilnahm, traf ich Menschen, die der alte Traum von der einen Menschheit, von der Würde, die allen Menschen, gleich welcher Rasse und Kultur, zukommt, bewegte, ein Traum, den auch meine Eltern geträumt hatten und der mich immer noch fasziniert. Einhundertundvierzig P. E. N.-Zentren gibt es mittlerweile, und jedes Jahr kommen Delegierte aus aller Welt an einem Ort zusammen, um sich gegenseitig Texte vorzulesen, zu diskutieren, Beschlüsse zu fassen und ihre Stimme für die Freiheit des Wortes und das friedliche Zusammenleben der Völker und Kulturen zu erheben. Ludwik Zamenhof, der Hausheilige meiner Kindheit und Jugend, hätte sicher seine Freude daran, auch wenn Esperanto nicht zu den Konferenzsprachen des P. E. N. gehört, weil Englisch, Französisch und Spanisch immer noch oder heute erst recht für die weltweite Verständigung wichtiger sind.

Die im deutschen P. E. N. versammelten Schriftsteller wissen in aller Regel, dass es ihren Kollegen in den meisten anderen Ländern bedeutend schlechter geht als ihnen selbst. Auf dem vom deutschen P. E. N. organisierten 72. Internationalen P. E. N.-Kongress 2006 in Berlin wurde dies zum Beispiel an einem Abend, der der afrikanischen Literatur gewidmet war, unübersehbar deutlich. Aber wirklich gut geht es der Mehrheit der Schriftsteller auch bei uns nicht. Ihre soziale Lage ist in der Regel prekär, die meisten von ihnen müssen sich von den Verwertern heute die Bedingungen diktieren lassen, unter denen ihre Texte veröffentlicht werden, wenn sie denn überhaupt einen Verlag, eine Redaktion, einen Filmproduzenten finden, die sich für ihre Produkte interessieren. Sie müssen Kränkungen durch hämische Kritiken, schlecht besuchte Lesungen und arrogante Redakteure und Verleger aushalten, müssen es ertragen, daß ihre eigenen Hoffnungen auf einen großen Erfolg Mal um Mal enttäuscht werden, während ausgemachter Schund Millionenauflagen erzielt. Kein Wunder, daß Schriftsteller manchmal darüber vergessen, welch einen wunderbaren Beruf sie haben, daß sie zur Larmoyanz neigen und zum Selbstmitleid.

Auch ich habe gelegentlich solche düsteren Anwandlungen. Aber immer, wenn ich in Selbstmitleid zu versinken drohe, hilft mir die Arbeit für verfolgte Schriftsteller, die ich im P. E. N. zu leisten habe. Für mich gibt es keine bessere Methode, mich aus der eigenen Depression zu befreien, als mich mit dem Schicksal derer zu befassen, denen es so offensichtlich schlechter geht als mir. Wie klein sind unsere Sorgen verglichen mit dem Los der Menschen, die unter diktatorischen Regimen, verfolgt und schikaniert von banausischen Bürokraten oder von religiösen Eiferern, in drückendster Armut und völliger Rechtlosigkeit allein mit dem Wort Widerstand leisten! Fast jede Woche erreicht uns ein Hilferuf aus China, aus den arabischen Ländern, aus Afrika, aus dem Iran, aus Lateinamerika, aus Rußland, Weißrußland oder aus einer der neuen Republiken, die sich nach dem Zerfall der Sowjetunion an ihrem Südrand gebildet haben. Dann müssen Briefe geschrieben werden, höfliche Briefe an Diktatoren, denen wir lieber unsere Empörung ins Gesicht schreien möchten, Trostbriefe an Angehörige oder an die Betroffenen im Gefängnis, Zeichen, daß sie nicht vergessen sind. Politikern, die in die betreffenden Länder reisen, geben wir Listen von Verfolgten mit in der Hoffnung, daß neben den vielfältigen wirtschaftlichen Interessen auch das Schicksal dieser Menschen zur Sprache kommt. Und wenn alle Diplomatie nicht hilft, versuchen wir mit Hilfe der Presse die Öffentlichkeit zu mobilisieren.

Manchmal, selten genug, mit Erfolg. Manchmal wird tatsächlich einer der Verfolgten freigelassen und in die Bundesrepublik abgeschoben. Dann bekommt ein solcher Fall auf einmal ein Gesicht. Faraj Sarkohi aus dem Iran zum Beispiel. Noch unter dem Schah-Regime zu fünfzehn Jahren Gefängnis verurteilt, weil er Kritik an den Zuständen in seinem Heimatland äußerte, während der Revolution von 1979 aus dem Gefängnis entlassen, gründet das Kulturmagazin *Adineh*, wird einer der bekanntesten Schriftsteller und Intellektuellen seines Landes, in den neunziger Jahren gerät er mit dem Mullah-Regime in Konflikt, weil er gegen die Zensur protestiert. Es folgen Gefängnis und Folter, in einem Geheimverfahren wird er zum Tode verurteilt. Und dann kommt er aufgrund einer weltweiten Kampagne des P. E. N. und anderer Menschenrechtsorganisationen und mit diskreter Hilfe der deutschen Diplomatie frei und darf in die Bundesrepublik einreisen. Inzwischen hat er das Exil-Programm des P. E. N. schon wieder verlassen und hat eine unbefristete Aufenthaltsgenehmigung für Deutschland erhalten. Aber dem P. E. N. ist er weiter verbunden, er berät das Präsidium in Menschenrechtsfragen, engagiert sich in der Writers-in-Prison-Arbeit, wie im P. E. N. die Arbeit für verfolgte Schriftsteller heißt. Ich bin glücklich, daß ich ihn zum Freund gewonnen habe.

Oder Hamid Skif aus Algerien. Er war Generalsekretär der ersten freien Journalistenvereinigung in seinem Heimatland; weil er sich für die Meinungsfreiheit aussprach, weil er kritische Artikel schrieb, trachtete man ihm und seiner Familie nach dem Leben. Er entkam über Frankreich nach Deutschland. Auch er hat inzwischen das Exil-Programm verlassen und in Hamburg

Fuß gefaßt, hat auch in Deutschland sein Publikum gefunden als Lyriker und Prosaist. Oder Claudia Anthony aus Sierra Leone, Luis Arzola aus Kuba, Selim Kaya aus der Türkei, Sergej Solowkin aus Rußland, Mainat Kourbanova aus Tschetschenien. Sie alle haben in den letzten Jahren mit Hilfe des deutschen P. E. N. in Deutschland Exil erhalten, weil sie in ihrem eigenen Land nicht leben und schreiben durften, weil sie verfolgt, gefoltert, mit dem Tode bedroht, weil ihre Wohnungen durchsucht und ihre Manuskripte konfisziert wurden. Ich bin dankbar, daß ich alle diese mutigen Menschen kennenlernen durfte, die trotz des Leids, das sie durchmachen mußten, oft so heiter und lebensfroh sind, daß man sich der eigenen Wehleidigkeit schämt.

Sergej Solowkin zum Beispiel. Zweimal hat die russische Mafia versucht ihn zu ermorden, er und seine Frau Emma sind mit knapper Not den Anschlägen entgangen. Der russische Staat konnte oder wollte sie nicht schützen. Der Mafiaboß, dem Sergej mit seinen Artikeln in der *Nowaja Gaseta* zusetzte, hat, so heißt es, beste Beziehungen zum Kreml. Also mußte Sergej sein Land verlassen, das Exil-Programm des P. E. N. nahm ihn auf, er lernte Deutsch, schrieb ein Buch, schreibt, obwohl er für das erste immer noch keinen Verlag gefunden hat, am zweiten. Inzwischen haben Sergej und Emma in Deutschland Asyl erhalten, leben nicht eben üppig von der Sozialhilfe. Aber ich habe sie nie klagen hören. Sie sind die freundlichsten Menschen, die ich kenne, die großzügigsten Gastgeber und die fröhlichsten Gäste. Vielleicht ist es so, daß Menschen, denen das Leben übel mitgespielt hat, seine schönen Seiten intensiver genießen können, weil sie wissen, wie wenig selbstverständlich sie sind und daß man dafür dankbar sein sollte.

Am 7. Oktober 2006 kurz vor achtzehn Uhr, wir sitzen am Stand des P. E. N. auf der Frankfurter Buchmesse zusammen, da erreicht uns ein Anruf aus Moskau: Anna Politkowskaja ist am Nachmittag im Flur ihres Hauses erschossen worden. Alles, so der Informant, sieht nach einem Auftragsmord aus. Wer sind die Auftraggeber? Der russische Präsident Putin, der tags darauf in Berlin zu Besuch ist, kündigt an, daß man alles daransetzen werde, den Mordfall aufzuklären. Aber das muß nicht viel heißen, denn in Rußland sind in den letzten Jahren viele Morde an kritischen Journalisten unaufgeklärt geblieben. Im Jahre 2003 erhielt Anna Politkowskaja, die sich in Artikeln für die *Novaja Gaseta* und in ihren Büchern immer wieder mit der tschetschenischen Tragödie befaßt und dabei auch die mafiösen Machenschaften des russischen Militärs offengelegt hat, die Kesten-Medaille des deutschen P. E. N.-Zentrums. Zwei Tage war die mutige Frau mit dem feinen Gesicht, dem man die Strapazen nicht ansieht, denen sie sich bei ihren Recherchen aussetzt, Gast des deutschen P. E. N. in Darmstadt. Abends saßen wir mit ihr beim Essen zusammen, sie berichtete von ihrer Arbeit, ihren Plänen, ihren Hoffnungen, ihren Befürchtungen. Frieden in Tschetschenien? Sie zuckt die Achseln. Nein, besonders zuversichtlich ist sie nicht. Aber sie machte weiter, allen Drohungen zum Trotz. »Mit beispielhaftem Mut hat sie sich um die Wahrheiten über den schmutzigen Krieg in Tschetschenien bemüht«, steht in der Todesanzeige, die wir in der *Süddeutschen Zeitung* und in der *FAZ* aufgaben. Eine hilflose Geste, und auch die vom P. E. N. und der Akademie der Künste gemeinsam durchgeführte Gedenkveranstaltung, in der die Unterdrückung der Presse- und Meinungsfreiheit in Rußland Thema war, wird auf die russischen Behörden wohl kaum einen großen Eindruck gemacht haben. Denn in Moskau setzt man darauf, daß die Europäer letztlich doch mehr an russischem Gas und Öl interessiert sind als an der Einhaltung der Menschenrechte.

Ein Leben ohne Angst. Sich nicht umschauen müssen, ob jemand in Hörweite ist, bevor man einen Witz erzählt. Die Wahrheit sagen und die Wahrheit schreiben können, ohne daß man riskiert, im Gefängnis zu landen. Sich nicht mit Zensoren herumschlagen müssen. Für uns in Deutschland sind diese Dinge heute so selbstverständlich, daß wir manchmal vergessen, wie unwahrscheinlich ein solcher Zustand der Freiheit eigentlich ist, wenn wir den Verlauf der bisherigen Geschichte betrachten. Und wenn wir verfolgen, wie leichtfertig heute hier und da in den westlichen Demokratien angesichts der terroristischen Bedrohung Freiheitsrechte eingeschränkt, Wohnungen abgehört, Menschen auf einen bloßen Verdacht hin ins Gefängnis geworfen und – wie im Fall des berüchtigten Konzentrationslagers in Guantanamo – jahrelang ohne Prozeß festgehalten werden, dann wird uns klar, daß die Freiheit, die wir meist für eine pure Selbstverständlichkeit halten, auch bei uns keineswegs ein ein für allemal gesicherter Bestand ist.

Menschenrechtsarbeit ist Sisyphosarbeit. Manchmal schreiben wir jahrelang Briefe, machen Eingaben an die Behörden, geben dem Außenminister oder dem Bundespräsidenten, wenn er das betreffende Land besucht, eine Liste mit Namen der Verfolgten mit, ohne daß sich irgend etwas bewegt. Im Falle des nigerianischen Schriftstellers und Umweltaktivisten Ken Saro-Wiwa konnte nicht einmal eine weltweite Kampagne helfen. Er wurde von den damals in Nigeria herrschenden Generälen ermordet. Und einmal, als wir einen oppositionellen Schriftsteller aus Bangladesch in einer unserer Stipendiatenwohnungen unterbrachten, weil fundamentalistische Eiferer ihm in seiner Heimat nach dem Leben trachteten, lag der am vierten Tag tot in seinem Bett. Sein Herz war schon vorher angegriffen gewesen, aber es hatte funktioniert, solange man ihn gejagt hatte. Nun, da er seit langem zum ersten Mal wieder in Sicherheit war, versagte es.

Manche belächeln die *Gutmenschen*, die trotz allem immer noch und immer wieder protestieren, Briefe schreiben, Kampagnen organisieren. Sie gelten ihnen als naiv, weltfremd, allzu gefühlig. Ja, es mag schon sein, daß ein Schuß Naivität dazu gehört, sich nicht von der kompakten Realität entmutigen zu lassen. Mag sein, daß, nüchtern betrachtet, allzuoft der Erfolg im Verhältnis zum Aufwand jämmerlich gering ist. Aber wie hätte die Menschheit je einen Schritt nach vorn machen können, wenn es nicht die Träumer gegeben hätte, die im schlechten Bestehenden das mögliche Bessere zu sehen vermochten? Und die, die den ersten Schritt wagten, obwohl rundherum die Realisten sich einig waren, daß er niemals gelingen könne?

Organisationen wie der P. E. N., wie amnesty international, Ärzte ohne Grenzen, Pro Asyl, kirchliche Organisationen wie

Terre des hommes oder Brot für die Welt oder auch die Gesellschaft für bedrohte Völker, sie alle leben davon, daß sie das Utopische mit dem Pragmatischen verbinden. Es ist diese Verbindung, die ich auch in der Politik immer gesucht habe. Wenn das utopische Moment fehlt, verlieren Parteien und Menschenrechtsorganisationen ihre Seele und erschöpfen sich am Ende in leerer Betriebsamkeit; wenn vor lauter Überschwang der Blick für das pragmatisch Durchsetzbare verlorengeht, verflüchtigen sich die schönen Träume im luftleeren Raum, und die Welt bleibt auf ewig, wie sie ist.

Internationaler P. E. N.-Kongreß 2006 in Berlin. Mit Bundeskanzlerin Angela Merkel bei einem Empfang im Kanzleramt

Vom 22. bis zum 28. Mai 2006 fand in Berlin der Internationale P. E. N.-Kongreß statt. Vierhundert Gäste, darunter zweihundert Delegierte aus allen Ländern der Erde, waren gekommen, um über die Menschenrechtssituation zu diskutieren und ein großes Fest der Literatur zu feiern. Zur Eröffnung sprachen der Bundespräsident, der die Schirmherrschaft des Kongresses übernommen hatte, und Günter Grass. Es gab einen Empfang beim Regierenden Bürgermeister von Berlin und einen bei der Bundeskanzlerin. Bei den öffentlichen Veranstaltungen in der alten Akademie der Künste, im Berliner Ensemble und in der Französischen Friedrichstadtkirche war der Andrang des Berliner Publikums enorm. Selbst eine Nachmittagsveranstaltung mit internationaler Lyrik im Tagungshotel lockte mehr als vierhundert Zuhörer an. Nach dem festlichen Abschiedsessen im Schloß Glienicke, als alles vorbei war, saßen wir, die Organisatoren, bei einem Glas Wein zusammen, waren müde und glücklich und auch ein wenig stolz auf unseren Erfolg. Eine Woche lang hätte man bei oberflächlicher Betrachtung den Eindruck gewinnen können, es gebe in unserem Land nichts Wichtigeres als die Literatur und die Arbeit des Internationalen P. E. N. Aber inzwischen sind die Verhältnisse, unter anderem durch die Fußballweltmeisterschaft, längst wieder zurechtgerückt, und der verzweifelte Versuch des Deutschen Kulturrats, im Bündnis mit dem Deutschen Sportbund die Kultur neben dem Sport als Staatsziel im Artikel 20 b des Grundgesetzes zu verankern, weil beiden, wie es zur Begründung heißt, eine »Gemeinsinn stiftende Wirkung« zukomme, macht auf groteske Weise deutlich, daß wir wieder im bundesdeutschen Alltag angelangt sind.

24

TODESFÄLLE

Daß man älter wird, erkennt man auch daran, daß man gute
Freunde immer öfter bei Beerdigungen und Trauerfeiern trifft.
Und daß der eine oder andere gute Freund auf einmal nicht mehr
da ist, wenn man seinen Rat braucht oder sich einfach wünscht,
er möge einem am Tisch gegenübersitzen und mit einem reden
über Gott und die Welt. Als wir an einem warmen, sonnigen
Maitag im April 2003 Herbert Riehl-Heyse zu Grabe trugen,
waren sie alle da, meine Journalistenfreunde aus alten Juso-Zei-
ten: Hartmut Palmer, Gode Japs, Helmut Lölhöffel, Jürgen Lei-
nemann. Hinterher saßen wir in einem Biergarten zusammen,
aßen Leberkäs, tranken Weißbier und sprachen über ihn, *den
Riehl*, der einmal in einem Feuilleton geschrieben hat, daß er als
Kind immer habe Papst werden wollen. Bis er im Alter von neun-
undzwanzig Jahren nach der Geburt seines ersten Kindes erschrocken festgestellt habe, daß ein verheirateter Mann mit
Kind im Konklave praktisch chancenlos sei. Da habe er sich für
den zweitbesten Beruf entschieden, den Journalismus.

Die Rede vom *Verlust*, den man durch den Tod eines nahen
Menschen erleidet, von der *Lücke*, die er hinterläßt, ist ein Kli-
schee, das in jeder zweiten Todesanzeige und in jeder zweiten
Grabrede bemüht wird. Aber das heißt nicht, daß darin nicht
doch ein Stück Wahrheit steckte. Wie oft habe ich seit jenem Tag
im April gedacht, jetzt müßte ich mal Herbert Riehl-Heyse an-
rufen und ihn fragen, was er von diesem und jenem hält. Einmal
hatte ich schon den Telefonhörer in der Hand, ich hielt erschrok-
ken inne, blickte aus dem Fenster in den Garten hinaus, wo der
Herbst die Blätter färbte, und auf einmal war der Tag wie aus-
einandergebrochen. Ich tue mich schwer mit Abschieden. Am

wohlsten fühle ich mich, wenn alle zusammen sind, die Familie, die Freunde, wie bei meinem fünfundsechzigsten Geburtstag, den wir in der Gemeindebücherei Garching bei meinem Freund Jürgen Heckel feierten. Aber da fehlte er schon, der Riehl. Als Kuno Raeber auf den Tod lag, haben Franziska und ich ihn noch einmal im Krankenhaus besucht. Ich brachte ihm eine soeben erschienene Erzählung mit, die ich ihm gewidmet hatte. Als ich auf den Namen unter dem Titel zeigte, sagte er: Kuno Raeber, wer ist das? Uns hatte er noch erkannt, aber wer dieser Kuno Raeber war, das wußte er schon nicht mehr. Und dann erzählte er uns, daß immer wenn es dunkle, am Fußende seines Bettes sich der Baron niederlasse, die Zigarre im Mund, ihn mit bösen Augen anstarre, sich nicht verscheuchen lasse. Kuno, der einst unter dem Einfluß des Schweizer Theologen Urs von Balthasar Novize im Jesuitenorden geworden war, der einmal von sich sagte, er sei immer »mehr katholisch als christlich« gewesen, wurde am Ende von Voodoo-Göttern heimgesucht. Seine letzten Tage verbrachte er in einem Hospiz bei Basel, hoch über dem Rhein. Das hatte er sich so gewünscht, dort wollte er sterben, in der Stadt, in der er studiert und über den Mystiker Sebastian Franck promoviert hatte, in seiner schweizerischen Heimat, mit der ihn zeitlebens eine innige Haßliebe verband.

Jochen Steffen ist auch einer, der auf der Liste meiner Verluste ganz oben steht. Für uns Jusos war er in den sechziger und siebziger Jahren eine Art Mentor. An seinen Reden auf Parteitagen begeisterten wir uns, von ihm ließen wir uns provozieren, an ihm rieben wir uns auch, als er lange nicht begriff, daß die Kernkraft nicht das Ei des Kolumbus war. Er war viele Jahre lang Vorsitzender der SPD in Schleswig-Holstein und Oppositionsführer im dortigen Landtag, er saß im Bundesvorstand der Partei und war einige Jahre Vorsitzender der Grundwerte-Kommission. Aber vor allem war er ein Mann des Wortes, Journalist von Beruf und ein mitreißender Redner. Ich habe ihn einmal Ende der sechziger Jahre in Heide in Holstein als Wahlkämpfer erlebt. Der Saal rappelvoll, zwei Drittel der Zuhörer Bauern aus der Umgebung, die gekommen waren, es dem »Roten Jochen« einmal zu zeigen. Aber nach einer Viertelstunde hatte er sie alle auf seiner Seite, bei jedem zweiten Satz brandete der Beifall auf. Und nur deshalb, weil er die Wahrheit sagte, die sonst kein Politiker zu sagen wagte: Jeder zweite von euch wird in den nächsten zehn Jahren wegrationalisiert. Nur wer sich spezialisiert, wird auf dem europäischen Agrarmarkt überleben. Je eher ihr das begreift, um so besser für euch.

Daß sie ihm zwar applaudierten, seine Partei aber dann meist doch nicht wählten, hat ihn sicher frustriert. Was er aber am schwersten ertragen konnte, waren die Kompromisse, die die SPD in der Endphase der sozial-liberalen Koalition machen mußte. Nacheinander gab er immer mehr seiner Ämter ab, bis er 1979 die SPD verließ. Ich habe den Kontakt zu ihm auch dann nicht abgebrochen, als er sich enttäuscht und verärgert von der SPD abwandte und schließlich nur noch als *Kuddel Schnööf* über die deutschen Kleinkunstbühnen tingelte. Einmal, ich glaube es war ein Jahr vor seinem Tod, begleitete ich ihn sogar auf den Golfplatz am Stölpchensee in Berlin, obwohl ich vom Golfspielen gar nichts verstehe. Aber es gab noch soviel zu bereden, und er war bereits schwer krank, auch wenn er es nicht wahrhaben wollte und sich grimmig über den Platz schleppte. Bei der Trauerfeier Ende September 1987 in St. Peter-Ording war von den SPD-Oberen niemand zu sehen. Ist vielleicht auch besser so, sagte ein alter Genosse von der Kieler Werft zu mir. Jochen hätte noch aus dem Grab heraus Streit mit ihnen angefangen.

Wenn einer nach langer Krankheit stirbt, so könnte man meinen, sind wir darauf vorbereitet. Wir haben es ja lange kommen sehen, haben verfolgt, wie es dem Ende zuging. Aber dann trifft uns die Nachricht doch immer wieder wie ein Schlag, und wir erkennen, daß man sich auf den Tod eines nahen Menschen nicht wirklich vorbereiten kann. Weil es keinen gleitenden Übergang gibt vom Leben zum Tod, weil der Tod etwas radikal anderes ist als das Leben, auch wenn dieses Leben am Ende vielleicht nur noch Qual ist. Peter Glotz war lange krank, wer ihn kannte, wußte es, sein Tod war absehbar. Franziska kannte ihn aus ihren Münchener Studententagen, ich lernte ihn in den

Siebzigern kennen. Wir waren gleichaltrig, aber er hatte nie zu den Achtundsechzigern gehört. Wir stritten oft über politische Fragen, seine heroische Bejahung des globalisierten Kapitalismus, sein deterministischer Glaube, daß es nur um Anpassung oder Untergang gehen könne, entzweite uns in der Sache. Was uns verband, war die Lust an der argumentativen Auseinandersetzung. Und mit niemand konnte man besser streiten, als mit ihm.

Als er starb, lebte er schon ein paar Jahre in der Schweiz, zuletzt in einem kleinen Ort namens Wald. Was Franziska und ich nicht wußten, war, daß es zwischen St. Gallen und Zürich gleich mehrere Orte dieses Namens gibt. So kam es, daß wir eine kleine Schweiz-Rundreise machten, ehe wir im richtigen Wald ankamen, wo die Trauerfeier längst im Gange war. Otto Schily sprach und der Filmer Volker Hauff, und als wir hinterher um das offene Grab herum standen und der Dorfpfarrer die vertrauten Worte sagte: »Erde zu Erde, Staub zu Staub«, da dachte ich, wie hilflos und verloren wir jetzt wären, wenn es bei aller Gier nach Neuem und allem Gerede von Innovation nicht immer noch jemand gäbe, der in solchen Augenblicken einfach tut und sagt, was schon vor hundert Jahren getan und gesagt wurde, wenn ein Mensch zu Grabe getragen wurde.

Als mein Vater im Jahre 1993 in Kalifornien starb, war ich viele tausend Kilometer entfernt in Europa, als meine Mutter zehn Jahre später starb, auch. Mein Bruder Roger rief mich an: Papa ist tot. Mama ist gestorben. Beide Male erreichte mich die Nachricht am frühen Vormittag, drüben in Kalifornien war es noch tiefe Nacht. Ach, sagte ich. Mehr nicht. Und dann nach einer Pause: Wann ist die Beerdigung? Hilft Louis dir, alles Notwendige in die Wege zu leiten? Ich war merkwürdig gefaßt, als berühre mich der Tod meiner Eltern gar nicht. Erst Stunden später ergriff mich die Trauer. Ich nahm den Mantel, schlug den Kragen hoch und ging im Nieselregen – oder war es ein leichtes Schneetreiben? – den Schluchtweg hinunter zum See, am Ufer entlang bis nach Leoni, dann den Kreuzweg hinauf, der hier Schroppsweg heißt, und durch den Wald zum Haus zurück. Es war, als hätte mich die Nachricht wegen der großen Entfernung erst mit Verspätung wirklich erreicht.

Welch ein merkwürdiges Leben. Maria Christina Melis, geboren am 8. Oktober 1905 in Leeuwarden, Tochter von Johannes Melis und seiner Ehefrau Doutzen Loonstra, schon als junges Mädchen begeistert sie sich für Esperanto, wird Volksschullehrerin. Mit fünfundzwanzig lernt sie auf einem Esperanto-Kongreß in Paris meinen Vater kennen, den Auslandskorrespondenten Robert William Karl Maria Strasser, geboren 1907 in St. Louis, Vater Österreicher, Mutter Französin. Sie heiraten in Holland, lassen sich dann aber in Frankreich nieder, wo meine beiden älteren Brüder geboren werden. 1938 ziehen sie nach Holland um, in meine und meiner Mutter Geburtsstadt, stranden nach dem Krieg im nördlichen Niedersachsen, unter schwierigen Bedingungen ziehen sie fünf Kinder groß. Dann die letzten zwanzig gemeinsamen Jahre im kalifornischen Fresno, eine Ehe so gut und so schlecht wie die meisten, aber die letzten zehn Jahre ohne ihren Mann war meine Mutter eine einsame und verbitterte Frau.

Sie besuchte uns noch einmal am Starnberger See. Das war fünf Jahre vor ihrem Tod. Sie war gebrechlich, stützte sich beim Gehen auf einen Stock, haßte es, daß sie von anderen abhängig war, aber ihr Kopf war klar wie eh und je. Ihre Kraft, ihre Vitalität hatte sich in Bosheit verwandelt. Bei meinen Brüdern und bei meiner Schwester beklagte sie sich am Telefon, daß sie bei uns nichts zu essen bekäme. Gleich am zweiten Abend, als wir im Wohnzimmer zusammensaßen, sagte sie unvermittelt zu Franziska, meine erste Frau habe ihr besser gefallen. Franziska lachte nur, aber als sie nach drei langen Wochen schließlich zu meiner Schwester nach Mainz weiterfuhr, waren wir doch erleichtert.

Franziskas Mutter starb mit dreiundachtzig Jahren. Die Leiterin des Stifts, in dem sie in ihrem letzten Lebensjahr wohnte, rief uns an, daß sie im Sterben lag. Wir nahmen die Kinder mit, Therese war gerade dreizehn geworden, Felix fünfzehn. Lange saßen wir an ihrem Bett. Sie atmete schwer, rang mit dem Tod, war schon nicht mehr bei vollem Bewußtsein. Und dennoch, als

Franziska ihr ins Ohr flüsterte, daß wir alle da seien, sie selbst, die Kinder und ich, da ging ihr Atem für einen Moment ruhiger und ihr Gesicht entspannte sich. Ich war froh, daß Franziska darauf bestanden hatte, die Kinder mitzunehmen, obwohl ich nicht sicher gewesen war, ob die Situation sie nicht überfordern würde. Aber sie waren nicht überfordert. Als wir später mit dem Auto heimfuhren, die Kinder hinten im Fonds, hörte ich Therese sagen: Gell, die Mimi – so hieß die Oma bei den Kindern – hat sich gefreut, daß wir da waren, und Felix, der große Bruder antwortete: Ja, sie hat sich gefreut. Mehr war dazu nicht zu sagen.

Am Beginn jeder Jahrestagung des P. E. N. wird der Toten des vergangenen Jahres gedacht. Kolleginnen und Kollegen lesen kurze Nachrufe vor, dann erheben sich alle, stehen ein, zwei Minuten schweigend da, bis es in der Tagesordnung weitergeht. Es ist ein Ritual, niemand, auch der bissigste Spötter nicht, verweigert sich ihm. Es ist ja nicht so, daß Schriftsteller sich besonders für andere Schriftsteller interessierten. Es gibt Ausnahmen, aber in der Regel sind sie so sehr von den eigenen Projekten gefesselt, so sehr damit beschäftigt, die eigene Person und das eigene Werk ins rechte Licht zu rücken, daß für die Kollegen nur wenig Aufmerksamkeit übrigbleibt. So ist denn die Totenehrung für viele eine willkommene Gelegenheit, Genaueres über einen Kollegen zu erfahren, den sie zu Lebzeiten nur flüchtig zur Kenntnis nahmen. Und manchmal ist unter den Verstorbenen auch einer, den die meisten übersehen oder den sie inzwischen längst vergessen haben. Das ist dann so wie bei einer viele Lichtjahre entfernten erloschenen Sonne, deren Strahlen uns immer noch erreichen, obwohl sie längst nicht mehr scheint.

»Ein schöner Tod.« Ich weiß nicht mehr, wer es sagte. Ich hörte es und dachte, wie obszön das klingt: ein schöner Tod. Das war auf der Jahrestagung des P. E. N. in Darmstadt im Jahre 2002, als Elsbeth Wolffheim, Vizepräsidentin des P. E. N. und zuständig für das Writers-in-Exile-Programm, am Morgen tot in ihrem Hotelbett gefunden wurde. Am Abend vorher hatten wir noch zusammengesessen, Ursula Setzer, unsere Geschäftsführerin, Karin Clark, Herbert Wiesner, Wilfried Schoeller, Elsbeth und ich, hatten gegessen, getrunken, geredet, gelacht. Sie war im Schlaf gestorben, soweit wir das wissen, ohne Schmerzen, ohne Kampf. Da sagt man schon mal: *Ein schöner Tod*. Aber was, frage ich mich, soll daran schön sein, wenn ein Leben einfach abbricht, von einem Moment auf den anderen, sozusagen mitten im Satz?

Die fröhliche und freundliche Elsbeth Wolffheim. Über Hans Henny Jahnn hat sie geschrieben, über Majakowski und Eisenstein, über Bulgakow, Tschechow, in ihren Beiträgen zur Exilforschung hat sie manchem Vergessenen späte Gerechtigkeit widerfahren lassen. In den ersten, besonders schwierigen Jahren hat sie sich um das Exil-Programm des P. E. N. gekümmert, sich der Stipendiaten angenommen, freundlich, hilfsbereit, auch streng, wenn es sein mußte. Noch auf der Jahrestagung in Darmstadt spricht Wend Kässens, der mit der Verstorbenen seit vielen Jahren befreundet war, einen ersten improvisierten Nachruf. Es ist nicht einfach, in der Tagesordnung fortzufahren, wenn einem der Schrecken noch in den Gliedern sitzt. Beim Mittagessen dann die unvermeidliche Frage: Gab es Anzeichen? Am Abend vor ihrem Tod, als wir alle beim Wein zusammensaßen, ging sie früher als üblich ins Hotel. Ich sehe sie noch vor mir, wie sie uns zuwinkte, bevor sie zur Tür ging, eher eine kleine flirrende Bewegung der rechten Hand als ein Winken. So wird sie mir in Erinnerung bleiben.

Manchmal haben Totenfeiern etwas von Klassentreffen. Überall vertraute Gesichter, man nickt sich verstohlen zu, flüstert ein paar Worte, bemerkt aus den Augenwinkeln, wer auch noch da ist, trifft alte Bekannte, die man jahrelang nicht gesehen, die man vielleicht schon vergessen hatte, erinnert sich an die gemeinsame Vergangenheit. Zuletzt ging es mir gleich zweimal hintereinander so, bei der Totenfeier für Carola Stern und zwei Tage später bei der für Johannes Rau.

Wo habe ich das gelesen über den Niedergang der Erinnerungskultur? Ich glaube, es war im Feuilleton der *FAZ* oder in der *Frankfurter Rundschau*, ein Bericht über einen Vortrag, den irgend jemand in einer Akademie oder auf einem Symposium gehalten hatte. Der Vortragende habe beklagt, hieß es in dem Artikel, daß in unserer Zeit das Verständnis für den Sinn des Gedenkens und damit für die Würde des Vergangenen mehr und mehr verlorengehe. Noch bei unseren Vätern und Großvätern habe es so etwas wie Erinnerungskultur gegeben. Die vielen Denkmale aus dem 19. Jahrhundert fallen mir ein, Männer zu Pferde oder – Spielbein, Standbein – auf hohem Sockel, den Kopf erhoben, den stolzen Blick in die Ferne gerichtet. Oder die imperialen Büsten, die sorgfältig arrangierten Fotos im Sonntagsstaat. Was hat das mit Erinnerung zu tun? Sind es wirklich solche Bilder, die in unserem Innern haften bleiben, wenn ein Mensch stirbt, der uns nahe war?

Wahrscheinlich werden wir den Verstorbenen am ehesten gerecht, wenn wir von ihnen erzählen, von ihren Leistungen und ihren Schwächen, von den kleinen Besonderheiten vor allem, die sie unverwechselbar machen. Weißt du noch? Weißt du noch, wie wir einmal im Schloß Elmau mit Johannes Rau zusammensaßen? Vicco von Bülow (Loriot), seine Frau Romi, Franziska und ich. Johannes erzählte fast zwei Stunden lang einen Witz nach dem anderen, und als wir schließlich aufstanden, weil wir heimfahren mußten, fragte er, als sei ihm plötzlich noch etwas eingefallen: Sagen Sie mal, Herr von Bülow, wie geht es Ihnen eigentlich? Und dann diese Geschichte mit Carola Stern. Weißt du noch, wie Carola es einmal übernommen hatte, ein Wehner-Porträt für unsere Zeitschrift zu schreiben? Der Interviewtermin mit dem Fraktionsvorsitzenden war schon vereinbart. Zwei Tage vor dem Termin rief sie mich an. Ich kann das nicht machen, sagte sie. Das mußt du übernehmen. Wenn der Wehner mich ein einziges Mal anschreit, fange ich sofort an zu weinen. Carola Stern, die mutige Journalistin, die sich als Frau in der Männerwelt des Höferschen *Frühschoppens* behauptete, die engagierte Menschenrechtlerin, Ehrenpräsidentin des P.E.N., erfolgreiche Biographin großer Frauen, mir wird sie vor allem so in Erinnerung bleiben.

25

EUROPA UND ISRAEL

Palästina, das ist der Eindruck, der sich einem bei der Lektüre von Victor und Victoria Trimondis Buch *Krieg der Religionen* aufdrängt, ist das Gelände, in dem die Apokalyptiker der drei großen monotheistischen Religionen heute zum letzten Showdown rüsten. Die fundamentalistischen Moslems sind ohnehin davon überzeugt, es sei Allahs Wille, daß sie Israel vernichten und die Juden ins Meer treiben, für sie sozusagen der erste Akt des großen kosmischen Krieges des Islam gegen den Westen. Aber viele der fundamentalistischen Christen, die heute in den USA zu einer machtvollen politischen Pressure Group geworden sind, folgen einem nicht minder rabiaten Drehbuch, das vor zweitausend Jahren geschrieben wurde: der Apokalypse des Johannes. Erst wenn die Juden, so die aus der Apokalypse abgeleitete Überzeugung, das ganze Heilige Land wieder besiedelt und die Palästinenser daraus vertrieben haben, kommt es zur letzten Schlacht zwischen den Mächten des Guten und des Bösen im Tal von Armageddon, dem dann das tausendjährige Reich Jesu folgt. Aus diesem Grund sind viele Evangelikale nicht nur strikt gegen einen Palästinenserstaat auf der West Bank und in Gaza, sondern fördern auch mit allen Mitteln die aggressive Siedlungspolitik religiöser Zionisten. Die sogenannte Road Map gilt ihnen, wie überhaupt jeder Verständigungsversuch zwischen den Konfliktparteien, als ein von vornherein zum Scheitern verurteilter Versuch, den göttlichen Willen, wie er in der Bibel niedergelegt ist, zu durchkreuzen.

Die evangelikalen Extremisten, insbesondere die sogenannten Dispensionalisten, geben sich projüdisch, sind es aber in Wirklichkeit nicht. Denn in dem apokalyptischen Drehbuch, dem sie folgen, ist auch vorgesehen, daß am Ende alle Juden, die sich nicht zu Jesus Christus bekennen, niedergemetzelt werden. Ihr Bündnis mit den orthodoxen Juden ist also nur taktisch und muß aufgekündigt werden, sobald das Zwischenziel, die Besiedlung ganz Palästinas durch die Juden, erreicht ist. Manche Juden warnen daher vor diesen *Freunden Israels,* andere hingegen, unter ihnen besonders viele religiöse Zionisten, glauben, daß sie von dem taktischen Bündnis am Ende profitieren werden. Denn auch sie haben für den Endkampf zwischen den Guten und den Bösen ein apokalyptisches Drehbuch, in dem es zunächst den Muslimen, am Ende aber allen Andersgläubigen, auch den mit ihnen heute noch verbündeten Evangelikalen, mit Gottes Hilfe an den Kragen geht, bevor dann der *Dritte Tempel* errichtet wird, das sakrale Königtum mit Jerusalem als Hauptstadt wiedersteht und der Messias kommt.

Allen drei Varianten des religiös-apokalyptischen Wahns ist gemeinsam, daß sie Politik verachten, diplomatische Bemühungen um Interessenausgleich und schrittweisen Abbau von Spannungen als Verrat und feige Anpassung denunzieren und das Heil ausschließlich von der gewaltsamen Konfrontation erwarten. Das macht sie in den USA und in Israel zu den idealen Verbündeten jener gedankenarmen Raufbolde innerhalb des Militärs, die schon immer glaubten, sie könnten alle Probleme mit Waffengewalt lösen, wenn man sie nur gewähren ließe, während sie auf der Gegenseite den Kämpfern der Hamas und der Hizbollah, den Terrorkommandos und den Selbstmordattentätern die ideologische Rechtfertigung ihres mörderischen Tuns liefern.

Ich bin viermal in Israel gewesen, habe das Land bereist, mit Schriftstellern, Intellektuellen und Politikern diskutiert, Vorträge gehalten. Viele der Menschen, mit denen ich in Tel Aviv, Herzliya, Jerusalem und an anderen Orten des kleinen Landes zusammentraf, beeindruckten mich durch ihre Intelligenz, ihre Menschlichkeit, ihre politische Weitsicht. Auch die meisten Palästinenser, mit denen ich in näheren Kontakt kam, waren freundliche, kluge und friedliche Menschen. Nicht nur für die große Mehrheit der Europäer ist das apokalyptische Szenario, das die Eiferer der drei monotheistischen Religionen sich für diesen Teil der Welt ausgedacht haben, ein Wahnsinnsprojekt. Aber sowohl in den USA und in Israel als auch in den arabischen Ländern und im Iran gibt es zur Zeit führende Politiker, die, auch wenn sie vielleicht diesen gefährlichen Unsinn selbst nicht glauben, doch davon überzeugt sind, daß sie ihn für ihre Zwecke nutzen können. Was die Lage im Nahen Osten zur Zeit so gefährlich macht, ist die Tatsache, daß nicht nur die religiösen Apokalyptiker, sondern auch die zynischen Machiavellisten aller Seiten die Eskalation der Gewalt betreiben, weil sie glauben, am Ende davon profitieren zu können.

Die Europäer und ihre Regierungen beteiligen sich an diesem Spiel mit dem Feuer zumeist nicht. Die Verheerung der Religionskriege des 16. und 17. Jahrhunderts, die Millionen Opfer zweier Weltkriege, die Gewaltexzesse der Nazis und der Stalinisten, dies alles hat sie vorsichtig werden lassen. Zur Zeit sind es vor allem die europäischen Regierungen und die Europäische Gemeinschaft, die auf Verständigung zwischen den Konfliktparteien im Nahen Osten drängen. Aber was den notwendigen Widerstand gegen die amerikanischen Politik angeht, ist Europa gespalten. Der Einfluß der Europäer ist geringer geworden, sowohl auf die Israelis als auf die Palästinenser und die Regierungen der an Israel grenzenden arabischen Länder. Unter israelischen Politikern gehört es wie in Teilen des US-Establishments seit längerem zum guten Ton, die Europäer wahlweise als unrealistische Gutmenschen oder wertvergessene Egoisten zu bezeichnen. Und bei den Gegnern Israels gewinnen die an Boden, die zwischen der Politik der EU und der der USA keinen wesentlichen Unterschied erkennen wollen, für die *der Westen* insgesamt des Teufels ist.

Im November 2002 verlieh das P. E. N.-Zentrum Deutschland zusammen mit dem Land Hessen die Hermann-Kesten-Medaille an zwei Frauen: die Israelin Gila Svirsky und die Palästinenserin Sumaya Farhat-Naser. In meiner Begrüßungsrede sagte ich: »Heute zeichnen wir zwei Frauen aus, die inmitten der blutigen Tragödie des Nahen Ostens über Jahre hinweg Zeichen der

Hoffnung gesetzt haben. Es mag utopisch erscheinen, wenn eine Palästinenserin und eine Israelin in der gegenwärtigen Situation die Logik der Konfrontation zu durchbrechen suchen, wenn sie an die Stelle haßerfüllter Beschuldigungen die Kunst des Aufeinanderhörens setzen, wenn sie im anderen, im Feind, den Menschen erkennen, mit dem Verständigung immer noch möglich ist.« Uri Avnery hielt die Laudatio auf die beiden Friedensaktivistinnen. Er beschrieb die so unterschiedlichen Lebenswege der beiden Frauen, die sich schließlich in der gemeinsamen Aufgabe, der Arbeit für den Frieden, gefunden hatten, schilderte, wie sie Seite an Seite einen Friedensmarsch durch das arabische und das israelische Jerusalem angeführt hatten, an dem auch er teilgenommen hatte. Und dann sprach er den hoffnungsvollen Satz: »In Zukunft werden Gila und Sumaya keine Ausnahmen mehr sein.«

War das Schönrederei? Pfeifen im dunklen Wald? Als ich im Jahr darauf Israel besuchte, um in Tel Aviv einen Vortrag über Israel und Europa zu halten, traf ich mich auch mit Gila Svirsky in Jerusalem. Ich rief sie aus der Knesset an, wo ich mich mit einigen Abgeordneten der Arbeitspartei und der kleinen linksgrünen Meretz-Partei getroffen hatte.

Wo können wir uns sehen?

Am besten, sagte sie nach kurzem Nachdenken, in der Cinemathek, da ist es sicher.

Sicher?

Ja, sagte sie. Ich möchte lieber nicht mit Ihnen in einem Lokal gesehen werden, wo auch Orthodoxe verkehren.

So war das Klima also inzwischen, jedenfalls in Jerusalem. Im liberaleren Tel Aviv war von der Verkrampfung immer noch erstaunlich wenig zu spüren. Dort hätten wir uns vermutlich in einem beliebigen Café oder Restaurant treffen können. Aber in Jerusalem ...

Die Friedensbewegung, klagte Gila, liege am Boden. Die Verrückten beider Seiten führten Regie, und sie spielten sich perfekt in die Hände.

Und was wollen Sie jetzt tun?

Weitermachen, sagte sie. Es bleibt uns ja gar nichts anderes übrig.

Daß ihr Tun gefährlich ist, in einer Gesellschaft, in der die religiösen Fanatiker, von der Regierung geduldet, immer offener das Gesetz des Handelns an sich reißen, ist ihr bewußt. Aber sie weiß auch, daß Stimmen wie die der Friedensfrauen heute wichtiger sind denn je. Also macht sie weiter. Wie der israelische Psychologe Dan Bar-On, der für seine langjährige Arbeit für Frieden und Verständigung im Jahr 2003, zusammen mit dem palästinensischen Dichter Mahmud Darwish, den Remarque-Friedenspreis erhielt, wie Daniel Barenboim, unter dessen Leitung junge Palästinenser und Israelis zusammen musizieren und der dafür ein Jahr später den Toleranzpreis der Evangelischen Akademie Tutzing bekam, wie so viele, über die wir hier in Europa nichts erfahren, weil die Medien lieber über Terror und Gewalt berichten als über die zähe, aber wenig spektakuläre Arbeit der Friedensbewegung.

Auch Uri Avnery ist in Deutschland kein Unbekannter. 1995 erhielt er den Remarque-Friedenspreis der Stadt Osnabrück, 1997 den Aachener Friedenspreis. 2001 wurde ihm der Alternative Nobelpreis verliehen. Natürlich ist er, der viele Jahre Knesset-Abgeordneter war, auch in Israel eine weithin bekannte Person. Er ist der prominenteste Kopf der parteiunabhängigen Friedensorganisation Gush Shalom. Weil er sich immer wieder kritisch zur israelischen Besatzungspolitik äußert, ist es nicht verwunderlich, daß er das bevorzugte Haßobjekt der religiösen Rechten und der Groß-Israel-Propagandisten ist. Dennoch war ich bestürzt als ich im März 2006 aus Israel die Nachricht erhielt, Baruch Marzel, der Vorsitzende der Jüdisch-Nationalen Front, einer rechtsextremen israelischen Partei, habe die israelische Armee öffentlich aufgefordert, Avnery gezielt zu töten, wie sie es mit anderen Feinden Israels getan habe.

Marzel bewarb sich zu diesem Zeitpunkt um einen Sitz in der Knesset, dem israelischen Parlament. Glücklicherweise ohne Erfolg, wie sich herausstellte. Aber seinen Mordaufruf konnte er im israelischen Fernsehen, vor einem großen Foto von Avnery sitzend, wiederholen, ohne daß ihm jemand ins Wort fiel. In der Presseerklärung, die das P. E. N.-Zentrum Deutschland herausgab, hieß es:»Wir glauben nicht, daß die israelische Armee diesem Aufruf nachkommt. Aber seit der Ermordung Yitzhak Rabins wissen wir, wie schnell eine solche Mordhetze Täter auf den Plan ruft, die es als ihre Aufgabe ansehen, ein solches Urteil zu vollstrecken.« Über die P. E. N.-Geschäftsstelle in Darmstadt lud ich Uri Avnery ein, zusammen mit seiner Frau für einige Zeit unser Gast in Deutschland zu sein, bis die ärgste Bedrohung vorbei wäre. Der Zweiundachtzigjährige lehnte ab. Die Einladung habe ihn sehr gerührt, schrieb er. Aber:»Rachel und ich werden Israel nicht verlassen. Besonders nicht jetzt, nach der Bedrohung. Alles, alles Gute. Schalom, Uri.«

Wir lassen uns von den anderen nicht aus dem Land vertreiben, das auch unser Land ist. Wir, die Friedfertigen, die auf Verständigung setzen statt auf Krieg, sind Bürger Israels, haben ein Recht, hier zu leben. Wir sind nicht bereit, den anderen das Feld widerstandslos zu überlassen. Das ist die Botschaft, die Uri Avnery durch sein mutiges Verhalten seinen Freunden und Feinden vermitteln will. Wenn er ginge, verlören womöglich viele den Mut, die sich wie er für einen fairen Ausgleich mit den Palästinensern einsetzen. Der Mordaufruf, sage ich mir, war vielleicht nur Wahlkampfgetöse, darauf berechnet, die Stimmen der Rechten und der religiösen Fanatiker anzulocken. Vielleicht erinnert sich heute schon niemand mehr daran. Aber wirklich beruhigend ist der Gedanke nicht. Denn immerhin hat die extrem nationalistische Partei von Avigdor Liebermann bei den letzten Wahlen den dritten Platz, noch vor Benjamin Netanjahus Likud, belegt und ist inzwischen sogar in die Regierung eingetreten, und die nicht minder chauvinistische Nationalreligiöse Partei/Nationale Union errang neun, die ultraorthodoxe Shas zwölf Sitze. Und überhaupt: Was ist das für ein Land, in dem man seine Wahlchancen meint erhöhen zu können, indem man zum Mord an einem politischen Gegner aufruft?

Als im Mai 2006 in Berlin der Internationale P. E. N.-Kongreß stattfand, konnte ich Uri Avnery und seine Frau als unsere

Gäste begrüßen. In der Diskussion zum Motto des Kongresses »Schreiben in einer friedlosen Welt« sprach er von Mythen, die die Menschen daran hindern, zueinanderzufinden. Israelis und Palästinenser deuteten dieselben Geschichtsereignisse im Rahmen ihrer nationalen Mythen völlig gegensätzlich, sagte er. Was der einen Seite als Heldentat gelte, gelte der anderen als schmähliches Verbrechen. Beide Konfliktparteien beriefen sich auf Rechtstitel, die sie aus einer mythisch verklärten Geschichte herleiteten. So aber sei Verständigung unmöglich. Die könne erst beginnen, wenn es eine Erzählung gebe, die das Leid und die Hoffnungen beider Seiten in sich aufnehme und daher von beiden Völkern als gemeinsame Geschichte akzeptiert werden könne. Nur, wer mit soviel Autorität eine solche Geschichte erzählen könnte, daß alle oder doch die meisten ihm zuhören würden, wußte auch er nicht zu sagen.

P. E. N.-Kongreß 2006 in Berlin. Mit Uri Avnery

Jeder, der sich in der Geschichte einigermaßen auskennt, weiß, daß es Situationen gibt, da alles erkennbar auf eine Katastrophe zuläuft, aber die, die sie verhindern könnten, sehen gelähmt zu, bis es zu spät ist. Haben wir es im Nahen Osten mit einer solchen Situation zu tun? Ich kann und will es immer noch nicht glauben. Der Abzug aus dem Gazastreifen, zeigte er nicht immerhin, daß sich die israelische Regierung die Politik nicht von der Siedlerbewegung diktieren läßt, daß auch den Konservativen in Israel die Weltmeinung nicht völlig egal ist? Trotzdem, die Zeichen stehen schlecht, weil die Regierung von Ehud Olmert – wie schon zuvor Ariel Sharon – auf einseitige Aktion, statt auf Verständigung setzt. Die Annexion von großen Teilen der Westbank durch die einseitige Grenzziehung und die Errichtung eines Zauns zwischen Israel und den Palästinensergebieten kann der Region wirklichen Frieden nicht bringen. Die Terrorakte der Hamas und der Hizbollah und die grotesk unangemessene Reaktion des israelischen Militärs darauf, beweisen es. Inzwischen ist ein großer Krieg im Nahen Osten wahrscheinlicher als Fortschritte im Verständigungsprozeß, jedenfalls solange auf der einen Seite die USA die Scharfmacher gewähren lassen und auf der anderen der Iran und Syrien die Terroristen mit Waffen und Worten unterstützten.

»Aussichtsloser denn je«, nennt die Friedensaktivistin Judith Hermann, die sich zusammen mit ihrem Mann, dem Historiker Reiner Bernstein, in der israelisch-palästinensischen Genfer Initiative engagiert, die Situation. Die Initiative, von Yossi Beilin von der israelischen Meretz-Partei und Yasser Abed Rabbo, dem ehemaligen Kulturminister der PLO-Regierung, ins Leben gerufen, als die Hauptakteure im Nahen Osten allesamt auf Konfrontation setzten, kann vielleicht noch einmal wieder Bedeutung erlangen: Wenn es auf der Westbank und in Gaza Neuwahlen gibt, die Hamas abgewählt wird, die Europäer sich zu einem dauerhaften Engagement im Nahen Osten aufraffen und die USA ihre Politik überdenken. Das ist die Hoffnung, die Yasser Abed Rabbo auf einem deutsch-israelisch-palästinensischen Schriftstellertreffen im September 2006 in Worms erweckte. Es ist die Hoffnung, die auch die israelischen und deutschen Teilnehmer beseelte. Aber vielleicht sind es doch zu viele Voraussetzungen auf einmal, die erfüllt sein müssen, damit sich der Weg für Verhandlungen wieder öffnen kann.

Schon seit langem hängt Israel am Tropf der USA, militärisch, politisch, finanziell. Und jedes Jahr fließen viele Millionen Dollar privater Spenden aus den Vereinigten Staaten nach Israel, das meiste davon Spenden von evangelikalen Organisationen, die den Siedlern und den Kämpfern für ein Groß-Israel zugute kommen. Die Extremisten werden sich nicht mit kleinen Geländegewinnen zufriedengeben. Sie wollen das ganze biblische Israel, und das heißt, sie wollen die Palästinenser auch aus der Westbank vertreiben. Auf der anderen Seite, bei den Palästinensern und in der ganzen arabischen Welt hat die jüngste Annextion weiterer Teile palästinensischen Bodens durch die Errichtung der Trennmauer neue Empörung ausgelöst, was natürlich auch dort den Extremisten zugute kommt. Der Wahlsieg der Hamas im Jahr 2006 ist ein deutliches Indiz dafür, daß überall in der arabischen Welt die Islamisten an Boden gewinnen, für die die USA der »Große Satan« und Israel und die Juden der Erzfeind sind, den es mit allen Mitteln auszurotten gilt. Wer glaubt, allein mit kriegerischen Mitteln mit einem solchen Gegner fertig werden zu können, der könnte leicht ein ähnliches Debakel erleben wie die Amerikaner zur Zeit im Irak.

Schon zeigt sich, daß die abermalige Zerstörung des Libanon, die massenhafte Tötung von Zivilisten dort und im Gazastreifen, statt die radikalen Gegner Israels zu schwächen, ihnen nur neue Anhänger zutreibt. Es war die Bush-Administration, die die israelische Regierung Olmert-Peretz ermunterte, einen verbrecherischen Luftkrieg gegen die Hizbollah zu führen, der keines der vollmundig verkündeten – und sukzessive ermäßigten – Kriegsziele: Zerstörung, Vertreibung, Schwächung der Hizbollah, erreichte, dafür aber ein ganzes Land verheerte, zahllose zivile Opfer forderte und dem Haß auf Israel neue Nahrung gab. Und die Europäer? Unfähig sich aus der sklavischen Ergebenheit gegenüber den USA zu lösen, protestierten sie nur halbherzig gegen die Kriegsverbrechen der israelischen Armee und entfalteten eine diplomatische Betriebsamkeit, die das Weltgewissen beruhigen sollte, während sie den israelischen Generälen gleichzeitig erlaubte, mit ihren sinnlosen Bombardements fortzufahren.

Als Franziska und ich das erste Mal in Israel waren, lebte Yitzhak Rabin noch. Anke Martiny, damals Vertreterin der Friedrich-Ebert-Stiftung in Tel Aviv, hatte uns eingeladen. Wohin wir auch kamen, überall Aufbruchstimmung, der Friedensprozeß hatte durch die Abkommen von Madrid und Oslo Fahrt aufgenommen, die jungen Leute vor allem glaubten, in eine bessere Zukunft hineinwachsen zu können. Tel Aviv ist eine junge Stadt, bis drei, vier Uhr morgens war die Dietzengoffstraße voller fröhlicher, vor Lebenslust strahlender junger Menschen. Anke fuhr uns mit dem Auto durch das ganze Land, nach Haifa und Akko im Norden und nach Süden in die Negev und zum Toten Meer. Vom Toten Meer aus fuhren wir über Jericho hinauf nach Jerusalem. Die Fahrt durch die Palästinensergebiete war kein Problem. Auch hier herrschte Hoffnung und Aufbruchstimmung. Aber ein halbes Jahr später war alles vorbei. Ein großjüdischer Sektierer, einer von denen, für die Frieden mit den Palästinensern Verrat bedeutet, hatte Yitzhak Rabin niedergeschossen. Auf Befehl seines Gottes, wie er vor Gericht bekannte.

Das Schlimmste ist, die Rechnung des Attentäters und all derer, die den Mord herbeigeredet und -geschrieben hatten, ging auf. Die bald darauf stattfindenden Wahlen zur Knesset gewannen nicht die, die die Friedenspolitik Rabins fortsetzen wollten, sondern die Konservativen des Likud, in deren Reihen sich viele Groß-Israel-Propagandisten befanden und die den terroristischen Siedlern des Gush Minunim immer neue Zugeständnisse machten. Der Friedensprozeß kam ins Stocken, versandete ganz, das Abkommen von Oslo wurde stillschweigend kassiert, und die enttäuschten Palästinenser griffen immer öfter zur Gewalt. Als ich Jahre später Israel erneut besuchte, stellte ich erstaunt fest, daß die offizielle Geschichtsschreibung des Konflikts zwischen Israel und den Palästinensern nun immer mit Ehud Barak begann und mit Arafats Weigerung, dem zweiten Abkommen von Camp David zuzustimmen. Von Yitzhak Rabin und den Vereinbarungen von Oslo war zumeist gar keine Rede mehr. Nur an der Stelle am Rathaus von Tel Aviv, wo er erschossen worden war, befand sich jetzt ein Denkmal, und jedes Mal, wenn ich dort vorbeikam, sah ich ein junges Paar oder eine alte Frau, die dort Blumen niederlegten und ein paar Minuten in Andacht verharrten. Und jedes Mal dachte ich, wie liebenswert sie sind, die des Ermordeten gedenken, wie liebenswert und wie schwach.

Ich habe Freunde in Israel, die als aufgeklärte moderne Menschen die aggressiven engherzigen jüdischen Fundamentalisten genauso verachten, wie ich es tue, die die Siedlungspolitik für ein Verbrechen an den Palästinensern halten und dies auch öffentlich sagen. Aber als ich im Dezember 2004 in Israel war, berichteten mir meine Gastgeber, daß nicht wenige der ehemals kritischen Liberalen in Israel mittlerweile den Glauben an die Möglichkeit einer friedlichen Lösung des Konflikts mit den Palästinensern verloren hätten. Es breite sich so etwas wie ein Katastrophenfatalismus aus, die resignative Überzeugung, daß das Schreckliche, das man kommen sieht, auf gar keinen Fall mehr aufzuhalten sei. Wenn es stimmte, dachte ich, wäre das verheerend, denn wenn die Hoffnung stirbt, es gebe eine Alternative zum Krieg, haben die Kriegstreiber schon gewonnen.

Mein israelischer Verleger und Freund Giora Rosen hatte mich eingeladen mit freundlicher finanzieller Unterstützung der Friedrich-Ebert-Stiftung. Ich hielt Vorträge an der Hebräischen Universität in Jerusalem, vor einer Journalistenvereinigung und vor Vertretern der Kibbutz-Bewegung in Tel Aviv. Franziska, die mitgekommen war, las in Gioras Haus in Herzliya, wo sich eine große Anzahl von Künstlern, Literaten und Politikern zu unseren Ehren versammelt hatte, eine ihrer Erzählungen aus dem Band *Stumm vor Glück* in englischer Übersetzung. Es war das andere Israel, mit dem wir hier in Berührung kamen, das säkulare, demokratische, an Europa interessierte. Wenn man in Tel Aviv und Herzliya mit den Menschen spricht, kann man den Eindruck gewinnen, es sei immer noch die Mehrheit. Trotz eines mal offenen, mal verdeckten Krieges, der im Grunde schon hundert Jahre dauert, trotz eines Terrorismus, der jederzeit und überall zuschlagen kann und gegen den es keinen wirksamen Schutz zu geben scheint, trotz der Tatsache, daß die brutale Besatzungspolitik auf viele junge Israelis, wie man uns berichtet, verrohend wirkt. Als Deutscher fragt man sich natürlich unwillkürlich, was von der Demokratie, was von Liberalität und Zivilität in unserem Land bei einer vergleichbaren Bedrohung wohl übrigbliebe. Die Frage ist, Gott sei Dank, hypothetisch. Aber einen Grund, uns den Israelis gegenüber als Lehrmeister in Sachen Demokratie aufzuspielen, haben wir als Deutsche sicher nicht. Ich habe bei meinen Besuchen in Israel immer deutlich zu machen versucht, daß ich die Besatzungspolitik der israelischen Regierung nicht nur wegen des Leids der Palästinenser, sondern auch aus der Sorge um die Menschen in Israel kritisiere, die für sich und ihre Kinder nichts dringender brauchen als Frieden. Ich fürchte, daß alles, was Israel mir so liebenswert macht, verlorengehen könnte, wenn eine gewisse Spielart der Othodoxen, wenn der religiöse Messianismus und die Militarisierung des Denkens immer mehr Einfluß auf das öffentliche Leben gewinnen. Nicht nur die islamischen, sondern auch die großjüdischen Fundamentalisten möchten ja am liebsten einen Gottesstaat errichten, weil sie, die Wortgläubigen, die ihre heiligen Texte ebenso wie die Islamisten und die Evangelikalen Buchstabe für Buchstabe verstanden wissen wollen, ironischerweise der Überzeugungskraft des Wortes nicht trauen, sondern in allem lieber auf autoritäre Gewalt und auf staatlichen Zwang setzen. Wie die iranischen Ayatollahs hassen auch sie nichts mehr als die westliche Demokratie, Humanismus, Rationalität und Toleranz.

Ohne klare Trennung von Religion und Staat, das ist die europäische Erfahrung, kann es keine Demokratie geben. In Israel ist diese Trennung von Anfang an nicht konsequent vollzogen worden. Das war so lange kein gravierendes Problem, solange der säkulare Zionismus im Land dominierte und das weitgehend säkularisierte Europa der wichtigste Bezugspunkt seiner Bevölkerung war. Aber im Laufe der letzten Jahrzehnte hat die Orientierung an Europa immer mehr nachgelassen und überall im Land haben die Kräfte Zustrom erhalten, die einer religiösen Aufladung der Politik das Wort reden.

Auch in den USA läßt sich ein ähnlicher Prozeß beobachten, auch in *God's own country* glauben immer mehr Menschen daran, daß die Bibel Grundlage der Politik sein sollte, und unter dem Präsidenten Gorge W. Bush haben diese Kreise einen erheblichen Einfluß auf die Politik des Weißen Hauses gewonnen. Während die Gründerväter der amerikanischen Demokratie, vor allem John Adams und James Madison, dem Christentum mit erheblicher Reserve begegneten und jede Vermischung von Religion und Politik verabscheuten, wird heute in den USA offen die Sakralisierung des Nationalen betrieben. »Die Trennung von Kirche und Staat«, so der protestantische Bischof Harold Ray von West Palm Beach in Florida, »ist eine Fiktion. Die Nation ist das Reich Gottes, und damit basta!«

Nur Europa, so scheint es, ist, bisher jedenfalls, gegen die theokratische Versuchung immun. Wenn es noch eine Chance gibt, die Katastrophe im Nahen Osten zu verhindern, dann wohl nur, wenn die Europäische Union sich im Nahen Osten mehr als bisher engagiert und das europäische Modell der Säkularisierung des Staates und der Privatisierung der Religion in Israel, vor allem aber in seinen mit ihm verfeindeten Nachbarstaaten, an Boden gewinnt.

Europa und Israel – eine schwierige Beziehung, so lautete das Thema, zu dem ich auf einer Versammlung in Tel Aviv im Jahre 2003 zu sprechen hatte. Natürlich auf Englisch, wie mittlerweile fast immer und überall bei internationalen Begegnungen. Mit auf dem Podium Fania Oz-Salzberger, Historikerin an der Universität Haifa und Tochter des Schriftstellers Amos Oz. Im Publikum wieder einmal vor allem das andere Israel, die Säkularen, die Linken und Friedensbewegten. Sie waren im Grundsatz einverstanden mit dem, was auf dem Podium von Fania und mir gesagt wurde: daß die Juden die *ersten Europäer* im strengen Sinn des Wortes waren, daß sie zu den ersten gehörten, die die Ideen des Humanismus und der Aufklärung propagierten und den Boden für eine Kultur der Toleranz, der Rationalität und der demokratischen Selbstbestimmung bereiteten. Zustimmung auch, als ich sagte: »Israel und Europa sind durch eine lange gemeinsame Geschichte miteinander verbunden, sie gehören zusammen, ob ihnen das gefällt oder nicht. Die Sache Israels ist auch die Sache Europas, wie die Tragödie des Konflikts zwischen Juden und Palästinensern auch unsere Tragödie ist.«

Erst als ich zu den Schlußfolgerungen kam, die aus dem Gesagten meiner Meinung nach zu ziehen waren, regte sich im Publikum hier und da Widerspruch. Daß die Juden im Lichte ihrer eigenen besseren Tradition die Hybris des *auserwählten Volkes* hinter sich lassen müßten, um sich ohne Vorbehalte als Teil der Völkergemeinschaft, Teil der europäischen Kultur begreifen zu können, leuchtete selbst diesem Publikum nicht durchweg ein. Auf einmal befanden wir uns mitten in einer Diskussion um *jüdische* und *israelische Identität*. Dabei hatte ich nur sagen wollen, daß die Israelis gut daran täten, UNO-Beschlüsse nicht arrogant beiseite zu wischen, wie es ihr Großverbündeter, die USA, so oft tut, wie es auch die palästinensischen und arabischen Extremisten tun, wenn sie das von der UNO garantierte Existenzrecht Israels in Frage stellen, und daß die UNO und die Europäer, wenn sie sich in den Konflikt zwischen Israel und den Palästinensern einmischen, sich nicht in fremde Angelegenheiten, sondern durchaus in ihre eigenen einmischen.

Ist es den Juden, den Israelis zumal, zumutbar, daß sie sich als ein Volk unter anderen begreifen? Oder hängt die nationale Identität notwendig mit der im Alten Testament verbürgten Auserwähltheit des Volkes Israel, dem »heiligen Samen« zusammen, von dem die religiösen Zionisten mit unverkennbar rassistischem Zungenschlag so gern reden? Und was ist dann mit den nichtjüdischen Bürgern Israels, immerhin ein gutes Siebtel der Bevölkerung, den Drusen, den sunnitischen, schiitischen, christlichen Palästinensern? Sollen sie auf ewig Bürger zweiter Klasse bleiben? Am Ende läuft alles wieder darauf hinaus, ob Israel sich als säkulare Gesellschaft und als säkularen Staat begreift oder nicht. Die Rede vom »auserwählten Volk«, sagt ein Diskussionsredner, ist doch eine bloße Chimäre. Schauen Sie sich doch mal im Land um. Wir sind doch gar kein Volk, sondern eine Ansammlung von gegeneinander abgeschlossenen Parallelgesellschaften. Und je mehr die Gesellschaft zerfällt, um so dröhnender das Gerede von der »jüdischen Identität«.

Später im Hotel stehe ich am Fenster und schaue auf den herrlichen breiten Strand von Tel Aviv. Zwischen den Sonnenbadenden und den Ballspielern haben sich hier und da obdachlose Familien niedergelassen. Auch das gab es vor einigen Jahren noch nicht, diese auffällige Armut, Menschen, die am Strand ihr ärmliches Essen bereiten und im Sand schlafen, Bettler auf den Straßen und Plätzen von Tel Aviv. Die Kriminalität, hat mir ein Soziologe erzählt, sei in den letzten Jahren sprunghaft angestiegen: Diebstahl, Raub, Totschlag, Mord. Und die Selbstmordrate auch. Für die religiösen Zionisten nichts als Bestätigungen ihres Wahns. Der Humanismus ist schuld, die Abkehr von der Religion der Vorfahren, der säkulare Staat und die Politiker, die statt, wie ihnen von Gott aufgetragen, das ganze Heilige Land zwischen Ägypten und dem Euphrat zu beanspruchen, sogar Teile von Judäa und Samaria – der sogenannten Westbank – und den Gazastreifen an die Palästinenser abzutreten bereit sind.

Das Telefon klingelt, eine Frauenstimme, sie spricht deutsch. Ob sie sich einen Augenblick mit mir unterhalten könne. Wenn möglich, jetzt gleich. Sie warte unten in der Halle auf mich. Als ich aus dem Lift trete, kommt sie auf mich zu, eine alte Dame in einem altmodischen verschlissenen Mantel, ihr Gesicht erstaunlich faltenlos, nur die Lider hängen müde herab.

Ich war vorhin bei der Diskussion auf der Rathausterrasse, sagt sie, als wir uns gesetzt haben. Ich hatte gehofft, Sie würden Ihren Vortrag auf deutsch halten, aber leider haben Sie Englisch gesprochen.

Sie hält einen Augenblick inne, die schweren Lider heben sich, sie schaut mich prüfend an.

Ich liebe die deutsche Sprache, müssen Sie wissen. Aber in diesem Land gibt es kaum noch jemand, der sie spricht. Die einen haben sie nie gelernt und die anderen glauben immer noch, die Sprache von Goethe, Thomas Mann, Heinrich Böll und Günter Grass sei dieselbe wie die der Nazis.

Es wurde ein langes und intensives Gespräch. Was ich schriebe, wollte sie wissen, notierte sich Titel auf einem kleinen Block, den sie aus der Manteltasche fischte.

Und Berlin? Wie es am Kurfürstendamm jetzt aussehe und im früheren Ost-Berlin? Ob ich wisse, wo die Oranienburger Straße sei? Da habe sie mal gewohnt, gleich neben der Synagoge.

Als der Kellner kam, bestand sie darauf, meinen Kaffee zu bezahlen. Ich sah, wie sie mit zittrigen Fingern die Münzen aus ihrem Portemonnaie klaubte und auf den Tisch zählte.

Kommen Sie wieder! sagte sie zu mir, als sie ging. Es ist wichtig, daß Sie wiederkommen!

Es klang dringlich, fast wie ein Hilferuf.

Ja, sagte ich. Ich werde wiederkommen.

Sie war längst fort, als mir einfiel, daß ich gar nicht wußte, wie sie hieß. Sie hatte sich nicht vorgestellt, und ich hatte vergessen nach ihrem Namen zu fragen. Viel später, als ich wieder mal in Berlin war, ging ich durch die Oranienburger Straße, und als ich auf der anderen Straßenseite die Synagoge sah, dachte ich: Hier irgendwo, in einem dieser Häuser, muß sie gewohnt haben, bis die Nazis sie vertrieben. Ein Polizist, der vor der Synagoge auf und ab ging, blieb stehen, musterte mich mit einem mißtrauischen Blick. Dort oben im dritten Stock! Für einen kurzen Augenblick bildete ich mir ein, ich hätte ihr faltenloses Gesicht mit den schweren Lidern hinter einem der Fenster gesehen. Nur einen Wimpernschlag lang. Dann rief ich mich selbst zur Ordnung, ehe der Traum, der all das aktenkundige Grauen ungeschehen machen wollte, sich schwelgerisch ausbreiten konnte. Ich bemerkte, daß der Polizist wieder begonnen hatte, vor der Synagoge auf und ab zu gehen, ohne mich weiter zu beachten. Die Realität. Sie mag uns noch so widersinnig erscheinen, es ist ihre verfluchte Hartnäckigkeit, die uns zwingt, sie anzuerkennen.

26

MEINE LANDSCHAFTEN

Die Landschaft meiner Kindheit hat mich nie losgelassen, auch dann nicht, als ich längst in der Pfalz, in Mainz, in Berlin und schließlich am Starnberger See lebte. Manchmal steigen auch heute noch ohne erkennbaren Anlaß die Bilder aus der Erinnerung auf: taunasse Wiesen, glänzend in der Morgensonne, das schuppige Rot der Föhren, das winterfahle Gras an einer Böschung, wo ich mich im Schutz einer Schlehdornhecke in der Märzsonne wärme, ein stiller Fluß, das Wasser dunkelgrün unter tiefhängenden Ästen, die schwarzen Scherenschnitte der Eichenkronen gegen den hellen Abendhimmel. Auch die Gerüche und die Laute stellen sich ein, der Duft, der aufsteigt, wenn in der Nachmittagsschwüle der Regen in schweren Tropfen auf den Sandboden fällt, der Schrei der Bekassinen in den Wümmewiesen, das leise Flirren der Pappeln im Sommerwind.

Als Kind bin ich jahrelang jeden Morgen um halb sieben, den Schulranzen auf dem Rücken, zum zwei Kilometer außerhalb unseres Dorfes gelegenen Bahnhof gelaufen. Bei jedem Wetter, und fast immer allein. Die Straße führte am Sägewerk vorbei, durch tiefliegende Wiesen, eine Brücke über einen Bach mit moorigem Wasser, dann nach links einen flachen sandigen Hügel hinauf, Ginsterbüsche gab es hier und dazwischen schüttere Kartoffelfelder. Bis zum Bahnübergang ging es geradeaus, dann rechts ab ein Stück an den Gleisen entlang bis zum Bahnhofsgebäude. Ich glaube, Kinder sind Animisten. Oder Pantheisten. Jedenfalls hatte ich nie das Gefühl, allein zu sein, wenn ich am Morgen diesen Weg zurücklegte. Alles sprach zu mir, der Wind, die Bäume, die Vögel, das fast lautlos dahingleitende braune Wasser des Baches, die struppigen Ginsterbüsche. Es war nichts

Besonderes, nichts, worüber man hätte reden müssen, ich gehörte ganz selbstverständlich dazu. Es war *meine* Landschaft, so wie man *meine Familie* sagt.

Die Landschaft meiner Kindheit, das ist die Landschaft des nördlichen Niedersachsens, die Sandhügel, die Moore, die Flußniederungen, die kargen Heideflächen und die lichten Föhrenwälder. Von den früheren Eindrücken aus meinem Geburtsland Holland ist mir nicht viel im Gedächtnis geblieben, allenfalls vage Bilder von Wassergräben voller Entengrütze und vom Deich bei Bergen op Zoom mit einem blankgeputzten Himmel darüber. Alles andere stammt von den späteren Besuchen bei meinen Großeltern in Leeuwarden, als wir – ich war zehn oder elf Jahre alt – mit dem Dampfer über Kanäle und Seen bis nach Grouw fuhren und das Schiff mitten in einem riesigen Seerosenfeld auf Grund lief und erst wieder freikam, nachdem alle Passagiere sich unter dem Kommando des Kapitäns auf dem Deck ein paar Mal von links nach rechts und wieder zurück bewegt hatten.

Später habe ich festgestellt, daß noch ganz andere Landschaftsbilder in mir existierten. Woher sie stammen, weiß ich nicht. Aber als ich in die Pfalz kam und zum ersten Mal die Gartenlandschaft sah, die sich vor dem Pfälzer Wald hinzieht, diese sanftgewellten Reben-, Obst- und Gemüsefelder mit dem blauen Dunststreifen des Gebirges dahinter, da war es ein staunendes Wiedererkennen. Ebenso ging es mir, als ich Jahre später zum ersten Mal durch die Poebene fuhr und die lastende Hitze wie flüssiges Blei über der Landschaft lag, oder noch später im Garten des Hotels Cipriani in Ásolo oder auf der Terrasse des Klosters Rosazzo bei Udine, von wo man viele Kilometer weit in die blühende Ebene blicken kann. Selbst der Starnberger See mit der schneebedeckten Zugspitze an seinem südlichen Ende war mir wer weiß woher vertraut, als ich ihn zum ersten Mal sah. Möglich, daß ich die arkadisch heiteren und elegischen Landschaftsbilder Gemälden abgeschaut habe, die ich in Museen oder Bildbänden sah. Möglich auch, daß ich sie lesend und träumend selbst erzeugte.

Meist sind es nicht die spektakulären Ansichten, die mich gefangennehmen, nicht eine steil aufragende schroffe Felswand, nicht das tosende Meer, die endlose Weite von Steppen und Wüsten, das, was in der Ästhetik des 18. Jahrhunderts »das Erhabene« genannt wurde. Meine Landschaften sind Menschenlandschaften, Landschaften, in denen die Menschen ihre Spuren hinterlassen haben, in denen sie nicht nur als Betrachter, sondern als Bewohner vorgesehen sind. Ein rotes Ziegeldach unter Eichen, ein windschiefer Schuppen aus alten silbriggrauen Brettern, eine rostfleckige Badewanne auf einer Viehweide, sie gehören zu meiner Landschaft dazu wie die Wolken und der Wind. Vielleicht, denke ich manchmal, suche ich in der Natur nur immer wieder nach jenem Garten, der nach Auskunft so vieler heiliger Schriften als Paradies am Anfang stand und, wenn wir Glück haben, uns am Ende wieder erwartet. Nur daß der in meinem Fall so ganz verschieden ausfallen kann: karg wie der Garten meiner Kindheit oder strahlend und strotzend vor Überfluß oder todesmatt glänzend in melancholischem Licht.

Ins Freie gehen. In meiner Kindheit hieß das beim Bauern Hastedt übers Gatter klettern und durch die Wiese auf den Waldrand zu. Feucht und kühl war der Boden unter den nackten Füßen, die Spur im hohen Gras noch lange sichtbar. Das Gelb der Butterblumen, das bläuliche Rot des Sauerampfers. Eine Lerche hoch oben in der Luft, mit den Augen kaum auszumachen. Das Gefühl ist sofort wieder da, wenn ich heute auf einem Hügel das Auto parke und ein paar Schritte ins Land hinein tue: Aufbruch und Heimkehr in einem. Ich blicke mich um. Die Wiese, der Waldrand. Auf einem Zaunpfahl ein Bussard, unbeweglich, als wäre er selbst nichts als ein Stück Holz. Ich erkenne ihn wieder, und ich bin sicher, daß er auch mich auf Anhieb erkannt hat, auch wenn er es sich nicht anmerken läßt.

Nach dem Abendessen auf dem Hof im Nachbardorf, wo mein Bruder Louis und ich dem Bauern bei der Kartoffelernte geholfen haben. Wir liegen nebeneinander im Gras und schauen in den Himmel. Der Himmel ist unglaublich hell, und vor dem hellen Himmel flatternd die schwarzen Fledermäuse. Wenn man die Mütze durch die Luft segeln läßt, kann es passieren, daß sich eine Fledermaus darauf setzt und mit ihr im Gras niedergeht. Dann ist sie gefangen, weil sie nur von einem erhöhten Ort zum Flug starten kann. Heute versuchen wir keine Fledermäuse zu fangen. Wir liegen nur im Gras, noch heiß von der sengenden Sonne auf dem Feld, spüren die feuchte Kühle, die sich vom Bach her ausbreitet, und sehen, wie in der Senke vor dem Wald sich ein erster Nebelstreifen bildet. Auch dieses Bild liegt abrufbar in meinem Kopf, bereit sich in jedes abendliche Landschaftsbild zu mischen, das mir gerade vor Augen steht.

Oder die Winterbilder. Die endlosen Eisflächen der Wümme- und Hammeniederung, auf den überschwemmten Wiesen liegt das Eis fast direkt auf dem Gras, an manchen Stellen kann man die eingefrorenen Halme sehen. Spiegeleis, Windeis. Die Kopfweiden an den Gräben entlang sind schwarz und sehen wie verwundet aus. Stundenlang laufen wir auf Schlittschuhen gegen den Wind, bis wir in der Ferne die Türme von Bremen sehen können. Dann geht es mit dem Wind im Rücken zurück. Wenn wir nach Haus kommen, sind wir hungrig wie die Wölfe. Was gibt's zu essen, rufen wir noch in der Tür. Oder nachts bei Mondschein im Garten hinter dem Haus. Die Wäsche an der Leine zwischen den Apfelbäumen ist steif gefroren, wie Bretter liegen die Stücke auf meinen Armen. Es ist kurz vor Vollmond, alles ringsum weiß von Licht, und der Frost webt Silberfäden in die Luft.

Es sind die Stadtmenschen, die die wirksamsten Sehnsuchtsbilder der Natur entworfen haben. Und wenn sie aufs Land ziehen wie so viele großstadtmüde Dichter und Maler, dann fahnden sie, wo immer sie hinkommen, nach diesen Bildern. Ihre ahnungsvolle Unruhe treibt sie auf verschwiegenen Pfaden umher, und manchmal läßt sie sie Dinge entdecken, die den Einheimischen verborgen geblieben sind. Auch ich bin ein Stadtmensch, jedenfalls zum Teil. München, Berlin, London, Paris und Rom, sogar so ferne und mir so fremde Städte wie New York, San Francisco, Tokio üben auf mich eine starke Faszination aus. Aber jedes Mal, wenn wir unsere Freunde Marina und

Heinrich in Hellwege bei Bremen besuchen, ist es für mich, als kehrte ich nach Haus zurück. Gleich nach der Begrüßung und noch ehe wir uns zu Kaffee und Butterkuchen an den Tisch setzen, schleiche ich mich hinaus, gehe den von Birken gesäumten Pfad hinunter zur Wümme, um einige Minuten mit meiner Landschaft allein zu sein. Mit den Pappeln und Erlen am Ufer, mit dem Wind und den eilig dahinziehenden Wolken.

Es ist nichts Sensationelles an dieser Landschaft. Man muß schon genau hinsehen, um die Bruchlinie zu erkennen, die Marsch und Geest voneinander trennt. Eine Landschaftsstufe, manchmal nicht mehr als einen halben Meter hoch. Es sind verschiedene Lebensräume, die hier aneinanderstoßen: unten die Marsch mit Erlen, Pappeln, Weiden, breithalmigem fetten Gras, oben die Geest mit Föhren, Wacholder, Heidekraut, mit Brombeerbüschen und Heckenrosen und Büscheln dünnen harten Grases im hellen Sand. Vom Moor, das die Maler einst in diese Gegend zog – Worpswede ist nicht weit und das idyllische Fischerhude –, ist nicht mehr allzuviel übriggeblieben. Der Torf, früher von Hand gestochen und in kleinen Pyramiden zum Trocknen aufgeschichtet, bevor er im Ofen verbrannt wurde, wird heute mit großen Baggern abgegraben und in Plastiksäcken abgefüllt als Gartenerde verkauft. Übriggeblieben sind die Kanäle, auf denen der Torf früher transportiert wurde, und moorige Tümpel mit Binsen und Wollgras an den Rändern und mit Libellen, die schwirrend darüber in der Sonne stehen. Und das Licht, dieses diffuse Licht, das sich wie ein Film über die Landschaft legt, das die Dinge von innen leuchten läßt, wenn es zu dunkeln beginnt.

Kann es sein, daß die Landschaft des Nordens weniger *gegenständlich* ist als die Landschaft am Starnberger See? Hier am Starnberger See haben die Dinge eine Haut, die Häuser, die Koppeln, die Zäune, die Hecken, alles wie auf einer Kinderzeichnung, ein einzelner Schattenbaum auf dem Feld, deutlich markiert, mit klaren Umrissen, sogar der Himmel ist unzweideutig. Und wenn man bei föhnigem Wetter von Aufkirchen aus nach Süden blickt, hat man die Alpenkette *zum Greifen nah* vor den Augen, geradezu aufdringlich nah ist sie und doch unerreichbar fern. Ein majestätischer Anblick, ein Machtwort der Natur, das einen verstummen läßt.

Ich erinnere mich an die USA-Reise, die ich mit dem vierzehn-jährigen Felix unternahm. Wir standen auf einer Art hölzerner Veranda und schauten fast tausend Meter tief in den Grand Canyon hinab, und auf einmal verstand ich, daß die spanischen Eroberer, die von Süden kommend den Canyon entdeckten, sich bei seinem Anblick auf die Knie warfen und ihren Gott um Gnade anflehten. Das Maßlose, das alles menschliche Maß Übersteigende löst unvermeidlich einen heillosen Schrecken in uns aus. Schrecken, nicht Ehrfurcht. Vielleicht glaubten die Spa-nier auch, vor dem offenen Schlund der Hölle zu stehen. Auch ich spürte diesen wilden Schrecken. Dies war kein Ort für Men-schen, selbst wenn es hier von Touristen wimmelte. Aber die würden sich ja auch, wie das kürzlich eine amerikanische Mil-lionärin gemacht hat, für einen Kurzurlaub ins Weltall schießen lassen, wenn das für sie erschwinglich wäre.

Meine Landschaft ist Natur nach menschlichem Maß, eine Erinnerung an, vielleicht auch ein Vorschuß auf den Garten Eden. Üppig wie im Norden Italiens oder melancholisch getönt mit dem morbiden Charme verblichener Pracht. Vor allem aber in der ärmlichen Kleine-Leute-Version meiner norddeutschen Heimat. Das Große und Kühne dagegen, die gleichgültige Weite, das Wüste und Gewaltsam-Überwältigende dringt nicht wirk-lich in mich ein. Ich stehe davor, staunend, verzagt und ein wenig verstockt wie ein störrisches Kind. Ich lasse es nicht an mich heran. Weil Landschaft für mich eine Herzenssache ist. Und in Herzenssachen sind wir bekanntlich alle unbelehrbar.

27

Skepsis, Zweifel, Glaube

Als meine Familie nach dem Krieg aus Holland nach Deutschland kam, konvertierte meine Mutter mitsamt ihren Kindern zum Katholizismus. In Holland waren wir *gereformeerd* gewesen, hatten also einer eher kalvinistischen Spielart des Protestantismus angehört, ohne daß das für uns Kinder viel bedeutet hätte. Nun wurden wir Katholiken, weil hier, im nördlichen Niedersachsen die Einheimischen protestantisch, die Flüchtlinge aber, in der Mehrzahl Schlesier, katholisch waren. Nach Meinung meiner Mutter gehörten wir zu den Flüchtlingen, obwohl wir aus der falschen Richtung, nämlich aus Westen gekommen waren. Der katholische Pfarrer versprühte in unserer Wohnung Weihwasser, die schlesische Nachbarin schenkte meiner Mutter einen Rosenkranz und einmal in der Woche kam Fräulein Nölke auf dem Motorrad angefahren und brachte uns Diasporakindern den Katechismus bei. Der Katechetin mit dem Motorrad habe ich im *Klang der Fanfare* ein kleines Denkmal gesetzt.

Ich bin nicht sicher, ob ich je im Sinne der Kirche gläubig war. Was Fräulein Nölke uns lehrte, was der Pfarrer am Altar sagte und tat, das war nicht meine Sache. Es war die Sache der Erwachsenen, die von uns Kindern erwarteten, daß wir mit Ernst und Aufmerksamkeit daran teilnahmen. Louis, der Gutmütige, ließ sich überreden, Messdiener zu werden. Weil ich mich weigerte, folgte ihm Wilhelm, der jüngste von uns Brüdern, einige Jahre später auf den Altarstufen nach. Aber Wilhelms Karriere endete abrupt, als eines Sonntags, während der Messe, in dem Weihrauchkessel seines Messdienerkollegen Knallplätzchen explodierten und Wilhelm, vermutlich zu Recht, von Pfarrer Hermann verdächtigt wurde, sie dort plaziert zu haben. Ich besuchte sonntags die Messe in einer zur »Kapelle« erklärten Baracke, mit neun ging ich zur ersten Kommunion, mit dreizehn wurde ich gefirmt, und am Heiligen Abend stand ich trotz lähmender Müdigkeit die Mitternachtsmesse tapfer durch. Aber wirklich ergriffen hat mich von alledem nichts. Wenn ich meine kindlichen Vergehen gebeichtet hatte, riß ich zumeist die als Buße aufgegebenen fünf »Gegrüßet seist du, Maria« und fünf »Vaterunser« noch während der anschließenden Messe herunter. Und als ich das Abitur hinter mich gebracht hatte und meine Mutter mir mit Hilfe des Pfarrers einzureden suchte, aufs Priesterseminar nach Alfeld an der Leine zu gehen – ihr vermeintlich stärkstes Argument war das Stipendium, das die Kirche mir anbot –, trat ich kurzerhand aus der Kirche aus und verdiente mir mein Studium selbst.

Weil ich so früh mit der Kirche brach, ist bei mir kein Haß auf sie zurückgeblieben. Der Ablösekampf liegt zu lange zurück. Das Christentum, die Religion überhaupt, ist für mich heute ein Gegenstand des besorgten und wohlwollenden Interesses, die Kirche eine Institution, die ich mit gemischten, keineswegs durchweg negativen Gefühlen betrachte. Als ich im Jahr 1963 von Köln nach Mainz zog, um mein Studium der Philosophie zu beginnen, hatte ich eine Doré-Bibel im Gepäck, zwei schwere in Schweinsleder gebundene Folianten, die einen ganzen Koffer füllten. Ich hatte sie von einem Freund erworben, einem Pfarrerssohn, der gerade in seiner Vergangenheit aufräumte: für ganze einhundertundfünfzig Mark. Ich weiß noch, wie ich eines Tages darin bei Matthäus 27, 46 eine Version des Kreuzestodes Christi entdeckte, die mir von Fräulein Nölke vorenthalten worden war und die mir die Bibel als Lektüre wieder interessant werden ließ.

Ich entdeckte den Bibelvers durch Zufall und war erschüttert: ein Gott, der in seiner Verlassenheit zum Himmel schreit wie ein Mensch. Mir war, als würde der Vorhang weggezogen und mir für einen kurzen Moment die Wahrheit enthüllt. Hatten wir nicht im Religionsunterricht bei Lukas 23, 46 gelesen: »Und Jesus rief laut: Vater, ich befehle meinen Geist in deine

Hände! Und als er das gesagt hatte, verschied er?« Das war die hagiographische Lesart, die uns von Fräulein Nölke angeboten wurde. Daß es da auch noch eine andere Version gab, ahnten wir nicht. Erst die Entdeckung dieses *Eli, Eli, lama asabtani?*, Mein Gott, mein Gott, warum hast du mich verlassen?, hat mein Interesse für die Bibel geweckt. Auf einmal waren es nicht mehr nur jene uns mit Vorliebe angedienten Geschichten von übermenschlicher Güte und Leidensfähigkeit, von heroischem Lebenswandel, Wundertaten, Verklärung und Himmelfahrt. Ich las fortan die Bibel anders, suchte darin nach Zeugnissen und Spuren, die mit realen Menschen, ihrem Leben, ihren Hoffnungen, ihrer Verlassenheit, ihrem ehrlichen Bemühen und ihrer Schwäche zu tun hatten. Und als ich bei genauerer Lektüre der Evangelien viele weitere Unterschiede und innere Widersprüche entdeckte, wurde mir dieses Buch sympathisch. Weil sich das angebliche Wort Gottes als Menschenwerk herausstellte und sich damit auf einmal in meiner Reichweite befand.

»Liebe deinen Nächsten wie dich selbst« – für einen Sozialisten kein schlechtes Lebensmotto. Früh kam ich mit Christen in Kontakt, die ihr politisches Engagement aus der Bibel, aus dem Neuen Testament, vorzugsweise aus der Bergpredigt begründeten. Franziskaner in Brasilien, die der Befreiungstheologie anhingen, Jesuiten in Nicaragua, die die Sandinisten unterstützten, eine Pfarrerin und ihre Gemeinde, die Menschen Kirchenasyl gewährten, die vom Staat in den sicheren Tod abgeschoben werden sollten, Protestanten in der DDR, die aus Jesajas Utopie einer in Frieden geeinten Menschheit – »Schwerter zu Pflugscharen« – handfeste Hoffnung schöpften, Menschen allesamt, die, ohne viel Aufhebens von ihrem Glauben zu machen, ihn als Anleitung zu praktischer Menschenliebe verstanden. Ihnen fühlte und fühle ich mich zugehörig.

War dies das eigentliche, das wahre Christentum? Ich hätte es vielleicht gern geglaubt. Aber da gab es die anderen Christen, die den Diktatoren zur Hand gingen, die den Armen und Ausgebeuteten predigten, daß jede Obrigkeit, die christlich verbrämten Diktaturen Salazars in Portugal und Francos in Spanien, sogar das blutrünstige Regime Augusto Pinochets in Chile, von Gott sei und daher Respekt verdiene, die die Waffen des Militärs segneten und den Krieg als die große Bewährungsprobe für die Christenmenschen priesen.

Auch diese anderen Christen konnten sich auf die Bibel berufen. Ihr Gott war der eifersüchtige, blutrünstige Gott des Alten Testaments, der grausam Rache nimmt und erbarmungslos bestraft, der die Feinde Israels mitsamt ihren Frauen und Kindern ausrottet, der die Seinen auffordert, »Mann und Frau, Kinder und Säuglinge, Rinder und Schafe, Kamele und Esel zu töten« (1. Samuel 15:3), zu dessen höheren Ehre Hexen und Ketzer verbrannt, in dessen Namen die Kreuzritter bei der Eroberung Jerusalems Zehntausende wehrloser Muslime und Juden abschlachteten. Je mehr ich in der Bibel las, um so mehr sprangen mir die vielen Stellen ins Auge, an denen Mord und Totschlag im Namen des rechten Glaubens verübt und gerechtfertigt werden. Selbst im Neuen Testament kommt er wieder zum Vorschein, der Kriegsgott des Alten Testaments, in der Gestalt des Messias als brutalen Kriegsherrn, wie ihn die Johannes-Apokalypse zeichnet. Die Offenbarung des Johannes, in weiten Teilen eine einzige krankhafte Vernichtungsphantasie, ein halluzinierter millionenhafter Mord an Andersdenkenden, der sich als Triumph der Rechtgläubigkeit meint legitimieren zu können.

Der Philosoph Michel de Montaigne hat im Frankreich des 16. Jahrhunderts erlebt, wohin es führt, wenn die Verwalter eherner Gewißheiten, zu seiner Zeit dogmatische und machtbesessene Katholiken auf der einen und sektiererische, von Calvin inspirierte hugenottische Eiferer auf der anderen Seite, einander den rechten Glauben um die Ohren schlagen. Er hat aus dem Morden im Namen des Höchsten seine skeptischen Konsequenzen gezogen. Als ich zum ersten Mal seine *Essais* las, spürte ich den Wärmestrom eines Denkens, das der Erde und der Erfahrung irdischer Menschen verhaftet bleibt und sich nicht Gewißheiten anmaßt, die uns nicht zur Verfügung stehen, das vom Leben spricht und sich selbst als Teil dieses Lebens begreift. Bei den französischen Moralisten lebt dieser Geist fort, bei dem frühen Aufklärer Pierre Bayle, in Lessings *Nathan der Weise,* bei Kant, Camus und bei Ludwig Marcuse. Sich auf den Standpunkt der Vernunft stellen, heißt auch akzeptieren, daß wir vieles nicht so genau wissen und manches gar nicht. Es bedeutet vor allem den Verzicht darauf, seine Mitmenschen mit angeblich geoffenbarten Wahrheiten zu überwältigen.

Was viele sich nicht klarmachen, ist, daß dem skeptischen Denken durchaus eine Grundüberzeugung, wenn man so will, ein Glaube zugrunde liegt: Es ist der Glaube an den Wert eines jeden Menschen, die Überzeugung, daß das Leben in seiner Vielfalt unsere Achtung, ja, unsere Liebe verdient. Aus Achtung vor den Mitmenschen, aus Achtung vor ihren Überzeugungen und Lebensentwürfen verbietet es sich, die eigenen Überzeugungen und Lebensentwürfe für allgemeingültig, heilig, geoffenbart zu erklären und sie anderen aufzuzwingen. Skeptiker sind geborene Pluralisten, aber nicht aus Gleichgültigkeit ihren Mitmenschen gegenüber, sondern aus Achtung vor ihrer Individualität. Weil sie neugierig sind und Anteil nehmen am Leben anderer, weil sie bezüglich der Dignität und der Reichweite des eigenen Wissens Zweifel hegen, sind Skeptiker dialogische Pluralisten. Nur in einem Punkt wissen sie sich auf festem Grund, nämlich, wenn es um ihr Menschenbild geht, in dem die Menschenwürde und die sich daraus herleitenden Menschenrechte den lebendigen Kern bilden, in dem unsere Endlichkeit und damit die Begrenztheit unseres Denkens und Handelns immer mitgedacht wird. Nur wer dieses Menschenbild teilt, kann den anderen in seiner Andersheit respektieren und seinen eigenen Evidenzen gegenüber eine skeptische Zurückhaltung üben.

Das Problem der Religion ist, daß sie aufs Ganze geht. Das ist ihre notwendige Anmaßung, die wir nur ertragen können, wenn sie von Menschen gelebt wird, die sich ihrer eigenen Grenzen, der historischen Bedingtheit aller menschlichen Hervorbringungen – unter Einschluß der heiligen Texte! – bewußt sind. Daß die Religion sich mit dem ganzen Menschen, mit dem Ganzen der Existenz, ihrem Ursprung, ihrem Sinn, ihrem Ziel befaßt, kann man ihr nicht vorwerfen. Aber wer durch Aufklärung und Moderne hindurchgegangen ist, dem kann, wenn er sich nicht selbst betrügt, nicht verborgen bleiben, daß es ein wortwörtlich sicheres Wissen über dieses Ganze, über die sogenannten *letzten Dinge* nicht gibt und nicht geben kann. Wer dennoch auf Offenbarung pocht – sei er Christ, Moslem, Jude oder Hindu –, ist ein Obskurant. Und, was noch schlimmer ist, er versündigt sich an seinen Mitmenschen, weil er mit der Berufung auf eine ihm zuteil gewordene Offenbarung jedes Gespräch willkürlich abschneidet. Was schon die frühen Aufklärer uns einzuschärfen versuchten, gilt es heute wieder ins Bewußtsein zu heben: Offenbarungsreligionen sind in der Tendenz intolerante, meistens sogar – latent oder offen – kriegerische Religionen. Sie bedürfen der gründlichen Selbstkritik und Selbstreinigung, wenn sie für die Demokratie und das friedliche Zusammenleben der Menschen tauglich gemacht werden sollen.

Gerade heute, da überall auf der Welt, keineswegs nur im Islam, ein aggressiver Fundamentalismus wieder um sich greift, der die schamloseste Bevormundung anderer Menschen, die Verfolgung Andersgläubiger, der Mord und blutige Terrorakte als Vollstreckung göttlichen Willens versteht und der seine Kriege wieder im Namen Gottes führt, ist es wichtig, den Blick für die lebensfeindliche, barbarische Seite der Religionen zu schärfen. Zweifellos benötigt gerade der Islam, besonders im Iran und in großen Teilen der arabischen Welt, heute dringend eine kritische Revision, wie sie Reformation und Aufklärung für das Christentum – zumindest ansatzweise – geleistet haben. Aber angesichts des Zulaufs, den christliche Evangelikale, zungenredende Pfingstler und dogmatische Dispensionalisten nicht nur in den USA, sondern auch bei uns haben, angesichts der Tatsache, daß auch die Vertreter christlicher Glaubensgemeinschaften, allen voran die so mediengewandten katholischen Hierarchen, neuerdings wieder den Raum der Öffentlichkeit, der in der Demokratie vor allem dem Citoyen, und nicht dem Gläubigen, reserviert ist, in unangemessener Weise zu besetzen trachten, meine ich, daß auch das verfaßte Christentum einer – erneuten und gründlicheren – kritischen Revision bedarf.

Dies muß und sollte nicht dazu führen, daß man in säkularistischem Übereifer der Religion als solcher ihr Recht abspricht. Ich weiß wohl, daß es auch einen Dogmatismus der Vernunft gibt: die als Rationalismus verkleidete Geschichtsmetaphysik des Marxismus-Leninismus beispielsweise, der glaubte den Gang der Geschichte zweifelsfrei erkennen zu können, oder der platte Szientismus unserer Tage, der vorgibt, alle Rätsel des Lebens und der Existenz mit naturwissenschaftlichen Mitteln lösen zu können. Nicht nur der religiöse Dogmatismus, *jeder* Dogmatismus ist eine Anmaßung, und wo diese Anmaßung handlungsleitend wird, vergiftet sie das Zusammenleben der Menschen und führt zu Intoleranz und Gewalt.

Jürgen Habermas hat in seiner Rede anläßlich der Entgegennahme des Friedenspreises 2001 unsere Gesellschaft – mit einem unüberhörbaren normativen Nebensinn – als »postsäkulare Gesellschaft« bezeichnet und sich für ein pragmatisches Arrangement zwischen Religion und säkularer Wissenschaft ausgesprochen. »Bisher«, so Habermas, »mutet der liberale Staat nur den Gläubigen unter seinen Bürgern zu, ihre Identität gleichsam in öffentliche und private Teile aufzuspalten.« Dies führe aber zu einem »unfairen Ausschluß der Religion aus der Öffentlichkeit«, der um so unberechtigter und am Ende wohl auch schädlicher sei, als damit auch die religiösen Grundlagen von Demokratie und Rechtsstaatlichkeit verleugnet würden. Unsere Gesellschaft würde sich nur dann »nicht von wichtigen Ressourcen der Sinnstiftung abschneiden, wenn sich auch die säkulare Seite einen Sinn für die Artikulationskraft religiöser Sprachen bewahrt«. In einer 2005 erschienenen Aufsatzsammlung unter dem Titel *Zwischen Naturalismus und Religion* hat Habermas diesen Grundgedanken genauer ausgeführt. Über das postsäkulare Bewußtsein heißt es da: »Unter agnostischen Prämissen enthält es sich einerseits des Urteils über religiöse Wahrheiten und besteht (in nicht-polemischer Absicht) auf einer strikten Grenzziehung zwischen Glauben und Wissen. Auf der anderen Seite wendet es sich gegen eine szientistisch beschränkte Konzeption von Vernunft und den Ausschluß der religiösen Lehren aus der Genealogie der Vernunft.«

Kein Zweifel, ein weises Arrangement. Ich selbst freilich kann mich nicht immer »des Urteils über religiöse Wahrheiten« enthalten, zum einen, weil ich mir der religiösen Wurzeln unserer säkularen Ordnung durchaus bewußt und daher immer schon Betroffener bin, und zum andern, weil einige dieser religiösen *Wahrheiten* – vielleicht sollte ich eher sagen: dieser *angeblichen* Wahrheiten – sich bis heute immer wieder als Quelle und Deckmantel menschenverachtender Praktiken erweisen. So sehr ich Habermas zustimme, daß wir dem Religiösen nicht in säkularistischer Arroganz jedes Recht auf öffentliche Artikulation absprechen sollten, so entschieden bin ich allerdings der Meinung, daß im öffentlichen meinungsbildenden Diskurs die Berufung auf ein geoffenbartes Wissen illegitim ist und bleiben sollte.

Überhaupt hat meine eigene Auffassung von Religion und Religiosität weniger mit *Wahrheiten* als mit einer *geistigen Haltung* und mit daraus sich ergebender *Lebenspraxis* zu tun. Ich gebe nicht vor zu wissen, was ich nicht weiß und wahrscheinlich nie wissen werde. Aber ich mag mich auch nicht dümmer stellen, als ich bin, wenn es darum geht, zu erkennen, worin meine Verantwortung mir selbst und meinen Mitmenschen gegenüber besteht. Und wenn ich, was oft genug vorkommt, dennoch nicht tue, was ich tun sollte, dann hilft es mir auch nicht, wenn ich mich hinter der *Eigenlogik* der Systeme zu verstecken suche und mich auf *Sachzwänge* herausrede, statt mich meiner Verantwortung zu stellen.

Für mich hat die bisherige Geschichte in hinlänglicher Deutlichkeit gezeigt: Wer als Mensch unter Menschen menschlich leben will, der sollte sich lieber an die Zweifler halten und die dogmatischen Alleswisser und selbstgewissen Glaubensathleten meiden. Ich für meinen Teil habe jedenfalls beschlossen, den Zweifel zuzulassen, ihn nicht zwanghaft abzuwehren; er gehört zur *condition humaine* wie die Verantwortung für unser Handeln, von der uns keine noch so ausgefuchste Argumentation entlasten kann. Es mag beschwerlich sein – und manche scheuen deshalb davor zurück –, sich auf das Abenteuer der Vernunft einzulassen, wenn am Ende keine garantierten Gewißheiten zu erwarten sind. Aber wenn man das Unheil bedenkt, das in der Geschichte der Menschheit von denjenigen angerichtet wurde und angerichtet wird, die sich Hals über Kopf in den Glauben stürzen und sich *keine* Zweifel gestatten, die ihre Meinungen und ihre Handlungsanweisungen direkt aus ihnen angeblich zuteil gewordener göttlicher Offenbarung beziehen, dann tun wir, glaube ich, alle gut daran, uns in unseren privaten und öffentlichen Angelegenheiten an die zu halten, die ihren Verstand benutzen und eben deswegen auch wissen, wo er gültige Antworten schuldig bleibt.

Zweifeln heißt keineswegs *ver*zweifeln. Zweifel und Hoffnung, Zweifel und Lebensfreude, Zweifel und soziales wie politisches Engagement gehen, wie das Beispiel der großen Skeptiker zeigt, durchaus zusammen. Der Zweifel, nicht die geoffenbarte Gewißheit ist nach meiner Auffassung auch der tiefste Grund einer echten, menschengerechten, nicht-dogmatischen Religiosität. Sie kann dort wachsen, wo Menschen, gerade weil sie ihr eigenes Leben und das Zusammenleben mit anderen vernünftig zu regeln suchen, unvermeidlich auch die Grenzen der Rationalität und der eigenen Gestaltungsmacht erfahren. Ist eine so verstandene Religiosität, wie Habermas sagt, »postsäkular«? Wenn man den Begriff nicht im Sinne einer historischen Epochenabfolge versteht, vielleicht. Mir erscheint sie in der Tat als die natürliche Frucht eines aufklärerischen, säkularen Denkens, das sich seiner eigenen Bedingtheit bewußt ist und seine eigenen Grenzerfahrungen nicht verleugnet.

Anfang der neunziger Jahre habe ich in der Evangelischen Akademie in Tutzing *Zehn Thesen über Religion und Religiosität gerichtet an die Frommen unter ihren Verächtern* vorgetragen. Der Titel, eine Anspielung auf den romantischen Platon-Übersetzer, Philosophen und Theologen Friedrich Daniel Ernst Schleiermacher, machte die kritische Stoßrichtung deutlich. Es ging mir darum, gegenüber den selbstgefälligen, sich besitzstolz auf *ihren* Gott berufenden, aber gegenüber ihren Mitmenschen oft erstaunlich gleichgültigen Frömmlern an eine den Menschen und dem Leben zugewandte Auffassung von Religion und Religiosität zu erinnern. »Wer angesichts einer schönen Landschaft Dankbarkeit empfindet«, sagte ich, »macht eine religiöse Erfahrung. Ebenso, wer in den Gesichtern der Armen und Unterdrückten das Antlitz des erniedrigten Gottes erkennt. Religion ist für mich die merkwürdige, beunruhigende Fähigkeit, im Vergänglichen die Spur des Unbedingten zu erkennen.«

Seitdem bin ich immer wieder von beiden christlichen Kirchen, der protestantischen und der katholischen, zu Vorträgen und Diskussionen über religiöse Fragen, über die Verantwortung der Christen und ihrer Kirchen, über meine eigene Haltung zur christlichen Überlieferung eingeladen worden. Ich, der ich keiner Kirche angehöre und auch nicht vorhabe, an diesem Zustand etwas zu ändern, habe diese Einladungen zumeist angenommen, weil ich überzeugt bin, daß die Denkanstöße aus dem Christentum in unserer modernen Welt noch immer weiterwirken, daß auch in einer auf den ersten Blick so weitgehend säkularisierten Gesellschaft wie der unsrigen, der metaphysische Spürsinn den Menschen nicht gänzlich abhanden gekommen ist und die Frage nach dem Grund unserer Existenz weiter die Köpfe bewegt. Viel wird meiner Meinung nach davon abhängen, wie die Gesellschaft mit den unterschwelligen und neuerdings wieder öfter offen zutage tretenden religiösen Suchbewegungen umgeht, ob sie sie ernst nimmt oder in szientistischem Hochmut der Lächerlichkeit preisgibt. Vor allem aber, ob sie die Kraft aufbringt, zu ertragen, daß wir auf viele legitime Fragen keine gültigen Antworten haben, oder denen auf den Leim geht, die vom Handel mit geoffenbarten Gewißheiten nicht lassen können.

Einmal wurde ich sogar zu einer pastoralen Weiterbildung an der Theologischen Hochschule Augustana in Neuendettelsau eingeladen. Vier Tage lang war ich mit einer Gruppe evangelischer Pastoren zusammen, las Gedichte vor und Passagen aus Prosaarbeiten, diskutierte mit ihnen, saß abends beim Essen oder bei einem Glas Wein mit ihnen zusammen. Was diese Menschen mir sympathisch machte, war, daß sie sich ihrer Sache gar nicht so sicher waren, wie man als Außenstehender zunächst vielleicht annehmen würde. Es waren Suchende, nachdenkliche, selbstkritische Suchende, die, durch ihre tägliche Arbeit in den Gemeinden längst mürbe geworden, dennoch das Fragen nicht lassen mochten. Besonders angenehm war, daß sie bis auf wenige Ausnahmen frei von jener breiigen Theologengeschwätzigkeit waren, die mir schon immer auf die Nerven gegangen ist, von der ich, wenn ich frömmer wäre, als ich bin, vielleicht sagen würde, daß es sich dabei um eine besonders perfide Art von Gotteslästerung handelt.

Es gibt in den christlichen Kirchen – wenn ich mich genauer auskennte, könnte ich wahrscheinlich sagen: in allen Religionsgemeinschaften – eine große Zahl von Menschen, die ihre religiösen Überzeugungen in erster Linie als Aufruf zu sozialem Engagement, zur Verteidigung der Menschenrechte und zur Arbeit für die friedliche Verständigung zwischen den Völkern, Kulturen und Religionen verstehen. Diesen religiösen Humanisten fühlte ich mich stets nahe. Aber heute werden sie in den eigenen Reihen von zwei Seiten bedrängt, von den neuen Fundamentalisten und von den ökonomistischen Modernisierern, die die Kirche als ein Dienstleistungsunternehmen verstehen, das sie am liebsten auf das *Kerngeschäft* der Verkündigung und der rituellen Lebensbegleitung beschränken möchten, auch, weil sie auf diese Weise die vielen – trotz der großzügigen staatlichen Förderung – kostspieligen Engagements der Caritas beziehungsweise der Diakonie loswürden.

Ich glaube, daß beide Tendenzen, die stumpfsinnige Wortklauberei der Fundamentalisten und die Banalisierung der Religion durch die ökonomistischen Modernisierer, der *condition humaine* und dem berechtigten Grundanliegen der Religion diametral widersprechen. Die Religion, wenn sie sich recht versteht, ist nicht ein Teilsystem unter anderen im Kontext einer arbeitsteiligen Gesellschaft, zuständig für Tiefsinn und selbstquälerisches Sündenbewußtsein, erst recht nicht ein Anbieter unter anderen auf einem Seelsorge- und Wellnessmarkt. Sie steht nicht in der Konkurrenz zu den Verkäufern von Spannung, Spaß und Spiel, von praktischen Steuerspartips, Tips für ein glückliches Sexualleben und Patentrezepten für Instant-Rundum-Wohlbefinden. Es geht der Religion um die Deutung der Existenz, um den Sinn all unserer menschlichen Bemühungen, nicht um ein Zusatzangebot in einem Marktsegment. Genau so wenig kann die Religion uns das eigene Denken und die individuelle Verantwortung für unser Tun abnehmen. Ihre heiligen Texte sind nicht Gottes Wort, wie die Fundamentalisten meinen, sondern Menschenwerk, voller anrührender Geschichten und tiefer Einsichten, aber auch voller Widersprüche, gedankenlos tradierter Dummheiten und gefährlicher Scheußlichkeiten. Wortwörtlich genommen, taugen sie weder als Anleitung zu moralischem Handeln, noch als Quelle von Weissagungen über die Zukunft der Menschheit.

In der Religion, wie ich sie verstehe, geht es in erster Linie um das Geheimnis der Existenz, um das ungelöste, uns lockende und verstörende Geheimnis der Existenz. Daß wir in diesen Dingen immer mehr Fragen als Antworten haben werden, davon bin ich überzeugt. Aber das spricht nicht gegen die Legitimität der Fragen. Nur, ein wenig mehr Bescheidenheit, wenn es um die letzten Dinge geht, erscheint mir angesichts dieser Lage durchaus angemessen. Für mich jedenfalls hat die exhibitionistische Gläubigkeit fundamentalistischer Prediger etwas zutiefst Abstoßendes, und ich bezweifle, daß kirchliche Großevents wie die Kirchentage, der Weltjugendtag in Köln oder der Papstbesuch in Bayern im Jahre 2006 als Zeichen einer wieder erwachenden Religiosität gedeutet werden können. *Spiritualität* heißt das Modewort, mit dem manche der Party-Stimmung, die sich bei solchen Gelegenheiten einstellt, eine tiefere Bedeutung geben möchten. Aber hinter dieser Art von Spiritualität verbirgt sich oft nur Religiosität als Unterhaltungskitsch – und das Bedürfnis, das eigene Ego im Zusammenhang mit einem Medienevent aufzublasen.

In der Religion, wie ich sie verstehe, geht es um Ehrfurcht vor dem Leben, vor der Wahrheit, die sich uns nie ganz erschließt, es geht um das Wunder der Liebe, um Nachsicht mit der Unvollkommenheit des Menschen, um die Schönheit der Welt und die Unbegreiflichkeit von Haß und Zerstörung, um die Dummheit der Wissenden und die Weisheit der Zweifelnden. Kurz: Religion ist nach meiner Auffassung das, was als Möglichkeit in den Blick kommt, wenn wir uns auf das Abenteuer der Vernunft einlassen und an unsere Grenzen gelangen.

Ist das alles? Für mich ist es eine ganze Menge, soviel, wie wir als unvollkommene Menschen erwarten dürfen, und allemal genug, um »ein Menschenherz auszufüllen« wie der Kampf gegen Gipfel, von dem Albert Camus im *Mythos von Sisyphos* erzählt.

28

ACH, SPD!

Vierzig Jahre bin ich nun Mitglied meiner Partei, der SPD. Ich wurde nicht angeworben, stamme auch nicht aus einer jener sozialdemokratischen Familien, wo man noch bis in die sechziger Jahre, ohne sich entscheiden zu müssen, in die Partei hineinwuchs. Ich faßte vor vielen Jahren den Entschluß, der SPD beizutreten, weil ich glaubte, daß ich dort die besten Möglichkeiten hätte, für die politischen Ziele zu wirken, die mir am Herzen lagen. Anfangs begegneten viele ältere Parteimitglieder mir und vielen meiner Generation eher mit Mißtrauen, und auch heute bin ich nicht immer sicher, ob ich den Genossen willkommen bin. Und dennoch ist eine starke Bindung entstanden, an das Programm der Partei, an ihre Geschichte, an die vielen Menschen in ihren Reihen, mit denen ich um die richtigen politischen Konzepte gestritten und mit denen ich gemeinsam über viele Jahre für sozialdemokratische Ideen und Reformen eingetreten bin.

Manche, mit denen ich jahrelang in der SPD zusammengearbeitet habe, sind irgendwann aus der Partei ausgetreten. Aber selbst dann, wenn ich die Gründe für den Austritt nachvollziehen konnte, habe ich einen solchen Schritt nie ernsthaft erwogen, nicht, als die SPD auf die Asylpolitik der Union einschwenkte, und auch nicht, als nach dem Abgang Oskar Lafontaines die SPD unter Schröder neoliberal gewendet wurde und mit den Hartz-Reformen einen Großteil ihrer sozialen Glaubwürdigkeit verspielte. Ich habe die nach meiner Meinung falsche Politik meiner Partei hart und öffentlich kritisiert, habe mit den mir gegebenen Möglichkeiten darauf hinzuwirken versucht, daß es zu Korrekturen kam. Aber an Austritt habe ich nicht gedacht.

Einerseits, weil ich nicht daran glaubte und auch heute nicht daran glaube, daß die Durchsetzung meiner politischen Vorstellungen außerhalb der SPD leichter gelänge als in ihr und mit ihr, andererseits aber wohl auch aus jener uns Friesen seit je zugeschriebenen Beharrlichkeit, die man weniger freundlich auch Sturheit nennen könnte.

Es gab Zeiten, da konnte man als SPD-Mitglied den Eindruck haben, Teil einer großen geschichtlichen Fortschrittsbewegung zu sein. Das galt vor allem in den ersten Jahren der sozial-liberalen Koalition, als Willy Brandt daranging, *mehr Demokratie zu wagen* und mit der Ost- und Entspannungspolitik Europa und die Welt zu verändern. Das galt auch noch, als Brandt als Vorsitzender der Sozialistischen Internationale sich für die Interessen des unterentwickelten Südens stark machte und die SPD sich an die Spitze der Bewegung für Frieden und Abrüstung setzte. Aber es gab auch Zeiten, in denen die SPD ziemlich richtungslos dahinschlingerte, ihre Spitzenleute sich opportunistisch mal dieser, mal jener Mode anschlossen und die Mehrheit der Mitglieder nicht mehr zu wissen schien, wozu eine Partei wie die Sozialdemokratie eigentlich da war. Ich, der ich mich frühzeitig entschieden hatte, kein offizielles Amt in der Partei und auch kein Mandat anzustreben, hatte es natürlich leicht, mich Moden und Stimmungen zu widersetzen, die mir töricht erschienen. Für jemand, der gewählt werden mußte, war dies weitaus riskanter. Um so größeren Respekt habe ich immer jenen Mandatsträgern der Partei gezollt, die auch dann zu ihren sozialdemokratischen Auffassungen standen, wenn diese ganz offensichtlich nicht dem Zeitgeist oder dem von den Medien verbreiteten *Common sense* entsprachen.

Wenn ich mit der offiziellen Politik der SPD, ihrer Bundestagsfraktion, ihrer Minister, ihres Kanzlers nicht einverstanden war, habe ich in den Gremien der Partei, in Interviews und in schriftlichen Äußerungen meine Kritik deutlich gemacht. Meist habe ich bei solchen Gelegenheiten viel Zuspruch von anderen SPD-Mitgliedern bekommen, die ähnlich dachten wie ich. In den Jahren der Kanzlerschaft Gerhard Schröders, als die SPD sich allzusehr vom neoliberalen Zeitgeist anstecken ließ, bin ich auch wieder häufiger zu Vorträgen und Diskussionen unterwegs gewesen. Zusammen mit Klaus Staeck und seiner *Aktion für mehr Demokratie* habe ich versucht, den Widerstand in der Partei gegen die, wie ich fand und immer noch finde, *unsozialdemokratische* Politik der Hartz-Reformen zu stärken und zu verhindern, daß immer mehr Sozialdemokraten, frustriert über die Politik ihrer eigenen Regierung, sich von der Partei und von der Politik insgesamt abwandten. In dem Buch *Leben oder Überleben* habe ich meine Kritik am Neoliberalismus und am Schröderschen Kurs formuliert und die Konturen eines politischen Gegenentwurfs skizziert. Die Partei jenen zu überlassen, deren Politik ich kritisierte, kam mir dagegen nicht in den Sinn.

Gelegentlich wird mir wegen meiner Treue zur SPD von anderen Linken mangelnde Konsequenz vorgeworfen: Wenn du die Agenda 2010 für unsozialdemokratisch hältst, wieso bist du dann noch in dieser Partei? Meistens rechtfertige ich mich dann, indem ich darauf hinweise, daß die Gegner dieser neoliberalen Politik in der SPD durch meinen Abgang nur geschwächt würden, daß ich mit vielen anderen in der SPD und in den Gewerkschaften, denen die Hartz-Reformen auch ein Dorn im Auge sind, an der Veränderung der Politik arbeite, und dies sicherlich sinnvoller sei, als sich *konsequent* aller Einwirkungsmöglichkeiten zu begeben. Und wenn es grundsätzlicher wird, füge ich meist hinzu, daß ich den Streit um die richtige Politik innerhalb der SPD als normal ansehe, daß mein Harmoniebedürfnis sich in Grenzen hält und ich es durchaus ertragen kann, in einer Partei zu sein, in der die Meinungen manchmal ziemlich weit auseinandergehen.

Aber was wäre, wenn sich der Charakter der SPD grundsätzlich wandelte, wenn sie sich nicht mehr als *Schutzmacht der kleinen Leute* verstünde, sondern vor allem als Interessenvertretung einer leistungsstolzen und aufstiegsorientierten *neuen Mitte*? Ich erinnere mich an eine Diskussion über die Hartz-Reformen in Frankfurt. Mit mir auf dem Podium eine junge SPD-Abgeordnete, die sich verzweifelt bemühte, den tieferen Sinn der Reformen zu erklären. In der Diskussion wurde dann vor allem um Zahlen gestritten: Wer bekommt wieviel weniger, wer wieviel mehr. Da meldete sich ein alter Sozialdemokrat zu Wort. Es gehe gar nicht um ein paar Euro mehr oder weniger, sagte er. Er habe nach dem Krieg hier in Frankfurt die Arbeiterwohlfahrt neubegründet. Sein Leben lang habe er sich für die Sozialdemokratie eingesetzt. Und warum? Weil sie aus Almosenempfängern Anspruchsberechtigte gemacht habe, weil erst sie den kleinen Leuten das Gefühl gegeben habe, Bürger dieses Staates zu sein. Er habe schon als Kind gelernt, mit wenig auszukommen, und wenn seine Rente gekürzt werden müsse, so würde er auch das ertragen. Was er aber nicht ertragen könne, sei, daß man Leistungsschwächere als Bürger zweiter Klasse, Rentner als lästige Kostgänger, Arbeitslose als Drückeberger und Arme als Sozialbetrüger behandle. Damit spreche man ihnen ihre Menschenwürde ab.

Die meisten Ökonomen und viele Kommentatoren in den Medien haben nie verstanden, warum die Hartz-Reformen so viele Sozialdemokraten und so viele sozialdemokratische Wähler so tief verletzten. Daß bei Rentnern, Arbeitslosen und Sozialhilfeempfängern gekürzt werde, während am oberen Ende der Einkommensskala die Zahl der Millionäre und Milliardäre sprunghaft ansteige, was sei daran so problematisch? Gehe es den Rentnern bei uns nicht immer noch besser als in den meisten anderen Ländern der Erde? Und den Arbeitslosen und den Sozialhilfeempfängern? Komme es nicht allein darauf an, daß in unserer Gesellschaft niemand verhungern müsse, daß alle das zum Leben Notwendige zur Verfügung hätten? Wenn die, die so denken, bei der Diskussion in Frankfurt dabei gewesen wären, hätten sie vielleicht begriffen, daß es bei Fragen der Verteilung immer auch um Fragen der Anerkennung geht. Die von Konservativen und Liberalen so leidenschaftlich geführte Neiddebatte verfehlt in ihrer Fixierung auf bloß materielle Interessen den entscheidenden Punkt: die Verletzung der Menschenwürde, die mit der Ungleichbehandlung verbunden ist.

»Freiheit, Gleichheit, Brüderlichkeit« – der Schlachtruf der Französischen Revolution wurde im 19. Jahrhundert von der

Arbeiterbewegung aufgegriffen und in ein gesellschaftspolitisches Programm umgewandelt, das die Schaffung gleicher Freiheit für alle im Geiste der Solidarität zum Ziel hatte. Ein höchst anspruchsvolles und spannungsreiches Programm, das auch heute keineswegs erledigt ist. Wo es im Kern um gleiche Freiheit, um die Anerkennung der Menschenwürde eines jeden geht, ist die Reduktion von Gerechtigkeit auf *Inklusion*, wie sie die Blairschen Sozialdemokraten seit Jahren propagieren, eben gerade nicht ausreichend. Es genügt nicht, dafür zu sorgen, daß in einer Gesellschaft niemand ins Bodenlose fällt, daß jeder, der Arbeit sucht, irgendeinen Job erhält, niemand verhungern muß oder bei Krankheit und Pflegebedürftigkeit ohne jede Hilfe dasteht, auch wenn dies unter den gegenwärtigen Bedingungen, insbesondere wenn wir nach Osten und nach Süden über Europa hinausblikken, schon viel wäre. Auch in der Feudalgesellschaft übernahmen die adeligen Herren eine gewisse soziale Verantwortung für die leibeigenen Bauern, war es Christenpflicht, den Armen Almosen zu geben. Wenn Freiheit aber nicht wieder zum Privileg der Mächtigen und Vermögenden werden soll, wenn wir die Demokratie ernst nehmen und aus Machtlosen und Gedemütigten Staatsbürger mit allen Rechten machen wollen, dann ist Umverteilung von Macht, Besitz und Einkommen, dann sind staatliche Ausgleichsleistungen nicht, wie auch einige führende Sozialdemokraten in letzter Zeit gelegentlich behaupten, überholte Forderungen, sondern Kernbestandteil sozialdemokratischer Politik.

Nun mag es ja vielleicht richtig sein, daß zur Zeit der Politik wegen der geringeren nationalen und der noch unterentwickelten transnationalen Gestaltungsmöglichkeiten die Machtmittel nicht zur Verfügung stehen, um diesen Forderungen zu genügen. Aber wenn dies tatsächlich so wäre, bliebe es immer noch ein verhängnisvoller Fehler, das gegenwärtig allenfalls Mögliche als den Gipfel sozialdemokratischer Politik auszugeben und sich alle weiterreichenden Ambitionen zu verbieten. Vielmehr käme es darauf an, Bedingungen herzustellen, die eine anspruchsvolle sozialdemokratische Politik wieder möglich machen. Es ist nicht so schwer zu erkennen, daß dies in nationaler Selbstgenügsamkeit wohl nicht mehr gelingen kann. Um so wichtiger werden dann verbindliche Rahmensetzungen auf der übernationalen Ebene, vor allem soziale Mindestnormen in Europa.

Immer wenn ich mit Jürgen Habermas, meinem Starnberger Nachbarn, zusammensitze, fragt er mich danach, was in diesem Punkt von der SPD zu erwarten sei. Haben die führenden Genossen begriffen, daß heute nur noch in einem politisch handlungsfähigen Europa sozialdemokratische Politik gemacht werden kann? Und ich antworte jedes Mal wie Radio Eriwan: Im Prinzip ja. Schon im letzten Grundsatzprogramm spielte die europäische Dimension eine große Rolle; im neuen wird sie vermutlich noch deutlicher herausgearbeitet werden. Die führenden Sozialdemokraten sind heute alle überzeugte Europäer. Aber würden sie, wenn es denn nicht anders geht, auch den Konflikt mit Großbritannien wagen? Bisher jedenfalls findet sich in der SPD niemand, der bereit wäre, die Initiative des belgischen Premierministers Guy Verhofstadt entschlossen zu unterstützen und mit einer Mehrheit in den Kernländern der Union voranzugehen, da auf einstimmige Beschlüsse aller Mitgliedsländer nach Lage der Dinge nicht zu rechnen ist.

Solange das so bleibt, wird Europa nicht das notwendige Gegengewicht zu den USA bilden können und die Welt wird weiter nach den Vorstellungen der Neoliberalen umgemodelt, die Demokratie ausgehöhlt und der Sozialstaat weiter zerstört. In Lateinamerika versuchen immer mehr Regierungen sich dem ihren Völkern von den Marktradikalisten zugedachten Schicksal entgegenzustemmen. Auch sie brauchen ein starkes Europa als Partner. Kleinmütige Anpassung an den neoliberalen Zeitgeist ist das Falscheste, was man als Sozialdemokrat in dieser Lage tun kann. Das, so scheint es, hat nun auch die Führung der Partei endlich wieder begriffen. Im Prinzip jedenfalls. Allerdings tut sie sich in der Großen Koalition schwer, ihrer besseren Einsicht gemäß Politik zu machen. Es ist abzusehen: Mehr Markt führt zwangsläufig zu einer noch tieferen Spaltung der Gesellschaft, zu massenhafter Demütigung der Leistungsschwächeren und der weniger Glücklichen, zu einer weiteren Schwächung des Staates und damit zugleich zu einem weiteren Abbau sozialer Ausgleichsleistungen und damit zu massenhafter Auswanderung aus der Demokratie. Worauf es hingegen ankommt, ist die Wiederherstellung des Primats der Politik vor der Ökonomie. Das aber ist für unseren Weltteil ohne die Vertiefung der europäischen Demokratie nicht zu bewerkstelligen.

Ich habe nie daran geglaubt, daß die Menschen ausschließlich oder vor allem von materiellen Interessen bewegt werden. Diese Auffassung, die viele Marxisten mit den marktradikalen Neoliberalen teilen, wird durch einen halbwegs objektiven Blick auf das Drama der Geschichte leicht widerlegt. Dennoch galt es auch unter Sozialdemokraten eine Zeitlang als schick, alle anderen als ökonomischen Beweggründe für bestenfalls zweitrangig zu halten. Ja, nicht wenige Sozialdemokraten übernahmen sogar das ökonomistische Menschenbild, nach dem der Mensch nichts als ein egoistischer Nutzenmaximierer ist und vernünftiges Handeln sich auf die Wahl der jeweils vorteilhaftesten Alternative reduziert. Entsprechend glaubte man erwünschtes Verhalten nur durch materielle Anreize bewirken und unerwünschtes nur durch daran geknüpfte materielle Nachteile verhindern zu können, und geriet auf diese Weise immer offensichtlicher in eine *Materialismusfalle*. Denn die neoliberal inspirierte Reformpolitik führte einerseits zu einer wachsenden Kluft zwischen Arm und Reich, andererseits zu immer größerer öffentlicher Armut und damit schwindenden Möglichkeiten staatlicher Intervention, so daß die materiellen Interessen der Mehrheit der Bevölkerung und der großen Mehrheit der sozialdemokratischen Anhänger immer weniger befriedigt werden konnten. Politiker aber, die einem Menschenbild anhängen, nach dem sich der Einzelne nur vernünftig verhält, wenn er immer und überall seinen eigenen materiellen Vorteil verfolgt, die den eigenen Leuten aber gleichzeitig Mal um Mal Verzicht verordnen, müssen sich nicht wundern, daß sie unglaubwürdig werden und am laufenden Band Wahlen verlieren.

Das Desaster der Sozialdemokratie unter Schröder wäre zweifellos noch weitaus größer ausgefallen, wenn es nicht politische

Projekte der Regierung gegeben hätte, bei denen es ganz offensichtlich um mehr ging als um egoistische materielle Interessen. Dazu gehörte zum Beispiel die Energiepolitik der rot-grünen Regierung mit Atomausstieg und Förderung alternativer Energien, die Reform des Staatsbürgerschaftsrechts, die Option für ein sozialstaatlich verfaßtes Europa, die Entwicklungspolitik und eine so wichtige symbolische Geste wie die Entschädigung von Zwangsarbeitern des Dritten Reiches. Vor allem aber galt dies für Schröders entschieden ablehnende Haltung zum Irak-Krieg, die vielen Sozialdemokraten seit langem zum ersten Mal wieder das Gefühl vermittelte, in der richtigen Partei zu sein. Wären die Wähler tatsächlich jene egoistischen Nutzenmaximierer gewesen, die sie nach neoliberalem Verständnis sind, die SPD hätte mit Schröder bei der Bundestagswahl niemals gegen Edmund Stoiber gewinnen und niemals gegen Angela Merkel und Guido Westerwelle so überraschend gut abschneiden können.

Als Gerhard Schröder im Jahre 2005, wie schon Willy Brandt und Helmut Kohl vor ihm, vorgezogene Neuwahlen herbeiführte, indem er vorsätzlich an einer fingierten Vertrauensabstimmung im Bundestag scheiterte, war ich über diesen erneuten Akt einsamer Willkür so entrüstet, daß ich mir vornahm, mich aus dem folgenden Wahlkampf ganz herauszuhalten. Aber dann rief eines Tages Günter Grass bei mir an: Ob ich nicht mit ihm zusammen eine kleine Wahlkampftour machen wolle? Wie in alten Zeiten, nur nicht ganz so lange, vier, fünf Veranstaltungen in großen Städten. Es gelte, die neoliberale Wende von Merkel und Westerwelle zu verhindern. Bei aller Kritik, die auch er an Schröder und seiner Regierung habe, solle ich doch bedenken, daß die Alternative ... Was herauskam, war eine gemeinsame Wahlveranstaltung am 13. September im *Schlachthof* in München. Das bewährte Muster: zuerst ich zwanzig Minuten, dann Günter eine dreiviertel Stunde. Auf dem Podium die örtlichen Bundestagskandidaten der SPD und der Münchener Oberbürgermeister Christian Ude als Moderator. Im Saal, wie eigentlich immer bei solchen Anlässen, fast nur Mitglieder und Anhänger der SPD.

337

Welchen Sinn haben solche Veranstaltungen? Mag sein, daß wir den einen oder anderen, der noch unentschlossen war, ob er diesmal nicht lieber die Grünen oder die Linkspartei wählen solle, zur Stimmabgabe für die SPD bewegen konnten. Vielleicht gab es auch einige, die wenig Lust verspürten, überhaupt zur Wahl zu gehen und die durch unsere Argumente umgestimmt werden konnten. Aber die allermeisten Anwesenden hätten auch ohne unseren Einsatz am Sonntag die SPD gewählt. Sie waren gekommen, um sich bestätigen zu lassen, daß es so etwas wie Sozialdemokratie noch gab, daß die Gründe, die sie einst zum Eintritt in die Partei bewogen hatten, immer noch galten, daß bei allem notwendigen Pragmatismus in der Partei noch ein Funke jener Leidenschaft lebendig war, die so viele Generationen von Sozialdemokraten befeuert hatte. Im Wahlkampf die erhöhte Aufmerksamkeit für politische Themen nutzen, um jene kritischen und selbstkritischen Diskurse zu fördern, die im Normalbetrieb der Demokratie zu kurz kommen, das war immer unser Konzept gewesen. Keine platte Wahlwerbung, sondern Aufklärung, keine Demonstration euphorischer Gefolgschaft, sondern nachdenkliches Abwägen des Für und Wider. Es reicht, wenn die Stellen hinter dem Komma den Ausschlag für die Wahlentscheidung geben. Was mich an diesem Abend in München wieder einmal verblüffte, war, daß man mit einer solchen gedankenstrengen Haltung bei diesem Publikum Begeisterung auslösen konnte.

Allzugern würde ich glauben, daß dies meine SPD ist: eine Versammlung kritischer, selbständiger Köpfe, klar in ihren Grundsätzen und unerschütterbar in ihrem Engagement für die *Mühseligen und Beladenen*, aber jederzeit bereit, sich der veränderten Realität zu stellen, diskussionsfreudig, mißtrauisch gegenüber hohlen Phrasen und bombastischen Inszenierungen, an nichts als der Wahrheit interessiert und mutig, wenn es darum geht, das schlechte Bestehende zu verändern. Gelegentlich, wenn ich auf Parteitagen referiere, versuche ich dieses Bild zu evozieren, weil ich weiß, daß die Sehnsucht danach in vielen meiner Genossen schlummert. Aber natürlich weiß ich auch, daß es eine ganz andere Partei gibt, die der kalten Politprofis, der Karrieristen und gedankenlosen Mitläufer, der duckmäuserischen Delegierten auf Bundesparteitagen, die es nicht wagen ihrem Kanzler und Vorsitzenden zu widersprechen, und die wider besseres Wissen eine Politik absegnen, die sie weder vor sich selbst, noch vor ihren Wählern verantworten können.

Die Wahrheit ist progressiv. Dieser aufklärerische Glaube, der einst auch die Arbeiterbewegung inspirierte, der bei allen auch damals schon erkennbaren Fehlentwicklungen auch noch die Mehrheit der Achtundsechziger beseelte, ist heute verblaßt. Kein professioneller Politikberater würde heute noch zu Parteitagen raten, wie sie die SPD in den siebziger Jahren kannte: mit heftigen Auseinandersetzungen um die Inhalte der Politik, mit Delegierten, die durch keine Geschäftsordnungstricks davon abgehalten werden können, sich Gehör zu verschaffen, wenn es etwas zu kritisieren gibt, die beim geringsten Anschein von Manipulation durch das Präsidium sofort auf die Barrikaden gehen. Die PR-Strategen glauben, daß man, wenn man die Öffentlichkeit beeindrucken will, gut daran tut, interne Auseinandersetzungen nicht nach außen dringen zu lassen und nach Möglichkeit jede offene Kritik an der eigenen Partei und ihrer Führung zu unterbinden. Ihr Ideal ist die Geschlossenheit, die machtvolle Einheit unter dem Kommando eines charismatischen Führers. Sie setzen auf Überredung statt auf Überzeugung, auf die Macht der Bilder, auf glänzende Inszenierungen, auf die Ausstrahlung des Kandidaten. Und, wie es scheint, haben sie damit Erfolg. Sonst würden nicht immer wieder Politiker ihre Dienste in Anspruch nehmen.

Aber ist nicht der argumentative Streit die Essenz der Demokratie? Hängt nicht die Legitimität von Mehrheitsentscheidungen – auf Parteitagen ebenso wie im Parlament –, hängt nicht ihre bindende Wirkung davon ab, daß ihnen eine offene und faire Diskussion mit sorgfältiger Prüfung des Für und Wider vorangegangen ist? Wer so fragt, bekommt ziemlich regelmäßig zur Antwort: Theoretisch ja. Aber dann folgen sofort lauter Einschränkungen: daß die Mehrheit der Menschen eben noch nicht soweit sei, womöglich nie soweit sein werde, daß man sich gegenüber dem politischen Gegner und der gegnerischen Presse keine Blößen geben dürfe, daß in der Mediengesellschaft keine Partei ohne Personalisierung und fersehgerechte Inszenierungen auskomme, daß man dieses Feld nicht den anderen überlassen dürfe, wenn man Erfolg haben wolle ...

Hier der Theoretiker der Demokratie, der Idealist, dort die nüchternen, realistischen Macher. Ich habe mich immer dagegen gewehrt, diese Aufteilung der Sphären zu akzeptieren. Aber die Fakten, sagen die Macher, sprechen für die Macher und gegen die Idealisten, und die Fakten müsse auch ich akzeptieren. Ist es so? Was, wenn die Menschheit zu allen Zeiten die Fakten hingenommen hätte, statt *contra factum* auf Veränderung zu drängen? Hätte es dann je so etwas wie Rechtsstaatlichkeit und Demokratie gegeben? Ist es denn etwa nicht richtig, daß aller Fortschritt in der Geschichte der Menschheit immer nur zustande kam, wenn die Akteure des Fortschritts mehr Mündigkeit unterstellten, als sie empirisch je hätten nachweisen können? Und warum sollte, was historisch einmal funktionierte, heute ganz und gar unmöglich sein?

In meiner Bedrängnis greife ich nach jedem argumentativen Strohhalm, um mich über Wasser zu halten. Verfügt in Italien nicht Silvio Berlusconi über eine fast totale Medienmacht? Bei den Wahlen im Jahr 2006 trat einer gegen ihn an, der bei den PR-Profis schlicht als unvermittelbar galt: ein trockener Eurokrat, ein nüchterner Professor der Volkswirtschaft ohne fernsehgerechten Charme, ohne Amtscharisma. Und doch hat er gewonnen, knapp zwar, aber immerhin. Offenbar machten bei der Mehrheit der Italiener die Argumente des Professors letztlich doch mehr Eindruck als die Selbstinszenierungen des charismatischen Amtsinhabers.

Ich weiß, daß ich mit diesem Beispiel die Zyniker nicht überzeugen kann, die sich Realisten nennen. Eine Ausnahme! Eine Sternstunde der Demokratie, wie sie sich vielleicht einmal in zwanzig Jahren ereignet! Und wer weiß, wie lange sich der Prodi mit seiner knappen Mehrheit halten kann? Ich klammere mich trotzdem daran, weil ich immer noch nicht alt genug bin, um mir alle Flausen aus dem Kopf zu schlagen, weil ich mich nicht damit abfinden kann, daß auch bei uns die Demokratie über kurz oder lang zu einem bloßen Medienspektakel verkommt. Wieder einmal geht die SPD daran, sich ein neues Grundsatzprogramm zu geben. Zum ersten Mal, während sie an der Regierung ist, noch dazu in einer Großen Koalition. Eine Chance für die Demokratie? Eine Chance für die Mitglieder, sich politisch zu bilden, sich einzumischen, Argumente in die Öffentlichkeit zu tragen und dadurch politisches Bewußtsein zu fördern? Vielleicht. In meinem Terminkalender stehen einige Termine für Referate über das neue Programm. Einige werden in nächster Zeit wohl noch dazukommen. Die Leitlinien, die Kurt Beck noch als »designierter« Parteivorsitzender öffentlich vorstellte, fußen auf den Papieren, die wir unter Franz Müntefering in der Programm-Kommission erarbeitet haben. Auch wenn es an vielen Stellen an gedanklicher Klarheit und visionärer Kraft fehlt, spiegeln sie doch eine deutliche Rückbesinnung auf sozialdemokratische Grundsätze nach Jahren der neoliberalen Verirrrung. Aber enthalten die Thesen schon jene *neue Leitidee* sozialdemokratischer Politik, die dringend benötigt wird, wenn die SPD ihr Profil in der großen Koalition schärfen und vielleicht eines Tages wieder den Kanzler stellen will? In den *Leitlinien* findet sich der Begriff des *vorsorgenden Sozialstaats* – in meinem Sozialstaatsbuch forderte ich schon vor fast dreißig Jahren eine *vorbeugende* statt der bloß *nachsorgenden Sozialpolitik*. Vielleicht ließe sich um den Begriff des *vorsorgenden Sozialstaats* herum eine zeitgemäße sozialdemokratische Politik entwerfen. Vielleicht ...

Noch habe ich die Hoffnung nicht aufgegeben, die SPD, meine Partei, könne dem Bild wieder ein wenig ähnlicher werden, das sich in mir festgesetzt hat, dem Bild der diskutierenden, nach klaren politisch-moralischen Grundsätzen pragmatisch handelnden Partei, die gegen Geld und Medienmacht auf die große Zahl ihrer engagierten und informierten Mitglieder setzt, die eher den Konflikt mit den Mächtigen wagt, als den Schwächsten weitere Lasten und Demütigungen zuzumuten, die sich nicht einreden läßt, daß der Kapitalismus das letzte Wort der Geschichte sei, sondern daran festhält, daß Freiheit, wenn sie universelle Geltung haben soll, nicht von der Forderung nach Gleichheit getrennt werden darf und daß alle Macht – im Staat, in der Wirtschaft und in den Medien – demokratischer und rechtsstaatlicher Kontrolle unterliegen soll. Natürlich weiß ich, daß dieses Bild nicht ganz der Realität entspricht, ihr vielleicht nie ganz entsprochen hat. Aber ich weiß auch, daß es in den Köpfen vieler Sozialdemokraten, manchmal versteckt unter manchem modischen Gerümpel, vorhanden ist. Ich halte mich daran fest, mag es nicht aufgeben, weil ich, wenn ich es aufgäbe, meinen aufklärerischen Glauben an die Möglichkeit vernunftgeleiteter Autonomie gleich mit verloren geben müßte.

29

UNTERM STRICH

Zu meiner Zeit. Wer das sagt, gibt zu erkennen, daß er den Anschluß an die Gegenwart verloren hat, daß er aus der Zeit gefallen, gewissermaßen überständig ist. Mir ist dieses Gefühl fremd,
immer noch. Ich habe immer noch den Ehrgeiz, *auf der Höhe
der Zeit* zu sein, zu verstehen, was aktuell um mich herum vor-
geht, zu erkennen, wo sich gefährliches Konfliktpotential, wo
sich der Keim des hoffnungsvoll Neuen bildet, wo man gegebe-
nenfalls – abwehrend, fördernd – einzugreifen hätte. Jede Form
der nostalgischen Rückwendung auf ein angeblich besseres Früher ist mir schon deswegen suspekt, weil sie Energien bindet, die
für die Bewältigung der gegenwärtigen Probleme gebraucht
werden. Aber zugleich hasse ich die Torheit des besinnungslo-
sen Mit-der-Zeit-Gehens, die Verhimmelung des Neuen, die fast
immer mit der Geringschätzung des Vergangenen einhergeht.

Ich habe mich eigentlich immer in verschiedenen Zeiten zu
Hause gefühlt, habe Montaigne, Kant, Marx, Camus, selbst
Augustinus aus ihrer Zeit heraus zu verstehen versucht und sie
zugleich als Gegenwärtige erlebt, als Gesprächspartner und
Ideengeber. Wie nah ist mir François Villon, *né de Paris emprès
Pontoise* (geboren in Paris nahe der Oisebrücke), wie nah sind
mir Lessing, Büchner, Heine, Hofmannsthal, näher als manche
gegenwärtige Autoren. Daß das Neue das Alte tilgt, ist Marke-
ting-Philosophie. In Wahrheit wirkt das Vergangene fort, ist in
uns präsent, neben und in dem Gegenwärtigen. Es ist alles noch
da, und manchmal, wenn wir am wenigsten daran denken, holt
uns die Vergangenheit ein.

Das Erinnerungsbuch von Günter Grass: *Beim Häuten der
Zwiebel* – Ende Juli 2006 bekam ich ein Leseexemplar mit Wid-

mung: »Für Johano und Franziska meine jungen Jahre, Günter.« Keine klassische Autobiographie, eher ein autobiographischer Roman, in dem das Erzähler-Ich und die konkrete Person Günter Grass sich nur zum Teil decken, nicht selten ein Versteckspiel miteinander treiben. Hier und da entdeckte ich ein Detail, das mir noch nicht aus Günters Erzählungen oder aus seinem Werk bekannt war. Auch die Passage auf der Seite 126 las ich: »Erschreckte mich, was damals im Rekrutierungsbüro unübersehbar war, wie mir noch jetzt, nach über sechzig Jahren, das doppelte S im Augenblick der Niederschrift schrecklich ist?« Und daß die Panzereinheit der Waffen-SS, zu der der gerade mal Siebzehnjährige eingezogen wurde, nach Jörg von Frundsberg benannt war. Hatte er mir das vor Jahren schon einmal erzählt? Ich war mir nicht sicher. Aber es war mir auch nicht wichtig. Immer wieder hatte er, privat *und* öffentlich, davon gesprochen, daß er einst ein überzeugter Nazi gewesen, bis zuletzt an den Endsieg geglaubt, noch in der Gefangenschaft die Nachrichten von den Nazi-Greueln als Feindpropaganda abgetan habe. Nichts von dem, was ich nun las, war dazu angetan, das Bild, das ich mir von dem Autor und Menschen Günter Grass gemacht hatte, grundsätzlich zu verändern. Skandalöses konnte ich an dem Buch nicht entdecken.

Offenbar war es sechshundert anderen Lesern der Vorabexemplare, darunter nicht wenigen Feuilletonjournalisten, ähnlich gegangen. Aber dann gab Günter Grass der *FAZ* ein Interview, und Frank Schirrmacher bauschte zwei eher beiläufige Sätze aus einem langen Gespräch zu einer sensationellen Enthüllung auf: »Grass war Mitglied der Waffen-SS.« Was folgte, war ein Lehrstück über den Umgang der Deutschen mit ihrer Vergangenheit. Jeder, der, aus welchen Gründen auch immer, mit dem Autor noch eine Rechnung offen hatte oder glaubte sich auf seine Kosten in Szene setzen zu können, empörte sich öffentlich über den Sündenfall des Siebzehnjährigen oder ersatzweise darüber, daß Grass ihn nicht schon früher gebeichtet habe. Nun habe der »Moralapostel« endgültig jede Glaubwürdigkeit verloren, verlautete es aus der CDU-Zentrale, Henryk M. Broder dekretierte im *Spiegel*: »Grass ist erledigt«, und der Kritiker Helmut Karasek verstieg sich sogar zu der Forderung, Grass müsse nach dieser Enthüllung den Nobelpreis zurückgeben.

»Die vorherrschende Form des Skandals«, schrieb Jens Bisky in der *Süddeutschen Zeitung*, als die Erregung nach zwei, drei bewegten Wochen abebbte, »ist … wenig erkenntnisfreundlich. Sie dient der Logik des Verdachts, daß hinter dem Sichtbaren Ungeheures sich verberge oder vorbereite.« Aber dieses Ungeheure gab es nicht, wie sich alsbald herausstellte, und darum blieb von der ganzen Affäre nicht viel mehr als die Einsicht, die allerdings nicht neu ist, daß solche und ähnliche Erregungen vor allem der Selbsterhöhung auf Kosten anderer dienen, daß es bei den meisten Wortmeldungen vor allem darum geht, sich im Konkurrenzkampf um Medienpräsenz und Publikumsgunst einen Vorteil zu verschaffen. Nur eine Handvoll Historiker versuchte die erregte Öffentlichkeit dazu zu bewegen, die historischen Fakten zur Kenntnis zu nehmen. Allerdings mit mäßigem Erfolg. Denn nicht *wie es war*, interessierte die meisten Akteure dieses Mediendramas, sondern wie man aus der Sache auf die eine oder andere Weise Profit schlagen könne.

Günter Grass selbst hat seinen Gegnern ohne jede Not die Vorlage gegeben. Warum tat er das? Ein paar Superschlaue wollten wissen, daß es ihm nur um die Werbung für sein Buch gegangen sei. Er selbst schreibt in seinem Buch über sein Motiv: »Was ich mit dem dummen Stolz meiner jungen Jahre hingenommen hatte, wollte ich mir nach dem Krieg aus nachwachsender Scham verschweigen. Doch die Last blieb, und niemand konnte sie erleichtern.« Ich gehöre einer Generation an, die, was die Verbrechen der Nazis angeht, keine Gelegenheit hatte, Schuld auf sich zu laden. Aber kann man einem Menschen eine Mitschuld an den Greueln der Nazis vorwerfen, der fast noch ein Kind war, als er in den letzten Kriegswochen in die Waffen-SS gesteckt wurde? Und wenn er, als ihm klar wurde, worauf er sich in dem »dummen Stolz« der Jugend eingelassen hatte, erschrak und Scham ihm den Mund verschloß, ist ihm das vorzuwerfen? *Scham* und *Schuld* sind primär private Kategorien. Worauf es in der Demokratie als einer Sphäre des Öffentlichen ankommt, ist, daß jemand Verantwortung übernimmt für das, was er getan, und für das, was in seinem Namen getan wurde. Ich habe oft genug erlebt, daß Grass, als Schriftsteller und als Bürger, über seine jugendliche Verblendung sprach, immer wieder, uns Jüngeren zur Warnung, damit wir uns nicht von anderen, vielleicht nicht minder gefährlichen Ideologien blenden ließen. Ich glaube nicht, daß irgend jemand guten Gewissens behaupten kann, Günter Grass habe sich nicht der Verantwortung gestellt, die die deutsche Geschichte und seine eigene Biographie ihm auferlegten.

Wer in einer Autobiographie über sich selber Auskunft gibt, ist zwangsläufig einseitig und voreingenommen, zu gerichtsfester Objektivität wird er es auch dann nicht bringen, wenn er sich selbst und seiner Erinnerung zutiefst mißtraut und neben der sich ihm aufdrängenden Version immer auch andere, ihr widersprechende erwägt. Alles, was wir vermögen, ist, Geschichten zu erzählen, Geschichten, die einen Anfang haben und ein Ende, obwohl wir sehr wohl wissen, daß dem Anfang vieles vorausgegangen, dem Ende vieles gefolgt ist, was objektiv betrachtet nicht weniger von Belang ist. Wir wählen aus, lassen vieles weg, heben anderes hervor: Wenn wir unser Leben erzählen, so handelt es sich um eine von vielen Geschichten, die über dieses Leben zu erzählen wären.

In welcher Zeit lebe ich? Die Frage ist nicht leicht zu beantworten. Denn in Wahrheit leben wir wohl alle in verschiedenen Zeiten. Gewöhnlich sitze ich im Winter um neun, im Sommer um acht Uhr mit einer Tasse Kaffee an meinem Schreibtisch, um elf, wenn die Post gekommen ist, frühstücke ich und lese die Zeitung. Dann wieder am Schreibtisch bis halb zwei. Das Mittagessen ist meist nur ein Imbiß, am Nachmittag Anrufe, Faxe, Mails aus dem P. E. N.-Büro, später Lektüre, am Abend ein Glas Wein, Essen, Gäste. Der Alltag ist eine Reihe von Wiederholungen, zyklische Zeit. Wenn ich auf die Terrasse trete und in den Garten schaue, das erste Grün sehe oder die herbstliche Färbung der Blätter, bin ich eingebunden in den Rhythmus der Jahreszeiten, in den Kreislauf des immer Gleichen, an dem auch die Erderwärmung nicht allzuviel ändern wird. Dagegen die Weltzeit, die Zeit der Geschichte: Sie ist linear, nicht in dem Sinn, daß sie auf ein festes Ziel gerichtet wäre, aber doch in dem, daß alles Spätere auf dem Früheren aufruht, aus ihm erwächst und machmal tatsächlich über es hinausgeht: Entwicklung. Auch wenn ich auf mein eigenes Leben zurückblicke, erscheint es mir trotz aller Widersprüchlichkeit und Inkohärenz als ein Entwicklungsprozeß.

Liegt hier der Nutzen der Lebenserfahrung begründet? Gibt die Aufeinanderfolge der Geschehnisse so einen *Sinn*? In einem Gedicht aus dem Jahr 1982 mit dem Titel »Stand 15.11.82, 15 Uhr« habe ich geschrieben:

So und auch so
Nichts ist entschieden
Nichts überwunden
Wenn ich versuchsweise einmal denke
So könnte es bleiben
Oder auch so
Stellt einer prompt die Kulissen um

Das Vergangene wirkt fort, ist keineswegs abgegolten. Es sinkt nur scheinbar zurück, und während wir es aus den Augen verlieren, treibt es unversehens über die Gegenwart hinaus und kommt uns als Zukunft entgegen. Aber schon damals auch die Ahnung, daß die Lebenserfahrung doch nicht ein so sicherer Grund ist, auf dem man stehen, von dem aus man mit Zuversicht in die Zukunft aufbrechen kann. Und damals hatte ich den französischen Philosophen und Medienkritiker Paul Virilio noch nicht gelesen, erst recht nicht die neueren Bücher zur Beschleunigungsproblematik wie Hartmut Rosas umfangreiche Untersuchung über die (post)moderne *Beschleunigung*, die im Jahre 2005 erschienen ist. Ist in unserer sich rasend beschleunigenden Spätmoderne womöglich alles entwertet, was ich in den vorangegangenen Kapiteln aufgeschrieben habe? Erleben wir eben jetzt eine neuerliche Revolution der Lebens-, Sozial-, der Zeitverhältnisse, die uns schließlich doch zu der Einsicht zwingt, daß nichts mehr ist, wie es war?

Das Gefühl, einen Epochenbruch zu erleben, ist nicht neu. In den *Konfessionen* des Augustinus ist dies in jeder zweiten Zeile zu spüren: Die Welt der Antike zerbricht, das unbekannte Neue hat sich noch nicht formiert. Kein Wunder, daß die Zeit ihm, auch als existentielles Phänomen, zum Problem wird: »Was also ist Zeit? Wenn mich niemand fragt, weiß ich es, will ich es einem Fragenden erklären, weiß ich es nicht.« Auch die Dichter der Barockzeit lebten in dem Bewußtsein, an einer Epochenschwelle zu stehen, vor allem in Deutschland, wo der Dreißigjährige Krieg bis dahin unbekannte Verwüstungen und den Zusammenbruch aller inneren und äußeren Ordnung zur Folge hatte. Dasselbe Gefühl auch am Ende des langen 19. und am Beginn des schrecklichen 20. Jahrhunderts, als die Untergangsvisionen in der Kunst des Expressionismus vieles von dem vorwegnahmen, was bald in zwei Weltkriegen und in der Barbarei des Nationalsozialismus und des Stalinismus schreckliche Wirklichkeit wurde.

Und doch gibt es in der Geschichte eine hartnäckige Kontinuität: Die Antike lebt auch nach dem Zusammenbruch des Römischen Reiches fort, in Alexandria zunächst, dann in der islamisch-jüdisch-christlichen Mischkultur Südspaniens, in der thomistischen Philosophie und Theologie, in der Renaissance und der deutschen Klassik, lebt fort und wird verwandelt, auch der zwischenzeitlich fast vergessene Platon taucht in der Renaissance wieder auf. Nicht einmal die Schrecken der zwei Weltkriege und der Zivilisationsbruch der Nazibarbarei haben die Verbindungen zum Vergangenen kappen können. Mögen auch die Marktpräsenzzeiten in unserer globalisierten Welt schrumpfen, im unterirdischen Reich der Ideen herrscht nach wie vor eine verblüffende Langlebigkeit.

Ich bin ein politischer Mensch. Mag sein, daß ich meine Möglichkeiten der Einflußnahme überschätze, aber ein passiver Beobachter dessen, was um mich herum geschieht, möchte ich, kann ich nicht sein. Schon in dem Buch *Leben oder Überleben* habe ich mich mit der Frage befaßt, was von der Demokratie, von der großen modernen Idee der politischen Selbstbestimmung bleibt, wenn die Gestaltungsmöglichkeiten im Nationalstaat schwinden und die sozialen und ökonomischen Veränderungsprozesse sich immer mehr beschleunigen. Was passiert mit der Demokratie, was mit den Möglichkeiten der Politik, wenn ein neuer Schub der Beschleunigung die Deliberation, das argumentative Abwägen des Für und Wider, von dem auch die Legitimität von Mehrheitsentscheidungen abhängt, zu umständlich, zu langsam, unzeitgemäß erscheinen läßt? Wird die Demokratie tatsächlich zum Standortnachteil in unserer sich schnell und schneller wandelnden globalisierten Welt?

Ich schaue in die Zukunft und bin unsicher. Das bißchen Lebenserfahrung, das ich eingesammelt habe, ist keine sichere Basis für Prognosen, keine zuverlässige Anleitung für die mir verbleibenden Jahre, schon lange kein Wissensschatz, aus dem meine Kinder umstandslos Lebensorientierung gewinnen könnten. *Historia magistra vitae*, die Geschichte ist die Lehrmeisterin des Lebens, das galt in einer Zeit, da die Welt überschaubar, das Tempo der Veränderung vergleichsweise langsam und die Gestaltungsmöglichkeiten, wenn auch in der Reichweite beschränkt, so doch einigermaßen berechenbar waren. Aber können wir heute überhaupt noch etwas aus der Geschichte lernen, auch aus unserer eigenen Lebensgeschichte? Und: Haben wir noch die Möglichkeit, haben wir überhaupt noch den Willen, unsere Lebensverhältnisse kooperativ mit anderen zu gestalten und so die sich abzeichnenden – kriegerischen, sozialen und ökologischen – Katastrophen abzuwenden? Oder sind wir dabei, uns widerstandslos der anonymen, weil marktgeregelten Dynamik wissenschaftlich-technisch-ökonomischer Entwicklung zu unterwerfen, so daß an die Stelle einer von – zugegebenermaßen unvollkommenen – Menschen gemachten und daher von ihnen auch in Grenzen gestaltbaren Geschichte wieder ein blindes *Schicksal* tritt?

Wer sich die Frage stellt, kann gar nicht umhin, nach Alternativen Ausschau zu halten. Ich glaube nicht, daß das, was wir allzu pauschal *Globalisierung* nennen, zwangsläufig dazu führt, daß die Politik zur Magd des Marktes, politische Pragmatik zu bloßer Anpassung verkommt und die Freiheit sich auf die Wahl zwischen vorgegebenen Konsumoptionen reduziert. Die Globalisierung, wie sie heute abläuft, ist Menschenwerk und als solches politisch gestaltbar. Auch die ständige Beschleunigung der wissenschaftlich-technisch-ökonomischen Entwicklungsprozesse und des damit eng verknüpften Wandels der Lebensverhältnisse ist keineswegs alternativlos, ihre zunehmend absurden Konsequenzen müssen nicht demütig hingenommen werden. Nur wenn wir uns in der altbekannten postmodernen Pose als Subjekte negieren oder die Freiheit um ihre politische Dimension verkürzen und darauf verzichten, regelnd und regulierend in die Grunddynamik einzugreifen, die sich als Resultante abertausender einzelner Entscheidungen *am Markt* ergibt, treten uns die Folgen unseres Tuns und unserer Unterlassungen als ehernes Schicksal gegenüber. Nur wenn wir uns nicht mehr als Citoyens, sondern ausschließlich als Marktsubjekte in einer Marktgesellschaft verstehen, sind wir mit Leib und Seele dem Zwang der Verhältnisse unterworfen und werden am Ende in allen wesentlichen Dingen des Lebens tatsächlich keine Wahl mehr haben.

Das *Ceterum censeo*, eine Art Glaubensbekenntnis. Aber eines, das nicht willkürlich ist, sondern in dem Menschenbild wurzelt, das der modernen Kultur der Freiheit zugrunde liegt und von jedem von uns durch sein alltägliches Handeln, seine Ansprüche an sich selbst und an seine Mitmenschen bestätigt wird. Wenn mich meine Wahrnehmung nicht täuscht, haben die Marktradikalisten bereits viel von ihrem dreisten Charme eingebüßt, wächst überall die Skepsis und der Widerstand gegenüber den Propheten einer Ökonomisierung aller Lebensbereiche. Das kann, wie wir heute sehen, leicht in eine radikale Abkehr von der zivilisierten Moderne, in einen neuen Irrationalismus und religiösen Fundamentalismus umschlagen. Wenn wir das verhindern wollen, kommt es darauf an, eine wenig originelle Weisheit ins Bewußtsein der Menschen zurückzurufen: Freiheit, selbst die auf Wahlfreiheit reduzierte, kann auf Dauer nur bestehen, wenn wir von unserem Verstand und unserer Freiheit einen verantwortungsbewußten Gebrauch machen, wenn wir bei allem, was wir tun, Rücksicht nehmen auf unsere Mitmenschen und auf die natürlichen, sozialen und kulturellen Bedingungen, unter denen allein so viele Menschen gemeinsam auf der einen Erde leben können.

Ins Pragmatische übersetzt heißt das: Es geht nicht ohne Politik. Der Traum der Marktradikalisten, daß der Gesellschaftsautomat der *unsichtbaren Hand* uns die Verantwortung für den Oikos, die vom Menschen bewohnte Erde, abnehmen könnte, der Traum, der seit dem 18. Jahrhundert immer mal wieder die Geister berückte, ist eine gefährliche Illusion. Die, die sich im gegenwärtigen Klima *organisierter Verantwortungslosigkeit* erfolgreich als Freibeuter betätigen, werden wir nur schwer von ihrem Irrweg abbringen können. Aber wir, die vielen anderen, sollten sie uns nicht länger zum Vorbild nehmen, weil die Maxime ihres Handelns, auch wenn uns die Ökonomisten dies einzureden trachten, niemals – im Sinne Kants – zur Grundlage einer allgemeinen Gesetzgebung werden könnte. Nur wenn der Primat der Politik gesichert ist, können wir verhindern, daß wir am Ende alle zu Sklaven unserer eigenen Schöpfungen werden. Und den Primat der Politik können wir nur dann wiederherstellen, wenn uns der ganze Oikos zum politischen Gestaltungsraum wird, wenn wir Europa zu einer kulturell definierten, demokratisch legitimierten und politisch handlungsfähigen Einheit ausbauen, wenn wir die UNO stärken und unter ihrer Ägide eine neue Weltordnung des Rechts errichten.

Draußen im Garten läßt die Sonne das herbstliche Gold der Buchen leuchten. Das Unverfügbare, es enthüllt sich nur dem absichtslosen Blick. Je älter ich werde, um so mehr greift mir die Schönheit der Natur ans Herz. Die leichte Senke, der lehmige Hügel hoch über dem See, die goldenen Buchen, der blaß-blaue Himmel darüber. Wäre das Wunder weniger groß, wenn wir anerkennen müßten, daß die Schönheit in Wahrheit im Auge des Betrachters liegt? Auf meinem Schreibtisch unter allerhand Papier die Einladung zu Freimut Duves siebzigsten Geburtstag. Natürlich werde ich nach Hamburg fahren, um ihn zu feiern. Und zu Erhard Epplers Achtzigstem werde ich mich nach Bad

Boll begeben, wo ihm zu Ehren ein Symposium stattfindet, bei dem ich über den politischen Programmatiker Eppler referieren soll. Mit beiden verbinden mich viele Jahre enger und freundschaftlicher Zusammenarbeit, vor allem aber die Entdeckung, die wir Anfang der siebziger Jahre machten, eine Entdeckung, die wie so viele eigentlich eine Wiederentdeckung war: daß wir in einer begrenzten Ökosphäre leben, die wir gestalten und die uns gestaltet, deren Möglichkeiten wir nutzen sollen, deren Grenzen wir aber zu respektieren haben. Den Folgen dieses Blickwechsels werden wir uns nicht entziehen können, auch wenn manche uns heute glauben machen wollen, durch die neuen Möglichkeiten der gen-chirurgischen Manipulation der außermenschlichen und der menschlichen Natur alle Schranken überwinden zu können.

Die runden Geburtstage von Menschen, mit denen ich ein Stück des Weges gegangen bin, häufen sich. Und die Aufforderungen, Festschriftbeiträge zu verfassen. Für die Festschrift zu Horst Ehmkes Achtzigsten habe ich eine kleine Erzählung beigesteuert: *Kommissar Ehmke wechselt das Metier*. Hans-Jochen Vogels Achtzigster liegt schon wieder einige Monate zurück. Auch da eine Festschrift, für die ich einen Beitrag geschrieben habe. Sogar eine seinerzeit der sozial-liberalen Koalition, heute der SPD und den Grünen nahestehende Journalistenvereinigung, die Anfang der siebziger Jahre gegründet wurde, feierte 2006 ein Jubiläum. Tissy Bruns und Hartmut Palmer luden dazu in die Bremer Landesvertretung in Berlin ein: *Fünfunddreißig Jahre Gelbe Karte*. Man schart sich bei solchen Anlässen umeinander. Klaus Bölling, Regierungssprecher unter Helmut Schmidt, und Peter Struck, seit kurzem wieder Fraktionsvorsitzender der SPD, sprachen. Rückblicke, Anekdoten, anerkennende Worte. In den Würdigungen bekommt das gemeinsam Erinnerte einen plausiblen Sinn. So weit, so gut?

Für mich ist es zu früh, mich zurückzulehnen. Die nächste Jahresversammlung des P. E. N. in Luxemburg muß vorbereitet werden, eine Wochenendtagung der Reihe *Literatur am See*. Zwei Kanzelreden stehen an, eine in der Erlöserkirche in München-Schwabing, eine zum Reformationstag in Freising. In Bayern,

Nordrhein-Westfalen, Brandenburg und Niedersachsen soll ich über das neue Grundsatzprogramm der SPD sprechen. Und eigentlich wollten wir uns vor Ende des Jahres noch einmal mit den Schriftstellerfreunden hier im Haus treffen, um uns aus dem Manuskript vorzulesen. Und dann die Reisen, die immer wieder aufgeschoben, weil soviel anderes, vermeintlich Wichtigeres dazwischenkam. Eine Reise durch das Innere Spaniens, die Touristenstrände meidend, unter der sachkundigen Führung unserer Freundin Verena von der Heyden-Rynsch, die so kenntnisreich über den Salon des 18. Jahrhunderts und über die Kunst der Galanterie geschrieben hat, langsam im Auto von Parador zu Parador. Oder die andere Reise, von Bialystok nach Krakau, von dort auf Nebenstraßen nach Temeschwar und weiter nach Belgrad, Sarajewo, Zagreb, Triest. Sich Zeit lassen, unter der touristischen Außenhaut das schlagende Herz Europas entdecken.

Pläne, Termine. Der Mensch ist ein pläneschmiedendes Lebewesen. Jedenfalls gilt das für mich. Daß viele Pläne sich schon auf dem Weg vom Halbdunkel der Phantasie ins Licht des Tages in nichts auflösen, andere im Zuge ihrer Verwirklichung an der widrigen Realität zerschellen, nur wenige tatsächlich ausgeführt werden, ändert daran nichts. Jeder erfüllte oder gescheiterte Plan, jede zerstobene Hoffnung erzeugt nur neue Hoffnungen, neue Pläne. Wie heißt die Fußballerweisheit, die Franz Beckenbauer immer zitiert, wenn ihm sonst gar nichts mehr einfällt? »Nach dem Spiel ist vor dem Spiel.« Das eine Buch ist fertig, und schon schmiede ich Pläne für das nächste. Und vielleicht ... Vielleicht mache ich noch mal was ganz anderes als Vorträgehalten und Bücherschreiben. In meiner Erinnerung stoße ich zwischen den vielen Resten gescheiterter Hoffnungen immer noch hier und da auf uneingelöste Versprechen. Leben ist mehr als Überleben. In der Gegenwart leben heißt immer auch in der Zukunft leben, in einer Zukunft, die aus dem unabgegoltenen Vergangenen erwächst.

BILDNACHWEISE

1. Auflage 2007

Copyright © Pendo Verlag GmbH & Co. KG
München und Zürich 2007
Redaktion: Regina Carstensen
Umschlaggestaltung: Hauptmann & Kompanie Werbeagentur,
München-Zürich
Gesetzt aus der Sabon
Satz: Fotosatz Reinhard Amann, Aichstetten
Druck und Bindung: Pustet, Regensburg
Printed in Germany
ISBN 978-3-86612-111-9

Shirin Ebadi

Mein Iran

Ein Leben zwischen
Revolution und Hoffnung

320 Seiten. Gebunden.
€ 19,90 / sFr 36,-
ISBN: 978-3-86612-080-8

Seit Jahrzehnten setzt sich die Juristin Shirin Ebadi für
eine Reform der iranischen Gesellschaft von innen heraus
ein. Für ihren unerschrockenen Einsatz für Demokratie und
Menschenrechte erhielt sie den Friedensnobelpreis. Ihre
Autobiografie gewährt Einblick in ein Land, das wie kaum
ein anderes im Brennpunkt der internationalen Politik steht.

»Ein kluges Buch, präzise, voller Geschichten, spannend in
der Darstellung der politischen Dynamik seit der islamischen
Revolution.« *Brigitte*

Pendo Verlag GmbH & Co. KG
Goethestr. 43 | D-80336 München
Fon +49 (0)89 - 7 00 76 88-0
Fax +49 (0)89 - 7 00 76 88-9
www.pendo.de | www.pendo.ch